Francesca

LA MAÎTRESSE
DE BORGIA

SARA POOLE

PÔLE
ROMAN

Première édition française Novembre 2012

Auteur : Sara Poole
Traductrice : Patricia Barbe-Girault

Titre original : THE BORGIA MISTRESS copyright © 2012 by Sara Poole.

ISBN : 978-2-822-401708

Imprimé au Canada
Marquis imprimeur

MARQUIS

Québec, Canada

Prélude

Montségur, France
Mars 1244

— Hélène ! Où es-tu ?

La voix de la femme porta par-delà les murs de pierre rugueux, dans la cour vide, qui se situait au centre de la forteresse perchée en haut d'un rocher escarpé. Ils furent plusieurs à se retourner pour l'observer, mais elle les ignora.

— Hélène !

— Je suis ici, maman !

L'enfant, qui dut baisser la tête pour sortir de l'une des nombreuses grottes trouant la roche ici et là, ployait sous le poids d'un seau d'eau qu'elle venait de tirer de la citerne dissimulée à l'intérieur. Elle était petite et efflanquée pour une fillette de sept ans, et les couches de lainages en lambeaux qu'elle portait ne la protégeaient absolument pas du vent glacial. Cela ne l'empêcha pas de sourire en voyant sa mère.

— Regarde, s'exclama-t-elle en sortant de sous sa cape un quignon de pain. Bonne Dame Jeannine me l'a donné pour l'avoir aidée à tirer l'eau.

— On va te trouver un peu de bouillon pour tremper dedans, lui répondit sa mère. Mais d'abord, il faut aller à l'intérieur.

À cet instant précis, des cris se firent entendre sur les flancs de la colline, en contrebas de la forteresse. La femme empoigna brusquement la main de son enfant, et se mit à courir. Plusieurs autres qui se trouvaient à proximité firent de même, mais quelques-uns (hommes et femmes) restèrent là où ils étaient, à découvert. Le visage serein, ils priaient.

Un énorme boulet en pierre fendit l'air et alla heurter le mur d'enceinte de la forteresse. Puis, ce fut le déluge. L'un des projectiles éclata en mille morceaux sur le sol, et un fragment toucha une femme. Elle rejeta violemment le haut du corps en arrière, et au même moment du sang jaillit de son crâne. Elle tomba et ne se releva pas.

Hélène, la petite fille, courait en se cramponnant tant bien que mal au seau d'eau pour ne pas en renverser, mais sa mère le lui arracha sans ménagement et le jeta de côté. Elles arrivèrent devant l'entrée d'une grotte et s'y engouffrèrent au moment même où un autre boulet s'abattait, à quelques mètres de là seulement. Le bombardement continua ainsi pendant plus d'une heure, sans répit. Regardant par une ouverture, l'enfant vit plusieurs autres personnes qui ne s'étaient pas mises à l'abri se faire tuer. Cette vision la terrifia.

Sa mère l'attira à elle, et lui tint la tête contre sa poitrine en lui caressant doucement les cheveux.

— N'aie pas peur, ma petite. Tu sais qu'ils font partie des *parfaits* et que la douleur de la mort ne les atteint pas. Ils l'embrassent, au contraire, car ils savent qu'ils seront libérés à jamais du cycle des renaissances dans le monde mauvais. Ils suivent la voie de la lumière, qui les mènera vers le royaume éternel du vrai Dieu bon.

Elle se recula un peu, sourit à l'enfant.

— Nous devons nous réjouir pour eux.

— Et Père ? Est-ce qu'il va mourir ?

L'idée de son père écrasé par une de ces pierres volantes lui donna envie de pleurer, mais elle savait qu'elle devait se contenir. Il faisait partie des *perfecti*, et à ce titre était destiné à la lumière. C'était lui (et d'autres comme lui) qui les avait tous emmenés dans la forteresse sur les hauteurs, il y avait des mois de cela, quand les hommes mauvais envoyés par le pape de Satan étaient venus jusque dans leurs maisons, au village. Depuis, l'ennemi avait gagné du terrain sur les flancs de la montagne, se rapprochant chaque jour un peu plus avec ses machines de guerre et les bombardant à intervalles réguliers. Quelques jours plus tôt, les premiers boulets étaient tombés dans la forteresse elle-même. Bientôt les derniers murs s'écrouleraient, et alors plus rien ne les protégerait, hormis leur foi.

— Mais pourquoi le Dieu bon ne les arrête-t-Il pas ? demanda l'enfant. Si nous prions très fort, peut-être qu'Il…

— Allons, Hélène, tu sais bien que seul le Dieu mauvais règne en ce monde. Il a emprisonné la lumière de nos âmes dans ces corps, mais nous pouvons encore nous libérer de Lui. Ton père et les autres *parfaits* nous montrent la voie.

L'enfant se contenta de hocher la tête, car elle avait confiance en son père, et elle aimait sa mère ; mais sa peur ne s'apaisa pas pour autant. Bien après l'heure du coucher, cette nuit-là, le murmure de leurs voix la garda éveillée. Elle ne comprit pas vraiment ce qu'ils se disaient. Mais en entendant sa mère fondre en larmes, elle ne put retenir les siennes.

Au matin, sa mère la réveilla avec un sourire qui ne se reflétait pas dans ses yeux.

— J'ai une merveilleuse nouvelle à t'annoncer, lui dit-elle. Hier soir, ton père m'a informée que j'étais digne de faire partie des *parfaits*. Un peu plus tard dans la journée, il célébrera le rite du *consolament* pour moi, et je serai élevée à cet état-là.

La terreur s'empara de la petite fille. Sa mère allait être comme ceux qui s'étaient fait écraser sous les pierres, la veille. Elle allait s'en aller vers la lumière.

— Ne me laisse pas ici !

Au même moment, son père apparut à la porte de la petite chambre où ils dormaient tous. Il regarda Hélène en fronçant les sourcils.

— Tu devrais être un peu plus raisonnable tout de même, à ton âge. Vis ta vie selon nos principes et toi aussi, tu seras délivrée du monde mauvais ; si ce n'est dans cette vie, alors dans une autre.

L'idée de devoir renaître, encore et encore, dans le monde mauvais, sans pouvoir goûter à l'étreinte rassurante de sa mère, était tout bonnement insupportable. La fillette fut prise de sanglots déchirants. Sa mère l'aurait prise dans ses bras mais son père l'en empêcha, la faisant sortir de la pièce. Hélène demeura seule, seule avec sa peur.

Des heures passèrent et ses parents n'étaient toujours pas revenus. Lorsque ses larmes se tarirent, Hélène alla dehors et resta un moment à regarder la vallée en contrebas. Elle se souvint vaguement du jour où elle était arrivée là (elle était très petite), et combien elle avait été émerveillée à la vue des ruisseaux scintillants et des forêts luxuriantes, regorgeant d'oiseaux et de fleurs à la belle saison. Pendant un temps, la vie avait été belle. Mais à présent, à cause des parois à pic, elle ne pouvait plus voir le village où ils avaient vécu. Peut-être était-ce aussi bien. Des hommes mauvais y habitaient, maintenant ; par milliers, à ce que l'on disait. Et bientôt, ils entreraient dans la forteresse.

Même s'il s'était habitué à la nouvelle diminution des rations, son ventre se mit à gargouiller. Elle songea bien à tenter de trouver de quoi manger, mais le bombardement pouvait recommencer à tout moment, et elle craignait de se faire prendre à découvert. Alors qu'elle se demandait quoi faire, elle vit les *parfaits* (ils devaient bien être quelques centaines) entrer dans la salle creusée sous terre où ils se réunissaient souvent. Derrière eux, ils laissèrent les simples *credenti* — les croyants, disciples de la foi qui n'en étaient pas véritablement membres, tant qu'ils n'avaient pas atteint la perfection. S'armant de courage, Hélène s'élança pour traverser la cour aussi vite que possible. Quand elle atteignit le mur opposé, elle ne bougea plus tant que les battements de son cœur ne furent pas revenus à la normale. Puis, elle s'avança subrepticement et tendit l'oreille.

C'était la curiosité qui la poussait à agir ainsi, mais aussi l'espoir de voir sa mère au moment de sa transformation en *parfaite*. Tous ceux qui appartenaient à la véritable foi attendaient cela et le désiraient, plus que tout au monde. Or, elle arrivait trop tard. Sa mère portait déjà la robe bleu nuit réservée aux *parfaits*. Elle avait les mains jointes au niveau de la taille, et le visage curieusement sans expression. Pourtant, ses yeux étaient rougis.

Un homme, lui aussi vêtu d'une robe, était en train de passer parmi l'assemblée. Il tenait un petit bol sans aucun ornement, recouvert d'un carré de tissu. Chaque personne devant laquelle il s'arrêtait glissait une main dessous et prenait un caillou rond et lisse. La plupart étaient blancs, mais quelques-uns étaient noirs. Ce fut bientôt au tour de la mère d'Hélène de plonger la main dans le bol. Lorsqu'elle la ressortit, elle tenait un caillou blanc. Son père figurait parmi les derniers à choisir, et lui tira un caillou noir.

— Ainsi en a-t-il été décidé, déclama-t-il. Réjouissons-nous pour ceux qui partent devant, car nous savons que nous les reverrons un jour, dans la lumière.

Un murmure d'approbation parcourut l'assemblée, et beaucoup se mirent à prier. Plusieurs paraissaient totalement transportés, et leur esprit ne semblait plus tout à fait de ce monde. Hélène regarda sa mère mais celle-ci ne la vit pas, car les autres faisaient comme un écran, devant.

Plus tard, lorsque les *parfaits* eurent émergé à l'air libre, on annonça que tous, *credenti* comme *perfecti*, prendraient un dernier repas ensemble. On sortit alors de la nourriture comme l'enfant n'en avait pas vu depuis des mois. Les produits laitiers et la viande étaient strictement interdits, naturellement, mais il y avait des fruits secs, diverses variétés de noix, des légumes, du poisson séché, et du pain — délicieux. L'enfant mangea jusqu'à ce que son estomac n'en puisse plus. Après un tel festin, elle eut le plus grand mal à garder les yeux ouverts ; mais elle était déterminée à ne pas s'endormir. Car même si sa mère était restée avec les *parfaits*, elle parvenait à l'apercevoir de temps à autre. Et elle avait toujours l'air d'avoir pleuré.

Il faisait nuit quand le repas s'acheva, et une à une les familles retournèrent dans leurs quartiers. Hélène allait directement s'allonger sur sa paillasse à même le sol lorsque son père l'appela. Il avait gardé sa cape, et tenait à la main un petit ballot.

— Dis au revoir à ta mère, l'enjoignit-il. Quand vous vous retrouverez, vous serez toutes les deux dans la lumière.

L'enfant se raidit et ne bougea pas, craignant de comprendre ce qu'il venait de lui dire. Mais sa mère s'avança et, la prenant doucement par les épaules, la regarda droit dans les yeux.

— N'aie pas peur, lui dit-elle doucement. Le choix est fait et je m'en réjouis. Vis une bonne vie, et nous serons bientôt réunies. (Elle tourna les yeux vers l'homme qui attendait avec une certaine impatience près de la porte, puis reporta son attention sur elle.) Sois gentille avec ton père, et obéis-lui. Il a accepté de rester ici alors que nous autres allons dans la lumière.

— Laisse-moi y aller aussi, maman ! cria l'enfant. Je n'ai pas peur ! Même si je dois revenir dans ce monde ensuite, laisse-moi aller avec toi maintenant. S'il te plaît !

Sa mère émit une complainte à peine audible. Elle pressa fermement les lèvres, mais c'était trop tard. Son mari avait entendu.

— Assez, s'exclama-t-il en avançant de quelques pas. Les autres attendent. Nous devons nous en aller.

À sa femme, il ordonna :

— Observe les enseignements de notre foi. Montre aux disciples de Satan que nous sommes au-delà de la peur et de l'effroi. Frappe-les, eux et leur âme mauvaise, avec la force de ta conviction.

La femme hocha la tête en silence, mais Hélène se demanda si elle avait réellement entendu. Elle garda les yeux fixés sur sa fille, même lorsque le père prit la main de l'enfant et la traîna hors de la pièce. Désespérée, Hélène se retourna et ne détacha plus les yeux de sa mère jusqu'à arriver à l'autre bout de la forteresse, au-dessus des falaises.

Une poignée de personnes seulement était rassemblée là : les *parfaits* qu'Hélène avait vus tirer des cailloux noirs, ainsi que quelques croyants à l'air effrayé. La moitié d'entre eux était des enfants, comme elle.

— Allez, venez, intima son père avant de montrer le chemin vers l'une des grottes creusées dans la roche. Arrivés là, ils prirent un passage étroit où l'air était si froid et humide qu'Hélène se mit à trembler sans pouvoir s'arrêter. Quand ils ressortirent enfin à l'air libre, ils étaient au pied de la falaise et face à eux il y avait le village.

— Nous allons nous cacher dans la forêt pour la nuit, annonça son père tout en marchant. Et demain, nous regarderons pour témoigner.

Hélène dormit quelques heures sur un lit d'aiguilles de pin, mais son sommeil ne cessa d'être entrecoupé par des images de sa mère restée seule en haut de la colline. Non, pas seule ; elle était parmi les *parfaits*, et bientôt elle irait dans la lumière. Peut-être que le Dieu bon Lui-même descendrait chercher Ses fidèles. Des anges chanteraient, et les hommes mauvais tomberaient à genoux, frappés de terreur. À l'idée d'être témoin d'un tel miracle, l'enfant sentit sa souffrance s'atténuer un peu, mais sa maman lui manquait toujours.

Dans la matinée, son père les rassembla et les guida à travers la forêt jusqu'à un petit plateau rocheux surplombant le village. Ils s'installèrent à cet endroit, d'où ils pouvaient voir sans être vus.

— Ne faites pas un bruit, les somma-t-il. Souvenez-vous, vous êtes ici pour témoigner.

Pendant plus d'une heure, il ne se passa rien. Hélène tenta de se distraire du froid et de sa peur en observant le village, qui avait été transformé en camp retranché. La bannière du pape de Satan flottait au vent, entourée des emblèmes de ceux qui étaient à leurs ordres. Elle n'avait jamais vu autant de gens rassemblés en un même lieu. Ils devaient bien être des milliers. Sous leurs pieds, le sol n'était plus qu'une sorte de boue glacée ; plus un brin d'herbe ne poussait. Quasiment tous les arbres avaient été coupés pour construire les immenses catapultes qui trônaient à présent sur les pentes menant à la forteresse. Il y avait des tentes partout, mais au centre du village, un grand espace avait été dégagé pour faire place à une immense cage en bois, dont Hélène se demandait à quoi elle pouvait bien servir.

Le soleil était déjà haut dans le ciel d'hiver lorsque le silence s'abattit tout à coup sur le camp. Tous les yeux se tournèrent vers le sommet de la colline. Hélène arrêta de respirer en voyant les *parfaits*, tous vêtus de bleu, descendre bien en rang en direction de l'armée de Satan. Elle les entendit vaguement chanter. Un par un, lorsqu'ils arrivèrent au village, ils entrèrent sans hésiter dans la cage en bois.

Lorsqu'ils furent tous à l'intérieur, quelqu'un ferma la porte et la bloqua à l'aide de chaînes en fer. Un homme juché sur une noble monture cria un ordre aux soldats, qui coururent entasser du petit bois autour de la cage. Hélène entendit un petit gémissement, et se rendit compte qu'il venait d'elle. Son père lui mit une main sur l'épaule.

— Ne détourne pas les yeux, dit-il. Il est de ton devoir de regarder, et de te souvenir.

Elle obéit, non parce qu'elle le voulait mais parce qu'elle ne pouvait pas bouger. À force de la chercher désespérément, elle finit par repérer sa mère pressée contre le fond de la cage. Elle regardait dans leur direction. Mais ils étaient bien cachés, et Hélène songea que sa mère ne devait pas vraiment la voir. Des larmes brûlantes lui coulèrent sur les joues. Elle ouvrit la bouche pour crier, mais aucun son n'en sortit.

Des hommes s'avancèrent alors avec des torches, qu'ils inclinèrent vers la base de la cage. Un prêtre qui faisait partie des hommes mauvais fit le signe de la croix. Une grande clameur d'approbation s'éleva des rangs de l'armée. Le feu prit rapidement et une fumée noire monta en spirale dans le ciel. Bientôt, des flammes rouges vinrent lécher le devant de la cage, puis le dessus. La robe de l'un des *parfaits* prit feu, suivie de peu par une autre, et encore une autre. Pendant tout ce temps-là, ils continuèrent à chanter.

Hélène ferma les yeux, pour les rouvrir l'instant d'après sous la pression des mains de son père sur ses épaules.

D'une voix chargée d'émotion, il lui dit :

— Si tu aimes ta mère, regarde, pour témoigner.

Elle fit ce qu'il lui demandait et ne détourna plus les yeux, même lorsque le feu courut le long de l'arrière de la cage, et se retrouva en contact avec la robe de sa mère. Elle la vit se faire engloutir par les flammes, se tordre de douleur, et tendre les bras à travers les barreaux de la cage comme si elle voulait étreindre sa fille une dernière fois.

Hélène contempla la scène jusqu'à ce qu'elle ne soit plus qu'un tas de cendres fumantes, et qu'il n'y ait plus aucun bruit hormis celui du vent hurlant là-haut, dans la forteresse vide.

Lorsque tout fut terminé son père leur déclara, à elle comme aux autres restés immobiles, le visage baigné de larmes et les lèvres en sang, à force de s'être retenus de crier :

— Par leur sacrifice, les *parfaits* ont donné la preuve du pouvoir de notre foi et de la bonté de notre Dieu. Nous qui vivons dans le monde mauvais, ne l'oublions jamais. (Il prit la main d'Hélène dans la sienne, et la tint fermement.) Transmettez ce que vous venez de voir à vos enfants, pour qu'ils puissent le transmettre aux leurs. Le jour du jugement viendra. Et lorsque cela arrivera, les cathares seront prêts.

Le vent sécha les larmes de l'enfant. Sa détresse se changea en détermination, renforcée encore par la haine. Elle perpétua la foi, elle se souvint, et elle transmit son histoire à ses enfants.

Et ils la transmirent aux leurs, jusqu'à aujourd'hui.

1

Rome
Octobre 1493

— Donna Francesca…

Je cheminais dans le Campo dei Fiori, en direction de l'échoppe de Rocco. J'avais quelque chose d'important à lui dire.

— Donna…

Je pressais le pas, en prenant soin d'éviter les charrettes à bras, les passants, les tas de fumier et les camelots un peu trop insistants, car j'avais peur d'être en retard.

— Réveillez-vous !

Il fallait vraiment que je… c'était important…

La rue disparut sous mes yeux. Je clignai des yeux dans la lumière crue qui perça tout à coup le cocon de mon lit, lorsque Portia en tira les rideaux. Elle tenait une lampe bien haut d'une main, et m'empoigna par l'épaule pour me secouer de l'autre.

— Pour l'amour du ciel…, m'exclamai-je les yeux refermés, pour tenter de retenir mon rêve.

— Des condottieri sont là, annonça ma *portiere*. *Ses* condottieri. D'après eux, vous devez venir.

— D'après… quoi ?

— Vous devez venir. Ils voulaient que je les laisse entrer, mais je leur ai répondu que j'allais vous réveiller moi-même. Ce qui ne les empêche pas d'être plantés juste derrière votre porte. À mon avis, ils ne patienteront pas longtemps.

Malgré la fraîcheur de ce début d'automne, je dormais nue. Mon corps était couvert de sueur. Le cauchemar avait, comme d'habitude, laissé sa trace sur moi.

— Je vais le tuer, je jure que je vais le tuer.

La concierge naine gloussa. Elle sauta du tabouret où elle était perchée, dénicha une chemise de nuit en fin coton égyptien, couleur safran, et me la tendit.

— Mais non. Il va vous charmer comme toujours, et comme toujours vous allez lui pardonner.

J'étais occupée à passer les manches, et je fis la grimace.

— Comment la plus rusée des *portieri* peut-elle être une aussi incorrigible romantique ?

Portia haussa les épaules.

— Que voulez-vous, il sait se montrer généreux.

Je me mis à rire, et finis par tousser, me ressaisis et sortis de la chambre pour traverser mon salon, qui était rempli de livres et des instruments utiles à mes expériences — toutes choses propres à alimenter les folles rumeurs qui couraient sur moi. La chemise de nuit, délicatement teinte au moyen de pistils de crocus d'Andalousie écrasés, ondulait en rythme avec mes mouvements. Je me pressai, passant de l'ombre à la lumière sans m'arrêter. Un chat blanc comme par esprit de contradiction, au vu de la superstition ambiante, me suivait partout. La porte de l'appartement était ouverte, et des soldats en casques et plastrons brillants faisaient les cent pas sur le palier.

En me voyant arriver, leur chef se raidit — encore heureux, vu ses affligeantes manières.

— Donna, dit-il en faisant un rapide salut de la tête. Mille excuses pour l'heure tardive, mais j'ai pensé qu'il valait mieux… C'est-à-dire, je n'étais pas sûr que vous…

— Où est-il ?

Le capitaine hésita mais il ne pouvait mentir, ou plutôt *me* mentir. L'un des rares avantages, pour quelqu'un comme moi, à avoir une réputation noire comme les eaux du Styx.

— Dans une taverne du Trastevere. Il est… en piteux état.

Je soupirai et m'étirai le cou, car je luttais encore pour me réveiller totalement. Une pensée me traversa l'esprit.

— Nous sommes dimanche aujourd'hui, n'est-ce pas ?

— Oui, Donna, et c'est bien le problème. Nous n'avons pas beaucoup de temps.

— Attendez ici.

Je retournai à l'intérieur. Ma bonne Portia était déjà en train de sortir des vêtements pour moi. Son jugement en la matière étant bien plus sûr que le mien, ce n'était pas dans mon intérêt de protester. Mais je ne pus m'empêcher de plaisanter :

— Rappelle-moi de faire changer la serrure de cette porte. Ou mieux, rends-moi ta clé.

Elle me fit un grand sourire et secoua la tête.

— À quoi bon, Donna ? Vous savez bien que le serrurier est à la solde de votre propriétaire. Le soleil ne serait pas couché que je serais déjà cn possession d'un nouveau jeu. Et par ailleurs, qui prendra soin de vos affaires si vous devez vous en aller ?

— Mais pourquoi diable m'en irais-je ? fis-je d'une voix étouffée, en passant une robe du dessous par la tête.

Portia haussa les épaules.

— Je dis ça comme ça… Cela pourrait arriver.

— Qu'as-tu entendu ?

Car la *portiere* avait nécessairement entendu quelque chose. Elle avait l'ouïe la plus fine de Rome.

— Il ne fait guère bon rester en ville, en ce moment. Toute cette pluie, le Tibre qui déborde de son lit, les rumeurs de peste. Certains pourraient penser que c'est le bon moment de partir quelque temps à la campagne.

— Oh mon Dieu !

Le fumier, les cochons, les amourettes bucoliques, et de l'espace, bien trop d'espace. Je détestais la campagne.

— Pour l'instant, occupez-vous de l'amener à la chapelle à

l'heure prévue, me conseilla Portia. Cela nous évitera pas mal d'ennuis.

Je m'appelle Francesca Giordano, et je suis la fille de feu Giovanni Giordano, qui resta dix ans au service de la cour des Borgia en tant qu'empoisonneur et, pour sa peine, fut assassiné. Dans le but de le venger j'ai pris sa place, en empoisonnant l'homme choisi pour le remplacer au départ. Fort heureusement, le cardinal Rodrigo Borgia (ainsi qu'il se nommait avant) passa sur mon crime car il avait compris en quoi je pouvais lui être utile. Sur son ordre, je me suis attelée à la tâche de tuer l'homme responsable de la mort de mon père — du moins le croyais-je à l'époque. Seul Dieu sait si le pape Innocent VIII est mort de ma main. Ce qui est certain, c'est que son décès a ouvert la voie à Borgia pour devenir pape.

Je vous fais horreur ? Soit. Mais sachez ceci : personne ne craignait davantage que moi la noirceur de ma nature. Si j'avais eu le pouvoir de me changer en femme ordinaire (en épouse, en mère peut-être), je l'aurais fait sans hésiter, même s'il avait fallu pour cela que je traverse les feux de l'enfer. Du moins, c'est ce que j'aimais à croire. Fut un temps où saint Augustin n'était qu'un jeune homme se vautrant dans la débauche, ce qui ne l'empêchait pas de prier Dieu de faire de lui un homme chaste — mais pas maintenant. Mes propres aspirations devaient peut-être un peu de leur attrait au fait qu'en toute probabilité, elles ne deviendraient pas réalité de sitôt. J'étais ce que j'étais, et que Dieu ait pitié de mon âme.

J'avais vingt et un ans en ce temps-là, les cheveux auburn, les yeux marron et, bien que mince, des formes féminines. Je dis cela sans aucune fierté car dans le défilé de mes péchés, la vanité fermait la marche. Mais je faisais un métier d'homme, et mon apparence physique en décontenançait plus d'un. Ce qui me convenait fort bien car pendant qu'ils étaient occupés à rêver, soit de me brûler, soit de me mettre dans leur lit (l'un n'excluant pas l'autre), moi, j'agissais.

La taverne se situait dans l'une des petites ruelles qui partent du Campo dei Fiori. Aux heures de marché, avec le monde qu'il y avait, il aurait été facile de la rater. Mais l'aube n'ayant pas encore pointé, et au vu de la lumière et des bruits qui se répandaient dans la rue par l'étroite fenêtre, c'était tout bonnement impossible.

Un grand gaillard montait la garde dehors afin de décourager les malandrins, qui avaient une prédilection pour les proies faciles telles que les jeunes nobles, toujours trop occupés à s'enivrer et à s'encanailler pour remarquer qu'on les délestait. Un seul regard aux condottieri qui approchaient, et il se volatilisa dans la ruelle voisine.

— Si vous préférez qu'on entre en premier…, fit le capitaine.

Je l'ignorai, et poussai la porte. De toutes parts, je fus assaillie par des odeurs — de vin grossier, de sueur, de viande, de fumée. J'inhalai profondément. *Ah, Roma.* La perspective d'un séjour à la campagne vint assombrir le moment, mais je chassai bien vite cela de mon esprit.

Un rustre, que l'excès d'alcool avait rendu bigleux, tendit le bras pour me saisir à la taille. Je l'esquivai facilement, et poursuivis mon chemin. Le bruit venait surtout d'une grande table à moitié dissimulée par des rideaux à l'arrière de la taverne, où un essaim de jeunes femmes en très petites tenues semblaient se disputer les intentions de clients un peu à part.

Un éclat de rire fort… un cri perçant de fille… quelques paroles de chanson grivoise…

J'écartai de mon chemin une jouvencelle qui portait uniquement un pantalon bouffant diaphane, donnai un coup de coude dans une autre créature encore plus légèrement vêtue, et fis enfin face à la raison pour laquelle on m'avait arrachée de mon lit au beau milieu de la nuit.

Se prélassant dans un fauteuil, une coupe à la main et un sein bien rond dans l'autre, le fils de Sa Sainteté le pape Alexandre VI semblait de fort bonne humeur. La blonde à qui le sein appartenait était à califourchon sur lui, tandis qu'assise sur la table, une brune en costume d'Ève écartait les jambes dans sa direction, de façon pour le moins engageante.

César leva un sourcil, mais je n'aurais su dire si c'était par curiosité ou amusement. Ses cheveux bruns aux très légers reflets roux étaient détachés et lui retombaient sur les épaules. De visage il ressemblait bien plus à sa mère (la redoutable Vannozza Cattanei) qu'à son père, ayant hérité de son long nez droit et de ses grands yeux en amande. Il avait la peau très bronzée, à force d'aller au soleil. En public il portait toujours des vêtements seyant à son rang, mais pour l'occasion il s'était vraiment mis à l'aise avec sa chemise ample et ses chausses.

Il se pencha en avant, chuchota quelque chose à l'oreille de la blonde qui poussa un petit cri perçant (comme si on pouvait encore la choquer), et lança à la cantonade :

— *Vino ! Molto vino* pour tout le monde !

— César.

Il cligna des yeux une fois, deux fois. Le moment passa ; puis s'éternisa. Enfin, il lâcha le sein de la fille, posa sa coupe sur la table et soupira profondément.

— *Ai mio*, il t'a envoyée.

— Évidemment, rétorquai-je. Qui d'autre aurait-il pu envoyer ?

Un murmure parcourut l'assemblée. Mon nom, sur toutes les lèvres. La brune devint blanche comme un linge, serra les jambes et prit la fuite. La plupart des clients l'imitèrent. Se hâtant pour descendre de son perchoir, la blonde tomba. Sa croupe rebondie resta exposée à la vue de tous, le temps qu'elle se relève ; puis elle se précipita à la suite des autres.

Seuls les Espagnols restèrent. Des jeunes gens à la contenance hautaine, descendant de très vieilles familles et toujours prompts à prendre ombrage au moindre affront fait à leur honneur — réel ou imaginé. Ils étaient arrivés depuis peu à la cour du pape (qui se sentait toujours chez lui à Valence, sa ville natale) et bien évidemment, ils avaient été attirés par César telle une abeille par du miel.

— Qui est-ce ? s'enquit l'un d'eux, résolument ignorant.

Les gestes de César Borgia étaient hésitants lorsqu'il se leva, arrangea ses chausses et fit l'effort de se redresser pour la forme. À contrecœur, il sourit.

— Ma conscience, hélas.

Une fois sorti dans la rue en compagnie des condottieri, il leva la tête pour sentir l'air frais de cette fin de nuit. La bruine qui s'était mise à tomber amenait l'odeur de la mer, qui se trouvait pourtant à des kilomètres de là, à Ostie. Il huma profondément, et j'en fis de même. L'espace d'un instant, nous languîmes tous deux de pays lointains, et de vies autres.

— Dis-lui que tu ne m'as pas trouvé.

— Cela n'y changerait rien. Ton père enverrait simplement quelqu'un d'autre te chercher. Réjouis-toi plutôt qu'il ait envoyé tes propres gardes, et non les siens.

Il soupira.

— N'as-tu donc aucune pitié ? Ma vie s'achève aujourd'hui.

Il tenta de m'arracher un sourire, mais en vain. Il était encore si jeune, et nos deux vies si étroitement liées — contre toute attente.

— Tu as à peine dix-huit ans et tu es sur le point d'accéder à davantage de pouvoir et de richesse que la plupart des gens n'oseraient même en rêver. Personne ne va aller pleurer sur ton sort.

— D'accord, mais moi je n'ai jamais voulu tout ça. Et tu le sais.

— Mais qui, parmi nous, obtient vraiment ce qu'il veut ?

— Mon père, par exemple.

— Certes, concédai-je d'un léger hochement de tête. Reste à savoir combien de temps cela durera.

Les torches fixées le long des murs du palazzo, qui se trouvait non loin du Campo, illuminaient diverses statues de marbre, dans l'entrée et la loggia. En dépit de l'heure indue, les domestiques étaient tous debout, à vaquer fébrilement. Je montai l'escalier en colimaçon qui menait aux appartements privés de César, et patientai le temps qu'il jette ses habits un par un par terre et plonge dans un bain très chaud. Tandis qu'il restait à tremper pour se purifier de toutes ses turpitudes, je lui préparai un fortifiant à base de diverses poudres que je transportais dans une petite bourse accrochée à la taille. Jamais je n'allais nulle part sans, ni, d'ailleurs, sans le couteau qui reposait près de mon cœur dans un fourreau de cuir.

Il avala aussitôt la potion que je lui tendis, preuve s'il en était de sa confiance en moi. En le regardant faire, je me demandai combien de personnes, parmi toutes celles que je connaissais, agiraient de même. Une dizaine, au mieux, en étant vraiment indulgente ? Et la moitié d'entre elles aurait au minimum un moment d'hésitation.

— Pouah, c'est infect, s'écria-t-il.

La baignoire avait été sculptée dans un bloc de marbre, et décorée de sirènes à la poitrine généreuse. Je m'assis sur un petit tabouret, juste à côté.

— Crois-moi, tu m'en remercieras.

Penchée en arrière, sa tête reposait sur le rebord et il avait les yeux fermés, mais il en ouvrit un pour me regarder.

— Tu pourrais venir me rejoindre.

— Oui, c'est vrai… (Je fis semblant d'y réfléchir.) Mais tu sais ce qui se passerait. Fatigués comme nous le sommes, on s'endormirait après, et on se noierait. *Che scandalo.*

Il rit de bon cœur, acceptant ma rebuffade avec bonne grâce — ce que je n'aurais pas cru. Je pris cela comme le signe que son moral était vraiment au plus bas.

Lorsque l'eau eut refroidi, il se leva et resta ainsi, dans toute sa nudité, cuisses contractées et bras tenus loin des côtes, à dessein. Des gouttes d'eau ruisselèrent sur sa peau dorée par le soleil. Ces derniers temps, il avait laissé derrière lui la gracilité de la jeunesse pour faire place à un corps puissant. Ses épaules avaient été les premières à se développer, suivi de son torse, mais depuis peu les muscles qui saillaient sur son abdomen et ses cuisses étaient encore plus visibles. En d'autres termes, son corps frisait la perfection, ce dont il se lamentait car il ne désirait rien tant que de faire ses preuves sur le champ de bataille. C'est aux cicatrices, disait-il toujours, qu'on reconnaît les vrais hommes ; tout le reste n'était que comédie. Mais son père, le Vicaire du Christ sur Terre, ne voyait pas les choses sous le même angle et son jugement prévalait, du moins pour le moment.

— Vraiment, ça t'est égal ? demanda César quand son valet de chambre, d'une patience à toute épreuve, eut fini de le sécher.

Je haussai les épaules.

— Pourquoi, ça ne devrait pas ?

Il parut si vulnérable en cet instant-là que je m'avançai vers lui, l'enlaçai et l'embrassai légèrement sur les lèvres. Leur douceur me surprenait toujours autant. Il bougea contre moi, me faisant rire et regarder un bref instant en direction du lit. Seule la faible lumière qui se faufilait maintenant par les hautes fenêtres me stoppa dans mon élan. Cela, et les cloches de Saint-Pierre qui s'étaient mises à sonner par-delà le fleuve, pour annoncer l'aube.

— Bien sûr que cela ne me fait rien. Bien sûr…

Le valet s'éclaircit la voix.

— Pardonnez-moi, Signore, mais il est temps de s'habiller. Par ici.

J'allai m'installer dans un fauteuil confortable et relevai les pieds, puis me mis à siroter un cidre léger, de première pression, en attendant qu'il en ait terminé. L'affaire prit davantage de temps qu'à l'accoutumée, sans aucun doute car ce matin-là César revêtait ces habits pour la première fois. Quand il sortit enfin, j'en restai interdite. Je me levai en souriant.

— Tu es diablement beau.

— Mais ce n'est pas ce que je veux, rétorqua-t-il d'un air écœuré, en donnant un coup de pied dans les replis de sa soutane rouge.

Je lui aurais répondu, mais juste à ce moment-là les cloches de Saint-Pierre se firent plus fortes, et bientôt se joignirent à elles celles de toutes les églises de Rome. Ensemble, elles saluèrent le jour de la consécration du nouveau prince de notre Mère la sainte Église — et du moins consentant de tous.

Les cloches sonnaient encore lorsque j'entrepris ma traversée de Rome à pied. Au mépris du repos dominical, la plupart des échoppes étaient ouvertes et les rues bondées. Sa Sainteté (elle-même fort attachée aux biens matériels) avait désigné quasiment tous les commerces en ville comme « nécessaires », donc dispensés de fermetures le dimanche. Par cette décision, et par sa capacité à faire reculer une criminalité devenue endémique à l'époque de son prédécesseur, il s'était fait aimer des Romains. Mais ils n'en étaient déjà plus au temps de la passion qui fait rosir les joues et briller les yeux. Leur amour était celui de l'expérience, fragilisé et tout au bord de la désillusion, lorsque l'infidélité de l'être aimé ne devient que trop évidente.

Dans le cas de Borgia, son désir sans bornes pour les femmes, le pouvoir, les privilèges et la richesse n'était qu'un début. Ce qu'il voulait vraiment — ce qu'il était déterminé à obtenir — n'était rien de moins que l'immortalité. Son intention était de façonner le monde à son image de sorte que son nom soit perpétué à jamais, et ne connaisse pas l'oubli, mais au contraire la gloire éternelle. Je suppose qu'il se voyait bien tel Jupiter, assis confortablement au paradis et observant avec bienveillance les fruits de son œuvre sur Terre. Malheureusement pour lui, ses ennemis en étaient arrivés à la même conclusion, et se montraient de plus en plus déterminés à déjouer son plan.

En dépit de cette ombre qui pesait sur nous tous, le soleil était de sortie — une bénédiction, après toute cette pluie tombée depuis quelques jours. Je songeai tout à coup à mon rêve brusquement interrompu, la nuit passée. Je n'étais pas loin du Campo, j'aurais pu rendre visite à Rocco. La récente annonce de ses fiançailles à Carlotta d'Agnelli n'avait pas remis en cause notre amitié, et d'ailleurs pourquoi cela aurait-il dû le faire ? Certes, fut un temps où Rocco s'était imaginé que lui et moi pourrions nous marier, mais à présent qu'il connaissait les sombres recoins de mon âme, il devait certainement se dire qu'il l'avait échappé belle. Hormis ce fâcheux épisode, tous deux nous nous appréciions et nous faisions confiance à la manière de collègues ayant des intérêts communs. Si de temps à autre il m'arrivait encore de rêver à ce que je ne pourrais jamais avoir, cela restait un secret avec lequel il me faudrait vivre pour le restant de mes jours. J'irais lui rendre visite bientôt — mais pas maintenant.

Après plus d'une année passée au service de Sa Sainteté, et alors qu'il me fallait vivre en permanence avec la noirceur qui m'habite, je ne pouvais plus ignorer l'angoissante mélancolie qui semblait planer au-dessus de moi même lors de la plus belle des journées. En présence de César ou du pape, je parvenais à faire bonne figure, mais cette façade n'était qu'un voile jeté sur mes peurs les plus viscérales. Étant obligée (de par mon métier) de me tenir constamment sur mes gardes et de voir le danger partout, j'étais également hantée par la conviction que mon âme, à supposer que j'en aie encore une, ne verrait jamais la lumière à laquelle j'aspirais pourtant si ardemment. Par pure bravade, je me disais qu'être damnée me libérait, quelque part. Ainsi, je n'aurais pas à subir le cycle éternel du péché, de la confession et de la rédemption si chèrement payée. Toutefois, m'étant affranchie de tout cela, je me retrouvais dans un purgatoire que je ne devais à personne d'autre que moi.

Un nuage vint cacher le soleil. Je frissonnai dans l'air tout à coup devenu froid, et pressai le pas. Le Tibre étant sorti de son lit, je fus obligée de remonter mes jupons et d'avancer à pas prudents dans une eau d'une saleté répugnante pour atteindre la petite échoppe d'apothicaire située à l'écart, dans une étroite ruelle du ghetto juif. Plusieurs clients se trouvaient à l'intérieur. J'attendis qu'ils soient tous servis, en prenant garde de rester hors de vue. Lorsque le dernier fut parti, j'entrai.

À l'intérieur, tout était propre et ordonné : les flacons et fioles étaient correctement rangés, la table de travail avait été frottée avec du sable, et dans l'air flottait la bonne odeur d'herbes en train de sécher. Jamais on n'aurait cru que ces murs avaient vu passer autant de détresse humaine l'année précédente, lorsque des réfugiés juifs au bord du désespoir (ayant été expulsés d'Espagne sur ordre de Leurs Majestés très catholiques, Ferdinand et Isabelle) étaient arrivés en masse à Rome, dans un état qui témoignait de la cruauté avec laquelle l'homme est capable de traiter son semblable. Tout être normal se réjouirait de la relative tranquillité dans laquelle nous vivions à présent, et y verrait le signe de la miséricorde d'un Dieu qui, paraît-il, ne nous envoie jamais davantage d'épreuves qu'on ne peut en supporter. Personnellement, cela m'évoquait plutôt le calme qui précède la tempête.

Sofia Montefiore finit de se rincer les mains dans du vinaigre — elle avait acquis la conviction que c'était une bonne protection contre la propagation des maladies — avant de les sécher sur une serviette. En me voyant, elle fronça les sourcils.

— Tu as une mine épouvantable.

Vous pouvez toujours compter sur les amis pour flatter votre vanité ; mais seuls les vrais vous diront la vérité. Sofia, une femme d'âge moyen à la solide carrure, et dont les cheveux gris rassemblés en un chignon désordonné encadraient un visage ordinaire mais agréable, se souciait trop de mon bien-être pour ne pas être honnête avec moi. Je me devais donc de l'être également, d'autant que tous mes efforts pour la duper échouaient invariablement.

— Je ne dors pas très bien, ces temps-ci.

— Ce n'est pas nouveau. Que fais-tu pour y remédier ?

— Je bois, admis-je. Probablement trop.

— Rien d'autre ?

Quand elle vit que j'hésitais, elle fit le tour de la table pour m'observer de plus près. Je résistai à l'envie de me dérober à son regard.

— De l'opium ? s'enquit-elle.

Pour autant que j'eusse aimé feindre d'être choquée, je ne pus m'y résoudre. Sofia savait ce que tout le monde à Rome savait aussi : le sultan turc, qui se montrait plus que généreux pour s'assurer que son frère cadet — et rival — demeurerait le plus longtemps possible au Vatican (où il n'était guère plus qu'un prisonnier), fournissait régulièrement celui-ci en friandises et autres douceurs, destinées à le contenter tout en le maintenant dans un état de faiblesse. La première d'entre elles était de l'opium, que le prince Zizim partageait sans compter avec ses amis de la sainte Église et de la noblesse.

— J'ai essayé, admis-je de nouveau.

Peu de temps avant que César soit promu au cardinalat, alors qu'il refusait encore d'admettre que son père ne changerait pas d'avis, il nous en avait procuré un tout petit peu pour goûter. L'euphorie que cette substance provoquait était pour le moins alléchante, mais ses désavantages plus évidents encore.

— Cette drogue engourdit trop les sens. Je dois rester alerte si je veux faire mon travail correctement.

Sofia eut l'air soulagée.

— Je vois que tu y as réfléchi, et c'est tout aussi bien. Il y a d'autres solutions pour t'aider, sans avoir à s'en remettre…

Je l'interrompis :

— Il y avait de l'opium dans la poudre que tu m'as donnée il y a quelques mois pour m'aider à dormir, n'est-ce pas ? C'est pour cette raison que tu as refusé de m'en redonner, depuis.

Elle ne chercha pas à le nier, mais expliqua :

— C'était une erreur. Je croyais que si l'on arrivait à te faire retrouver un cycle de sommeil normal, l'effet perdurerait, même après avoir arrêté la poudre. Mais j'ai bien l'impression d'avoir uniquement réussi à provoquer chez toi un besoin impérieux qui subsiste encore aujourd'hui.

— Le seul besoin impérieux que j'aie, c'est de dormir. Je serais prête à tout pour quelques heures de sommeil réparateur. Assurément, sous ta surveillance et en suivant tes instructions, je pourrais en prendre un peu, sans danger pour ma santé ?

Je m'étais attendue à ce qu'elle rejette d'emblée cette idée, auquel cas j'avais préparé mes arguments. Borgia était aussi le pape des juifs, étant donné que ces derniers avaient fourni l'argent nécessaire à son élection. En échange, il leur avait promis sa protection. De mon côté, j'étais chargé de la sienne. Sofia devait pourtant bien voir qu'il était primordial de me maintenir en bonne forme.

Mais avant que je puisse tenter de la convaincre, elle me fit signe de m'asseoir. Puis elle me laissa, et revint peu après avec de l'eau chaude qu'elle avait fait chauffer sur le poêle situé à l'arrière de son échoppe. Tout en préparant une infusion de camomille et de cynorrhodon, elle m'annonça :

— David est de retour.

Je ravalai mon impatience, s'agissant de la poudre ; ce qui ne fut pas si difficile que cela, étant donné que cette autre nouvelle m'intéressait grandement. David ben Eliezer était le chef d'une bande de juifs rebelles prêts à se battre pour la survie de leur peuple. Lui et moi avions déjà uni nos forces par le passé, dans ce but. Aux dernières nouvelles, il était retourné à Florence pour surveiller Savonarole, un moine fanatique qui, quand il ne vilipendait pas la sainte Église pour sa corruption, ne ratait jamais une occasion d'en appeler à l'extermination des juifs. Savonarole avait un allié dans sa funeste mission, un prêtre nommé Bernando Morozzi, qui selon moi était le seul et unique responsable de la mort de mon père. David l'avait également à l'œil. Pour qu'il revienne ainsi à Rome, c'est qu'il devait s'être passé quelque chose.

— Qu'est-ce qui l'amène ici ? demandai-je.

— Les mêmes préoccupations qui t'empêchent de dormir la nuit, je suppose. Borgia paraît déterminé à se faire des ennemis plus dangereux les uns que les autres.

Cela ne servait à rien de le nier.

— Comme toujours, il est prêt à tout pour faire avancer les intérêts de la Famiglia. Regarde son insistance à vouloir faire de César un cardinal en dépit de l'indignation que cela provoque parmi les prélats.

— Cet orgueil démesuré sera sa ruine, répliqua Sofia en soupirant. Elle versa l'infusion dans deux tasses en grès et m'en tendit une. Pendant que je buvais, elle ajouta :

— Je crains fort que nous n'ayons sous peu soit un nouveau pape, soit la guerre. Mais plus probablement encore, les deux.

Deux possibilités que je ne pouvais écarter, mais eussé-je été encline à les juger inéluctables, je n'aurais pas été assise présentement à siroter une tisane.

— S'il y a bien une chose que j'ai apprise, répondis-je, c'est de ne jamais parier contre Borgia. Tous ceux qui s'y sont frottés en ont été de leur poche, en partant du principe qu'ils sont encore de ce monde.

Sofia ne cacha pas son scepticisme.

— Tu penses vraiment qu'il survivra à cela ?

— Oh oui, absolument. Plus longtemps il tiendra, plus ses ennemis deviendront frustrés, et divisés. Et au bout du compte, ils seront au moins quelques-uns à vouloir conclure un marché avec lui.

Du moins c'est ce que j'espérais du fond du cœur, car toute autre éventualité m'apparaissait comme bien sombre, voire fatale.

Avant qu'elle ne puisse faire de commentaire, je poursuivis :

— Mais j'ai besoin d'aide, Sofia. (Je montrai ma tasse d'un geste.) Ce genre de remède ne me suffit plus du tout. Vas-tu me donner ce dont j'ai besoin, ou pas ?

Elle prit le temps d'inspirer et de souffler lentement.

— Que feras-tu, si je refuse ?

— Je n'y ai pas réfléchi.

C'était un mensonge — mais un petit, espérais-je. J'avais envisagé diverses solutions ; simplement, je n'avais pas réussi à en trouver une satisfaisante, même de loin.

Elle leva les sourcils.

— Pourtant, nous savons toutes les deux qu'en la matière, tes compétences dépassent largement les miennes.

— Tu m'attribues trop de mérite. J'ai simplement besoin de dormir quelques heures, pas pour l'éternité.

Ma sombre vocation ne m'était tout simplement d'aucune aide, dans ce cas précis. Car si je connaissais une centaine de façons, voire davantage, de tuer, je ne possédais quasiment pas l'art de guérir. Et le peu que j'avais appris en la matière, je le devais entièrement à Sofia et à sa volonté de m'amender.

Un sourire apparut sur ses lèvres, mais son regard ne perdit pas son sérieux.

— Je vais voir ce que je peux faire. Mais tu dois me promettre que tu suivras mes instructions à la lettre.

Je l'assurai qu'il ne saurait en être autrement, et voulus rester un peu plus en sa compagnie mais un client entra dans l'échoppe. Je pris donc congé, grandement soulagée de savoir que mon problème serait prochainement résolu. Étant de meilleure humeur, je fus de nouveau tentée d'aller voir Rocco. Mais lorsque j'arrivai devant son échoppe de la rue des verriers, je trouvai porte close. En toute probabilité, son jeune fils Nando et lui avaient dû rendre visite à la famille de Carlotta.

Déterminée à ignorer le soudain vide que je ressentais dans la zone du cœur, je retournai à mon appartement, et passai le reste de la journée à poursuivre mes recherches sur un principe actif qui avait dernièrement éveillé mon intérêt. Il y avait eu récemment une vague de décès chez des gentilshommes d'un certain âge, qui avaient en commun la richesse et une jeune épouse. Tous avaient succombé après s'être plaints de violentes douleurs au ventre et de sang dans les urines. Naturellement, une telle mort est propre à nourrir les rumeurs les plus folles. Étant toujours à l'affût de signes indiquant qu'un empoisonneur serait à l'œuvre en ville, et représenterait par conséquent une possible menace pour Borgia, j'avais fait ma propre enquête.

Il s'était en fait avéré que tous ces hommes avaient absorbé une mixture très facile à se procurer, et préparée à partir de l'enveloppe desséchée de la mouche d'Espagne, un scarabée plutôt joli, au corps vert émeraude, connu pour redonner de la vigueur aux membres virils défaillants. J'avais été curieuse de comprendre ce qui provoquait un tel effet, et j'étais même allée jusqu'à demander à César s'il avait entendu parler de ce remède. Il avait commencé par s'offusquer, puis s'était amusé à l'idée que je puisse le croire en possession d'une telle information, et enfin s'était adouci au point de m'expliquer qu'apparemment, cette poudre augmentait la circulation des humeurs dans le corps de façon considérable, en particulier celle du sang. Par conséquent, si le résultat était une érection assez impressionnante, cela pouvait également fatiguer le cœur, déclencher de sévères douleurs à l'estomac et affecter la miction. Malgré cette réputation pour le moins discutable, la demande restait toujours aussi forte, certains hommes étant prêts à tout pour conserver leur virilité.

C'est ainsi que je me demandais : si une toute petite quantité de cantharidine (ainsi que se nommait la substance extraite de la mouche d'Espagne) pouvait accomplir autant de choses, qu'adviendrait-il avec une poudre à un dosage plus concentré ? Je ne m'étendrai pas sur les détails, mais je découvris rapidement que le problème résidait dans sa pureté. Les hommes en question avaient eu la malchance de tomber sur des doses anormalement puissantes. J'étais remontée à la source, une canaille qui s'était arrogé le titre d'apothicaire et avait accepté de me vendre tous les sachets qu'il lui restait, juste avant de quitter Rome précipitamment. C'est ainsi que j'avais entrepris d'en étudier les effets — et de déterminer comment je pourrais les décupler encore, pour infliger une mort foudroyante.

J'étais tellement concentrée sur ce que je faisais que je ne remarquai pas l'orage qui était arrivé par l'ouest. Poussée par le vent, la pluie avait aspergé tout le sol de mon atelier le temps que je me rende compte de ce qu'il se passait, et que je me dépêche d'aller fermer les volets, puis les hautes fenêtres. Ce faisant, je regardai par hasard dans la cour. Une silhouette se tenait là, enveloppée dans une grande cape et abritée de l'averse par un encorbellement. Je ne distinguai pas les traits de son visage, mais l'angle auquel la tête était penchée me fit songer que la personne m'observait.

Une fois bien au sec, je me dis que mon imagination m'avait sûrement joué un tour. Avec le manque de sommeil et toutes ces préoccupations, j'avais probablement vu quelqu'un là où il n'y avait que des ombres. Néanmoins, avant de me coucher ce soir-là, je regardai une fois de plus au-dehors. Rien ne bougeait dans la cour, pas même un rat détrempé.

Comme pour me donner tort, je passai une bonne nuit (du moins pour moi), et me réveillai peu après l'aube en humant l'odeur persistante de l'humidité, au bruit des trompettes annonçant une proclamation papale.

2

Le vieil homme au gros nez rouge et aux poils touffus lui sortant des oreilles cracha au passage du pape à cheval. L'amas de mucosités atterrit sur le sol détrempé, ratant de peu la croupe du superbe destrier blanc de Sa Sainteté. Borgia sembla ne rien remarquer, s'en tenant aux signes de croix répétés sur les têtes de paysans maussades, qu'on avait fait venir des champs voisins pour honorer son passage.

Sans même faire ralentir sa monture, un homme d'armes gifla le mécréant et le fit tomber de tout son long dans la boue. Le *paesano* grisonnant resta là où il était, se contentant de fixer le ciel plombé. Il n'avait pas l'air de s'être fait vraiment mal et, à voir son expression de contentement, il songeait peut-être déjà aux accolades que lui donneraient ses voisins dès que la procession aurait disparu de leur vue.

C'est ainsi qu'il en avait été tout au long de la route sur l'ancienne via Cassia, au nord de Rome, qui menait à la prétendue ville charmante de Viterbe. Hérauts et gens d'armes nous avaient précédés, afin de proclamer solennellement l'intention de Sa Sainteté de faire sa première incursion en dehors de Rome. Des prêtres en convoi portaient sur leurs épaules le magnifique tabernacle de l'eucharistie, en or et pierres précieuses, de la basilique Saint-Pierre : Borgia avait annoncé qu'il l'emmenait avec lui en signe de piété et de dévotion personnelle au Sauveur. Les Romains aiment bien les plaisanteries, et ils surent apprécier celle-ci. La vérité (connue de tous) était plutôt qu'il souhaitait avoir à portée de main un objet certes sacré, mais surtout de valeur, qui puisse être facilement monnayé si le pire devait vraiment arriver.

Pour autant, aux yeux de tous, il était l'assurance incarnée. Il Papa chevauchait immédiatement derrière le tabernacle, vêtu de pourpre et d'or, et la lourde tiare papale semblait parfaitement stable sur sa tête. Malgré son âge et le fardeau de sa charge, il se tenait bien droit sur sa selle. Pour un homme dont on disait qu'il aurait été davantage à sa place pour régner en enfer que sur la chrétienté, il faisait un pape très convaincant. Si l'on songeait au piteux état dans lequel se trouvait la sainte Église — qui avait autant de moralité qu'une putain de bas étage, dominée comme elle l'était par la corruption et la vénalité –, ce n'était peut-être pas si étonnant que cela.

Derrière lui suivaient des dizaines de prélats (parmi lesquels plusieurs cardinaux affirmant être toujours de son côté), ainsi que sa cour personnelle et sa famille, dont sa fille cadette, Lucrèce, et Giovanni Sforza, son époux. Ils n'étaient mariés que depuis quatre mois, mais leur relation s'étiolait à vue d'œil. Il Papa avait interdit que leur mariage soit consommé, au motif que la jeune fille de treize ans était encore trop jeune pour s'adonner aux plaisirs charnels. Toutefois, le monde entier (Lucrèce comprise) savait que la véritable intention de Sa Sainteté était plutôt de se ménager une porte de sortie commode pour annuler le mariage, si d'aventure le vent, qui soufflait particulièrement fort ces temps-ci, devait brusquement tourner.

Quant à moi, je voyageais avec le reste de la maison papale, suffisamment près pour pouvoir agir si nécessaire, mais suffisamment loin tout de même pour ne pas me faire cracher dessus. Renaldo d'Marco chevauchait à mes côtés. Sourcils froncés, l'intendant de Borgia me demanda :

— Vous avez vu cela ?

Renaldo avait la malchance de ressembler de troublante façon au furet commun, à la fois dans ses manières et son aspect. Ce petit homme anxieux se tracassait pour les détails les plus insignifiants, et vivait dans la perpétuelle crainte de commettre une erreur. Il avait fait de l'exactitude son rempart contre un monde qu'il trouvait trop souvent écrasant, mais il avait aussi su par le passé me prouver qu'il était un véritable ami, à l'heure où d'autres me craignaient et me fuyaient. Liés par notre obligation mutuelle à servir et protéger la Famiglia, nous avions depuis longtemps pris l'habitude de discuter des questions qui nous intéressaient tous deux au premier chef.

— Le vieil homme ? répondis-je. Eh bien ?

— Ce n'était pas le premier. Il y a environ une heure, un autre a attendu que Sa Sainteté soit à sa hauteur pour sortir son braquemart et pisser.

Je haussai les épaules.

— Qui sait quelles étranges coutumes ces gens de la campagne peuvent avoir ?

Plus bas, Renaldo rétorqua :

— Ce genre de comportement ne doit pas être pris à la légère, Francesca. Si les paysans se sentent le droit de montrer leur mépris vis-à-vis de notre maître, c'est qu'ils sont persuadés que la fin est proche.

Tout aussi discrètement, je lui répondis :

— Ils ne le connaissent pas aussi bien que nous. Si c'était le cas, ils agiraient avec bien plus de prudence.

L'intendant n'eut pas l'air convaincu.

— Peut-être, mais ce maudit voyage était bien malavisé. Il donne l'impression de prendre la fuite.

Il fallait bien avouer que le départ de Borgia de Rome pouvait être vu sous ce jour-là — et que ses ennemis n'hésiteraient pas à le présenter ainsi. Mais le véritable but de ce périple n'était un mystère pour personne.

— En allant personnellement inspecter les fortifications de Viterbe et ailleurs au nord, déclamai-je, il affirme haut et fort qu'il ne se soustraira pas à la guerre, si nous devions en arriver à cette extrémité.

— Dieu et tous les saints nous en préservent, marmonna Renaldo.

Je partageais son sentiment, même si je nourrissais peu d'espoir quant à une intervention divine en notre faveur. Dans une certaine mesure nous avions tous le goût du risque, mais personne ne jouait aussi gros ni avec autant d'acharnement que le Vicaire du Christ sur Terre. Ses ambitions sans bornes pour la Famiglia le poussaient à aller au-devant de l'affrontement avec quelques-uns des dirigeants les plus puissants d'Europe, ce qui, de fait (comme Sofia l'avait prédit), rendait la guerre inévitable. Or, tout conflit armé menacerait sa papauté, et donnerait à ses ennemis au sein de l'Église l'occasion tant attendue de le destituer. Comment comptait-il précisément se sortir de cette épineuse affaire ? Cela restait un mystère. La seule chose dont j'étais certaine, c'était que Borgia étant Borgia, il avait un plan — ou, plus probablement, plusieurs.

— Mais si la guerre était vraiment déclarée ? s'enquit Renaldo. Que se passerait-il ?

— Eh bien, je songe à une personne au moins qui s'en trouverait fort aise.

L'intendant n'avait pas besoin de me demander à qui je faisais référence. Ma relation avec César n'était pas exactement un secret, même si je n'avais pas vu mon amant occasionnel depuis sa consécration en tant que prince de la sainte Église, la semaine précédente. Pour couper court aux récriminations incessantes de son fils, Borgia l'avait envoyé là où il serait utile, à Viterbe, soi-disant pour le mettre à l'abri de l'épidémie de peste qui couvait à Rome (selon la rumeur), mais en vérité pour rallier la noblesse locale à sa cause et renforcer la garnison. En son absence, mon lit était devenu froid.

— César s'intéresse toujours aussi peu au cardinalat, n'est-ce pas ? s'aventura Renaldo. Il n'accepte pas de se soumettre à la volonté de son père.

— Pensiez-vous vraiment qu'il pouvait en être autrement ? Toute sa vie, il a rêvé de remporter de grandes victoires sur le champ de bataille. Être empêtré dans une soutane rouge et enchaîné à un bureau au Vatican, c'est tout bonnement insupportable pour lui.

— En tout cas, rétorqua Renaldo, dans les tavernes, la cote est à cinq contre deux que père et fils se brouilleront d'ici à la fin de l'année prochaine.

Ce n'était guère surprenant. Les Romains parient sur tout et n'importe quoi — le nombre de cadavres repêchés dans le Tibre en une journée, le sexe du prochain bâtard de tel ou tel cardinal, la longévité d'un pape, tout est matière à alimenter la grande roue de la fortune sur laquelle nos vies sont perchées en équilibre et, à l'occasion, il y a matière à se faire de l'argent.

— Et si la guerre est vraiment déclarée ? demandai-je. Quelle est la cote, dans ce cas de figure ?

— Trois contre deux qu'Il Papa l'emportera.

— Intéressant… quand on songe qu'il n'a quasiment pas d'armée en comparaison des Français, et que le soutien des Espagnols est plutôt changeant.

Renaldo ne me contredit pas, faisant plutôt remarquer ce que je savais aussi être vrai.

— Mais il a un tel brio, un tel sens du destin. C'est une force de la nature. Qui voudrait vraiment parier contre lui, d'autant plus quand la seule autre option est ce vieux rasoir de della Rovere ?

J'éclatai de rire malgré moi, et arrachai un sourire en retour à l'intendant. Nous cheminions présentement dans une allée bordée de hêtres, non loin de l'auberge de Ronciglione, où nous devions passer la nuit. Tout un régiment de menuisiers, de vitriers et de peintres avait travaillé sans relâche pendant une bonne partie de la semaine, afin de s'assurer que Sa Sainteté serait convenablement logée pour la seule et unique nuit qu'elle avait l'intention de passer à l'auberge. Des chariots entiers de domestiques, meubles, tentures et œuvres d'art tout à fait indispensables avaient été amenés de Rome. L'étage étant réservé au pape, les prélats (et leur personnel) devraient s'accommoder du rez-de-chaussée. En mettant pied à terre, je sentis que cet arrangement était loin de plaire à tout le monde — mais que voulez-vous, Borgia chérissait ses privilèges, et aimait encore plus faire sentir au commun des mortels que tout cela était son dû.

Il avait également l'art et la manière de susciter le chaos, ou du moins c'est ce qu'il venait à l'esprit, à voir le degré d'activité qui régnait sans cesse autour de lui. Je m'écartai prestement lorsqu'une troupe d'hommes d'armes passa devant moi au trot, manquant de peu de me piétiner. Un charretier s'énervait contre un autre qui lui bloquait le passage. Pages et marmitons s'agitaient en tous sens, aidant à décharger un flot incessant de caisses et de barils, quand ils ne se faisaient pas des crocs-en-jambe. Il était tout de même difficile de croire que la cour papale ne prenait pas ses quartiers ici pour un mois.

À côté de l'auberge, une immense grange en bois avait été érigée à la va-vite pour servir de cuisine itinérante. Les feux étaient déjà allumés, les broches tournaient, et un fumet délicieux flottait dans l'air. Je me pris à renifler avec un plaisir non feint. La triviale vérité est que mon métier est en grande partie lié à la nourriture — en toute logique, puisqu'il n'y a rien de plus aisé à empoisonner. Il suffit de glisser quelques grains d'arsenic dans les replis d'un quartier de bœuf, ou bien d'envelopper du fromage dans un tissu qui lui transmettra ses propriétés mortelles, par exemple. Avec les bons outils, il est même possible d'introduire du poison dans un œuf frais encore dans sa coquille. Par conséquent, non seulement j'inspectais chaque aliment susceptible d'être ingéré par Borgia avec le plus grand soin, mais je m'assurais également d'aller là où ma présence serait la plus utile.

Ayant pris congé de Renaldo pour l'instant, je me dirigeais justement vers la cuisine en pataugeant sur le chemin boueux lorsqu'un condottiere au visage sévère, portant l'écharpe du capitaine de la garde papale, se campa devant moi. Vittoro Romano avait une cinquantaine d'années mais se tenait toujours bien droit et avait conservé de la robustesse dans les épaules, en dépit d'une vie mouvementée. Sa nature, sombre, incitait à croire qu'il ne se souciait guère de ce qui se passait autour de lui ; or, je savais que la vérité était tout autre, ayant eu le loisir de l'observer à ma guise en grandissant dans la maison de Borgia. Depuis que j'avais repris la charge de mon père et juré de venger sa mort, Vittoro et moi étions devenus amis. Je comptais sur lui pour qu'il me dise tout ce que j'avais besoin de savoir, et il en allait de même pour moi. Il était rare que l'on soit déçus l'un par l'autre, et lorsque cela arrivait, ce n'était jamais sans une bonne raison.

— Francesca, m'interpella-t-il à voix basse, en signe de discrétion. (À le voir on aurait dit qu'il souhaitait me parler du temps qu'il faisait, Dieu merci un peu plus sec ces jours-ci — jusqu'à cet instant-là précisément, car je sentis les premières gouttes d'une averse.) Il y a eu un incident.

Vittoro me prit alors le bras, m'emmena derrière l'auberge, et ne reprit la parole que lorsqu'il eut la certitude que nous étions tout à fait seuls.

— Un marmiton a été retrouvé mort il n'y a pas une heure.

Tout décès soudain dans la maison papale m'était signalé car il y avait toujours la possibilité, même infime, que cela présage d'un danger pour Sa Sainteté. Jusque-là, tous les cas sur lesquels j'avais dû me pencher s'étaient avérés être une mort naturelle, mais loin de moi l'idée que ce serait toujours le cas.

Vittoro avait pris des dispositions pour transporter le corps dans un chariot et le faire amener par ses hommes à l'autre bout d'un champ, où il n'attirerait pas l'attention des curieux. À notre approche, deux soldats sortirent de leur cachette derrière un bosquet d'arbres. En voyant leur capitaine, ils s'écartèrent pour nous laisser passer.

— J'ai sommé ceux qui ont été témoins de l'incident de n'en parler à personne, me précisa Vittoro.

Cela nous ferait gagner un peu de temps, mais pas beaucoup. Je montai à l'arrière du chariot et m'immobilisai un instant, le temps de laisser mes yeux s'adapter à la faible lumière. La pluie s'était mise à tomber plus fort, et crépitait sur la toile protégeant le plateau. Le jeune garçon était allongé sur une planche de bois calée à chaque extrémité par une caisse de provisions. Il était nu.

— Qui lui a enlevé ses vêtements ? m'enquis-je.

— Moi, répondit Vittoro. Mais j'ai pris garde de porter des gants.

Peu après, il ajouta :

— La peste serait arrivée à Rome, à ce qu'on dit.

Il gardait son calme, mais je comprenais sa peur. Si c'était vraiment la peste, nous pouvions tous mourir en quelques jours, voire quelques heures. Je me dépêchai de soulever le bras du garçon pour regarder sous son aisselle. Les bubons révélateurs n'y étaient pas présents, ni au niveau de l'aine. Cela n'écartait pas complètement l'hypothèse de la peste, mais la rendait tout de même improbable.

Il n'y avait pas non plus de signe indiquant que le marmiton avait été tué à l'aide d'un poison de contact. Si cela avait été le cas, j'aurais trouvé des traces de rougeurs et un aspect légèrement bleuté à la peau, là où le poison l'aurait touché.

— A-t-il vomi, s'est-il souillé ? demandai-je.

— Ni l'un ni l'autre, à ce que j'en ai vu.

Cela permettait d'exclure un grand nombre de poisons, même si c'était loin d'être tous. En m'armant de courage, je commençai mon examen par le haut du crâne, et scrutai minutieusement chaque centimètre du corps. Lorsque j'en eus terminé, Vittoro et moi le tournâmes doucement sur le ventre pour que je puisse vérifier le dos. Aucun signe visible de plaie, de piqûre ou autre blessure. La peau du garçon était bronzée là où elle avait été exposée au soleil, mais le reste du corps était suffisamment pâle pour que je distingue les veines bleutées juste au-dessous de la surface. Ses cheveux étaient châtains, tout comme ses yeux sous le voile entraîné par la mort, lorsque je soulevai les paupières pour vérifier. Il devait avoir dans les treize ans et était un peu grand pour son âge, bien bâti.

Nous le retournâmes sur le dos. Fort heureusement, le stade de la raideur qui suit la mort n'était pas encore atteint, et il ne fut donc pas nécessaire de lui casser la mâchoire. Je ne trouvai aucune trace d'écume dans la bouche, ni autour des lèvres. Inhalant profondément, je constatai que le garçon avait mangé de l'ail peu avant sa mort : cela n'avait rien d'étonnant, ce condiment étant non seulement prisé pour son goût, mais également pour ses soi-disant vertus contre les maladies. Glissant une main sous le corsage de ma robe, j'attrapai le couteau que j'avais toujours sur moi et pratiquai une petite incision le long du cou du marmiton. Tout de suite, le sang se mit à couler ; il était rouge foncé.

— Pas de trace de cyanure, en conclus-je.

Si cela avait été le cas, le sang aurait été rouge vif, ce qui était l'unique signe indiquant avec certitude la présence du poison. L'une des raisons pour lesquelles le cyanure était si populaire parmi mes confrères tenait au fait que les gens, dans leur infinie sagesse, croient qu'on peut aisément le déceler à son odeur d'amande caractéristique. Mais il est encore plus facile de masquer cette dernière à l'aide d'un certain nombre de substances (dont l'ail), et ainsi d'instaurer un sentiment trompeur de sécurité qui peut s'avérer fort utile.

— Dans ce cas, qu'est-ce que cela pourrait être ? s'enquit Vittoro.

— Je ne sais pas. Y avait-il quoi que ce soit d'inhabituel dans sa posture, quand il a été retrouvé ? Quelque chose indiquant qu'il aurait eu des convulsions ?

— A priori, non. Il avait simplement l'air de quelqu'un qui vient de s'effondrer.

— Où sont ses vêtements ?

Vittoro me les tendit. Ils étaient en bon état, si l'on considérait son rang, et suffisamment amples pour l'avoir gardé au chaud. Ils sentaient la laine mouillée, la fumée de feu de bois et la sueur, mais légèrement. Rien qui laisse à penser qu'il avait pu être malade.

— Si tu veux l'ouvrir…, commença Vittoro.

La sainte Église interdit de faire subir un tel traitement aux morts, même lorsque c'est le seul moyen d'établir ce qui les a tués. Cela ne m'avait pas arrêté par le passé, et j'aurais accepté sa proposition si nous en avions eu le temps. Mais ne pouvant établir avec certitude que le marmiton n'avait pas été empoisonné, je n'avais d'autre choix que d'agir. Le dîner du pape était sur le point de débuter.

Je sautai du chariot, remontai mes jupons et me mis à courir. Comme d'habitude, mon arrivée en cuisine ne passa pas inaperçue. Tout le monde arrêta brusquement ce qu'il faisait, et il fallut que le *maestro dei maestri* aboie un ordre pour qu'ils se remettent au travail.

Je m'efforçai de sourire.

— Est-ce du porc que je sens là ? Pour Sa Sainteté ?

Le *maestro* me le confirma, et ajouta que le plat serait servi avec la sauce aux abricots dont Il Papa était si friand, et accompagné de petits pois et de *fritelle*, ces succulents beignets de farine de châtaigne ; avant d'insister, une ou deux fois seulement (ou peut-être était-ce trois), sur l'exploit que constituait la préparation d'un tel repas dans des conditions aussi lamentablement rudimentaires — soit dit en passant.

— Vous me donnez l'eau à la bouche, déclarai-je. Je vais goûter un peu de tout.

Ce n'était pas la première fois que je lui adressais une telle requête. Lors des fréquents dîners d'État au Vatican, Borgia me demandait souvent d'être là, car ma présence venait opportunément rappeler aux convives le soin qu'il mettait à sa sécurité et, dans le même temps, le genre d'arme qu'il avait à disposition en cas de nécessité. Ces soirs-là, je préférais manger avant en cuisine, où en général je me régalais des plats préparés pour Sa Sainteté.

Contrairement à ce que l'on pourrait croire, ce n'était pas faire preuve d'une totale légèreté — un peu, seulement. La plupart des poisons insérés dans la nourriture peuvent être décelés à la vue et à l'odeur, dès lors que l'on sait quoi chercher. Naturellement, la cuisson et l'ajout de sauces rendent cette tâche plus difficile, mais c'était précisément pour cette raison-là que Borgia (comme tout prince sensé) employait une maîtresse des ténèbres telle que moi.

Le dîner était déjà disposé dans des plats en or, prêts à être emportés par des pages en livrée rouge et or de la maison des Borgia. Ils se figèrent en me voyant approcher, leurs bras tendus tremblant soudain sous le poids de toute cette nourriture. Je raisonnai que j'avais inspecté la viande avec le plus grand soin, et que je pouvais en dire de même des abricots, des pois, de la farine de châtaigne et de tous les autres ingrédients, ainsi que du vin. Les *maestri di cucina* avaient assez de bon sens pour savoir qu'ils ne devaient pas utiliser quoi que ce soit n'ayant pas été validé et scellé de mes mains. Une contrefaçon était toujours possible, mais mon père avait fait en sorte que la bague lui servant de sceau (avant qu'elle ne devienne mienne) soit très finement ciselée, afin de compliquer sérieusement la tâche d'un faussaire. Par ailleurs, je changeais la couleur de la cire tous les jours, choisissant au hasard parmi une dizaine de teintes. À la vérité, j'avais pris toutes les précautions possibles et imaginables pour m'assurer que Borgia dînerait en toute sécurité. Si je croyais réellement en mes compétences dans ce domaine, la mort mystérieuse d'un marmiton ne me dissuaderait pas de goûter à ces plats.

Le porc était succulent, tendre à l'intérieur et croustillant à l'extérieur. La sauce aux abricots était parfaite en accompagnement. Je n'en prélevai qu'une petite quantité pour ne pas trop déranger la disposition des aliments sur le plat, et l'avalai rapidement. Je procédai ensuite de même pour le reste des victuailles destinées à Sa Sainteté, et finis par le vin. Vraiment, cet homme avait droit à de véritables festins. Le silence s'était fait en cuisine ; tous les yeux étaient braqués sur moi, personne ne bougeait, et rares étaient ceux qui avaient même l'air d'oser respirer.

Lorsque j'en eus terminé, je m'essuyai les doigts sur une serviette tout en faisant une rapide analyse de la situation : point de brûlures dans la bouche ou la gorge ; point de picotements aux extrémités ;

point de crampes à l'estomac ou dans les boyaux ; point de troubles de la vision. Certes, il existait des poisons à action lente, mais il était nécessaire d'en administrer plusieurs doses sur un temps donné. La cause de la mort de ce marmiton ne se cachait visiblement pas dans le dîner de Borgia.

— Exceptionnel, comme d'habitude, déclarai-je. Mes compliments, *maestro*. Vous vous êtes surpassé.

Le pauvre homme faillit bien s'avachir de soulagement sur une chaise, mais au dernier moment me fit simplement un petit salut de la tête. Nous savions tous deux fort bien que si du poison avait été découvert, les choses auraient très mal tourné pour lui, et d'ailleurs pour toute personne travaillant à ses côtés en cuisine. Toutefois, si d'aventure il n'avait pas été découvert (s'il avait d'une manière ou d'une autre échappé à ma vigilance, et effectivement touché Borgia), cela aurait été bien pire, car alors la différence entre une mort rapide et la certitude d'une agonie prolongée aurait pris toute son importance.

Ce n'était pas exactement l'ambiance de travail la plus gaie, mais pour sûr, tout métier a ses revers, et Borgia savait se montrer généreux en termes de salaire.

Les pages sortirent en hâte, et tout revint à la normale. J'en fis de même en compagnie de Vittoro, qui me regardait d'un air furieux sans desserrer les dents (il s'était inquiété pour moi), mais ne disait rien car il le savait aussi bien que moi : ce que je venais d'accomplir relevait entièrement des responsabilités de ma charge.

— Je vais faire en sorte que ce garçon ait une sépulture décente, annonça-t-il enfin. Au vu des circonstances, c'était la solution la plus sage, car toute autre décision ne ferait que nourrir la spéculation. Mais je regrettais tout de même de ne pas avoir l'occasion de déterminer ce qui l'avait tué.

Lasse, tout à coup, je me contentai d'acquiescer d'un signe de tête. La crise immédiate étant derrière moi, je n'avais plus que deux vœux, pouvoir me décrasser après ce long voyage, et aller me coucher. Or je ne parvins à exaucer que le premier, car à peine le pape eut-il essuyé la dernière goutte de sauce aux abricots sur ses lèvres qu'il fit mander son empoisonneuse.

3

En ce mois d'octobre de l'an 1493 après Jésus-Christ, le Vicaire du Christ sur Terre avait soixante-deux ans et était encore un homme fort et robuste, au torse puissant et aux muscles restés fermes. Son visage se caractérisait par des paupières tombantes et une bouche pleine et sensuelle. Ces derniers temps, les exigences de la charge qu'il n'avait eu de cesse de convoiter l'avaient sérieusement ébranlé, mais il restait (comme le disait Renaldo) une force de la nature, et possédait une volonté si infatigable qu'il était encore capable de faire fuir en toute hâte ses ennemis comme autant de fourmis cherchant à s'abriter du soleil de midi.

— Ma reine est en danger, s'exclama-t-il lorsque j'entrai dans ses appartements. Il ne prit même pas la peine de lever les yeux de son échiquier, étant bien certain que seule la personne qu'il avait demandé à voir passerait la barrière de condottieri postés devant sa porte. De superbes tapisseries avaient été tendues aux murs, des candélabres dorés disposés à divers endroits pour créer une lumière douce, du sol montait une bonne odeur du jonc frais, et un feu joyeux crépitait dans la cheminée. Divers papiers étaient étalés sur son bureau de voyage en bois de châtaignier marqueté, mais pour une fois ses secrétaires n'étaient pas dans les parages.

— Je n'ai aucun talent à ce jeu, répondis-je en approchant. À la vérité, grâce à mon père je jouais passablement bien aux échecs, mais j'avais persévéré seulement pour lui faire plaisir. Depuis sa mort, cela avait perdu tout son sens.

— Jette tout de même un œil pour me dire ce que tu en penses, rétorqua Borgia en se redressant.

Je lui obéis à contrecœur. Il avait raison, naturellement : sa reine était attaquée. Le remède semblait pourtant évident.

— Prenez le fou, dis-je.

— Ce qui me fait penser, répliqua-t-il d'un air songeur, que notre cher della Rovere est une épine que je m'enlèverais bien du pied.

Je réprimai un soupir. Le cardinal Giuliano della Rovere était le grand rival de Borgia à la papauté. Lors du conclave de l'année précédente, les deux hommes s'étaient disputé le joyau suprême de la couronne de la chrétienté. Della Rovere s'était retiré pour panser ses plaies, mais il n'avait jamais caché qu'il était loin d'accepter la défaite. Borgia le soupçonnait d'être responsable d'au moins quelques-unes des récentes tentatives d'empoisonnement contre sa personne, et jusque-là rien ne prouvait le contraire. Je vivais dans la crainte du jour où Sa Sainteté déciderait qu'il était temps d'éliminer son rival de l'échiquier une bonne fois pour toutes.

— Vous en avez les moyens, le lui rappelai-je, en dépit du soudain vide que je ressentais au creux de l'estomac, du moment que vous êtes prêt à sacrifier l'un de vos plus fidèles pions.

Il rit de bon cœur et attrapa deux coupes, dans lesquelles il versa un vin d'un rouge profond. Il avait pris l'habitude de boire avec moi quand nous étions seuls. Mais à la vérité, je le soupçonnais de faire partie de cette catégorie de personnes convaincues que du moment où elles buvaient en compagnie de quelqu'un, ce n'étaient pas des ivrognes. En me tendant l'une des coupes, il répondit enfin :

— Et je suppose que le pion, c'est toi ?

J'hésitai avant de prendre une gorgée. J'avais promis à Sofia que je ne boirais pas. Lorsqu'elle était venue m'apporter une petite quantité de sa poudre juste avant le départ de la procession papale, elle avait bien insisté sur la nécessité de s'abstenir d'ingérer tout alcool.

Mais si je ne buvais pas avec lui, Borgia allait se demander pourquoi. De crainte que la graine du soupçon ne germe dans son esprit, je levai mon verre, avalai, et répliquai :

— Pardonnez-moi de rechigner à l'idée d'être sacrifiée avec autant de légèreté. Vous avez des ennemis bien pires que le cardinal.

Plusieurs mois auparavant, j'avais trouvé un moyen de tuer della Rovere qui, je l'admets volontiers, était ingénieux — bien que prodigieusement dispendieux, étant donné qu'il reposait sur l'ingestion de poudre de diamant, dans le but de lacérer l'estomac de l'homme et de le condamner à une mort cruelle par infection. Ce stratagème impliquait de m'approcher le plus possible de lui : pénétrer son fief de Savone serait difficile, mais faisable. En revanche, en repartir saine et sauve serait une tout autre affaire, surtout si ma présence avait éveillé des soupçons. Je m'accrochai par conséquent à l'espoir que mon utilité à long terme pour Sa Sainteté l'emporte sur l'intérêt qu'elle pourrait avoir à tuer della Rovere sans tarder.

Borgia s'installa dans un fauteuil à haut dossier qu'il avait également fait amener du Vatican, et me fit signe de prendre place sur un tabouret.

— Pire… peut-être pas, reprit-il, en ne paraissant aucunement troublé par le nombre (conséquent) de ses ennemis. Mais je te l'accorde, je ne manque pas de défis à relever. À ce propos, je crois comprendre que César ne s'est pas encore fait au grand honneur que je lui ai conféré en le nommant cardinal. Je me demande même si on ne le détournerait pas du droit chemin.

Je hochai la tête, non parce que j'étais d'accord avec lui, mais pour lui faire savoir que j'avais compris — nous en arrivions à la vraie raison de ma présence ici.

— Et d'après vous, qui est ce « on » ?

Il Papa ouvrit grand les mains, comme s'il en appelait à l'air pour lui donner une réponse.

— Qui sait ? Les Français, les Napolitains, les Turcs, une jolie danseuse, sa vanité ? Tout est possible.

Je trouvai cela injuste envers César, qui était d'une bien autre trempe que son père voulait bien l'admettre, mais je retins ma langue.

Je pris le temps de respirer profondément, avant de m'enquérir :

— Puis-je vous demander pourquoi vous me faites part de cela ?

— J'ai besoin de ton aide. Rappelle-lui la chance qu'il a. Empêche-le de faire une bêtise. Les Espagnols s'agglutinent autour de lui car ils sont convaincus qu'il représente l'avenir. Arrange-toi pour qu'ils continuent à le croire.

— Vous surestimez mon influence sur lui.

— Les femmes sont toutes à ses pieds, mais c'est vers toi qu'il revient, encore et encore.

C'était vrai, mais j'espérais tout de même que Borgia n'avait pas réfléchi trop avant aux raisons poussant son fils à être attiré par moi. Notre affinité l'un pour l'autre était engendrée par certaines faiblesses dans nos natures, qui nous mettaient de fait à l'écart des autres, et alimentée par la découverte (même fragile) que seuls comme on se sentait tous deux en ce vaste monde, l'on pouvait peut-être se faire confiance. Nous avions tous deux grandi dans le palazzo de son père sur le Corso, lui en tant que fils bâtard du cardinal, moi en tant que fille de l'empoisonneur. Ce qui avait commencé par des regards furtifs avait évolué au fil des ans, jusqu'à cette nuit où il m'avait trouvée dans la bibliothèque. J'étais en pleine lecture de Dante, mon poète préféré ; il était ivre et abattu, après une nouvelle dispute avec son père. Je pourrais prétendre que la force de sa passion m'avait prise au dépourvu, mais pour être tout à fait honnête j'étais autant parvenue à mes fins que lui — peut-être davantage, même. La noirceur qui me hante était attirée par cet homme fait d'appétits primaires, chez qui moralité et conscience n'ont pas leur place. Il ne commettait jamais de péché, puisqu'il n'en reconnaissait aucun. Il n'y a qu'avec lui que j'avais l'illusion de me sentir moi-même, à défaut de l'être véritablement.

— Je ne te demande pas de le trahir, poursuivit Borgia. Au contraire. Aide-le à être l'homme qu'il est censé devenir. Pas simplement un grand prince de l'Église mais un futur pape, qui guidera le monde dans une nouvelle ère, celle de la connaissance.

C'est bien ce que tu veux, n'est-ce pas ?

Borgia savait parfaitement que c'était le cas. Quand il était encore en vie, mon père avait appartenu à une société secrète d'érudits et d'alchimistes, des hommes et des femmes en quête de vérité qui se faisaient appeler Lux, pour la lumière qu'ils espéraient apporter un jour au monde. À sa mort, j'avais été acceptée en tant que membre. Borgia avait de bonnes raisons de croire que je ne reculerais devant rien pour protéger Lux. Mais tout de même…

— Je ne peux me porter garante du comportement de votre fils.

— C'est fort dommage, si l'on considère que c'est exactement ce que je te demande de faire.

Les tout-puissants ont cet avantage sur nous autres, simples mortels : ils peuvent se permettre d'avoir recours à l'injustice la plus flagrante sans qu'on le leur en tienne rigueur. Que je le veuille ou non, j'étais au service de Borgia. Et je désobéissais à ses ordres à mes risques et périls.

— Je ferai de mon mieux, lui promis-je, avant de vider ma coupe.

Le lendemain, nous arrivions à Viterbe.

4

César ne se trouvait pas parmi les notables venus accueillir son père à son entrée dans la petite ville fortifiée, perchée en haut d'une colline, qui pendant des siècles avait été le refuge attitré des papes en temps de troubles. Borgia accepta les salutations du maire et du commandant de la garnison sans mot dire sur l'entorse flagrante de son fils aux règles de la bienséance, mais il suffisait d'observer sa bouche (qui n'était plus qu'une fine ligne blanche) pour savoir qu'il bouillait intérieurement.

Attentive à cela, je me mis en quête du fils rétif sans tarder. Par respect pour Sofia, j'avais résisté à l'envie de prendre sa poudre la veille au soir, mais cet élan de tempérance m'avait au final valu une horrible migraine, et une fatigue générale qui m'alourdissait le pas. Sans parler du fait que je venais encore de passer une journée à cheval, moi qui détestais cela. À dire vrai, je ne devais pas être belle à voir.

C'était la fin de l'après-midi. Un rayon de soleil couchant venait réchauffer les pavés de la petite cour qu'on avait frottée à la brosse. Derrière, ornée de sept arches finement ouvragées, la loggia ouverte donnait sur le sud et la ville, et dans la direction opposée sur la vallée du Faul à perte de vue. L'air était revigorant et fleurait bon la fumée de feu de bois, l'herbe fraîchement coupée, et les roses tardives du jardin attenant au palais des papes. Une fontaine ornée de lions gargouillait paisiblement. La clameur des rues adjacentes me parvenait bien, mais rien d'autre ne venait vraiment perturber le silence des lieux et, comme toujours, cela me mettait les nerfs à vif. Le bruit de fond permanent à Rome a une utilité : il rassure quand tout est en ordre, et avertit prestement en cas de problème. Le silence, en revanche, ne révèle rien et a en plus l'inconvénient d'amplifier les pensées.

Un page me dirigea vers l'arène sablonneuse du vieil amphithéâtre jouxtant le palais. J'appréhendais de voir ce qui avait retenu l'attention de César au point de manquer l'arrivée de son père en ville. Ce soir-là, les gradins en pierre qui tombaient en ruine (où jadis les Romains s'installaient pour acclamer leurs gladiateurs favoris) avaient attiré une foule bigarrée de valets, domestiques, badauds, ainsi que les nobles espagnols présents lorsque j'étais venue chercher César à la taverne. Je ne mis pas longtemps à comprendre pourquoi ils étaient tous rassemblés là.

Deux hommes en chemise et chausses, rapière en main, se tenaient au centre de l'arène qui baignait dans un ovale de lumière dorée. Le bruit de leurs épées s'entrechoquant résonnait dans le silence, que seules venaient briser les exclamations de stupeur du public. Ils étaient de taille et de carrure similaires, mais celui qui me paraissait être espagnol (à en juger par les encouragements et les conseils que lui criaient ses compatriotes) bougeait avec une certaine urgence, comme s'il était pressé d'en finir. Tout le contraire de son adversaire, qui semblait véritablement prendre plaisir à ce combat.

César avait en effet le sourire quand il rectifia légèrement la position de ses pieds, eux-mêmes écartés de la largeur de ses épaules comme une vraie fine lame. Il resta ensuite immobile jusqu'à ce que, dans une soudaine explosion de mouvement, il tourne sur lui-même pour parer une botte, et en porter une à son tour. À voir l'aisance avec laquelle il se mouvait, il donnait vraiment l'impression d'être un athlète naturel. Il avait beau être jeune (il n'avait à l'époque que dix-huit ans), il comprenait déjà combien une telle posture pouvait rendre fou un adversaire.

Au départ, l'Espagnol et lui parurent faire jeu égal, en dépit de leurs styles très différents. Le premier, qui avait le teint basané et arborait un nez fin et pointu évoquant le bec d'un faucon, me frappa par son impatience. Je me demandai si, appartenant à une race arrogante, il avait commis l'erreur de présumer que le fils du pape serait facile à défier. César, par contraste, se dominait bien davantage — ce qui était inhabituel pour un homme à l'âge bien souvent caractérisé par la passion et la fougue. Les applaudissements des Espagnols s'évanouirent quand ils se rendirent compte que leur champion n'allait peut-être pas l'emporter aussi aisément qu'ils l'auraient cru. Le silence s'abattit sur la foule.

Je pris place sur les gradins en pierre un peu à l'écart des autres, et regardai la suite avec un intérêt non feint, accru encore par les éventuelles répercussions d'un tel duel. L'Espagnol étant d'une importance capitale dans la stratégie imaginée par Borgia pour survivre face à della Rovere et aux Français, César ne pouvait décemment lui faire mordre la poussière, bien que cela le démangeât certainement. Il se devait de préserver un peu la dignité de cet homme, quand bien même la fierté irait le pousser à établir sans l'ombre d'un doute qui était le plus fort des deux. Toutefois, les coups de l'Espagnol se faisaient de plus en plus vicieux, et dans l'intention visible de blesser. Voyant qu'il était sur le point de perdre, il semblait oublier qu'il s'agissait seulement d'un combat d'entraînement.

J'eus un coup au cœur lorsque son épée fendit l'air dangereusement près de la poitrine de César. Mais l'instant d'après je soufflai en voyant le fils de Jupiter (qui manifestement se lassait de l'exercice) esquiver le coup avec agilité, pénétrer la défense de son adversaire et immobiliser délibérément la pointe de sa rapière à quelques centimètres de l'œil de son adversaire. Il cherchait à l'intimider, et cela fonctionna : l'Espagnol eut un mouvement de recul. César en profita pour avancer encore, et cette fois-ci il amena la lame tout contre la gorge de l'autre. Sans jamais se départir de son sourire, ses lèvres formèrent un « Rends-toi » pour le moins explicite.

Le regard de son rival s'enflamma ; cependant, il n'avait pas le choix. L'œil mauvais, il abaissa son arme mais s'abstint délibérément de saluer le combattant, comme le veulent les règles du duel entre gentilshommes. À contrecœur, il s'exclama :

— Vous remportez l'assaut, Signore.

Aussitôt, César abaissa lui aussi son arme, et donna une grande tape chaleureuse dans le dos de l'Espagnol.

— Bien joué, Don Miguel ! s'écria-t-il suffisamment fort pour que tout le monde entende. J'ai bien cru que tu allais me battre, à un moment.

Je doutais fort qu'on le croie, mais cela eut tout au moins pour effet d'apaiser le courroux de l'Espagnol.

— La prochaine fois, se vanta-t-il en sortant à sa suite de l'arène, je ne vous laisserai pas le temps de vous poser la question.

Du coin de l'œil, César me regarda. Je levai un sourcil interrogateur. Il m'adressa alors un large sourire, délaissa ses camarades et vint me voir.

—As-tu été envoyée pour me sauver une fois encore ? (Il prit place à côté de moi, secoua sa chemise dans laquelle il avait transpiré, et soupira.) C'est Don Miguel qui a tenu à se battre. Si j'avais trouvé une excuse, même très bonne, il l'aurait pris comme une insulte.

Je gardai les yeux fixés sur l'amphithéâtre, qui se vidait rapidement à présent. Vénus scintillait au loin dans le ciel, à l'est. Avec le coucher du soleil, un vent glacial s'était brusquement levé. Je frissonnai légèrement, et croisai les bras pour tenter de me réchauffer.

— Tu ne me dois aucune explication. Garde-la pour ton père.

— À quoi bon. Il est convaincu d'avoir un fils ingrat. Tout ce que je pourrai dire n'y changera rien.

Il parlait avec désinvolture, comme s'il acceptait cette réalité sereinement, mais je n'étais pas dupe. César recherchait l'approbation de son père tel un homme en quête d'eau dans le désert. Le problème était qu'ils se ressemblaient trop, avec leur tempérament fougueux et cette volonté à toute épreuve, tout en étant très différents sur certains aspects essentiels. Alors que son père était un homme ouvert, pétulant et plein d'entrain, César avait hérité d'une nature bien plus secrète et taciturne. Il était enclin au soupçon et à la rancune, même s'il faisait de son mieux pour masquer ces défauts. Néanmoins, il n'y avait pas de place pour l'artifice dans notre relation. Du moins ne l'envisageais-je pas.

— Mais de fait tu l'es, ingrat, non ? le contredis-je. Ou étais-je censée comprendre qu'il s'était réconcilié à l'idée de devenir cardinal, lui qui avait rêvé toute sa vie de récolter la gloire par l'épée ?

— Ce n'est pas… aussi horrible que je le croyais. En réalité, je n'ai aucune fonction sacerdotale à exercer, Dieu merci. Jusque-là, j'ai œuvré à renforcer les fortifications et à améliorer l'entraînement de la garnison. Et je me suis occupé des Espagnols, naturellement. Ils nécessitent beaucoup d'attention, vois-tu.

Je souris malgré moi. Son père avait veillé à ce que César occupe diverses fonctions au sein de l'Église depuis l'enfance, mais elles n'avaient jamais exigé autre chose de sa part que de garder un œil sur ses coffres — pour vérifier qu'ils se remplissaient bien, grâce au versement régulier de ses bénéfices ecclésiastiques. Or, lorsqu'un homme (même très jeune) était nommé au rang de cardinal, l'on attendait de lui qu'il assume également la charge de prêtre. En revanche, on ne s'attendait certainement pas à ce qu'il entre solennellement dans les ordres en faisant vœu de chasteté, de pauvreté et d'obéissance, car ce n'étaient que de belles paroles, ignorées au quotidien par les ecclésiastiques à tous les niveaux de la hiérarchie. César avait toutes les raisons de croire qu'il resterait libre de prendre des maîtresses, de faire des enfants et, plus tard, de les placer où bon lui semblait — exactement comme son père avant lui. Plus important encore peut-être, au vu de son tempérament belliqueux, il pouvait se réclamer du grand rival de Borgia, Giuliano della Rovere, qui avait personnellement mené une armée pour soumettre l'Ombrie alors qu'il était déjà cardinal.

Ainsi, César avait jusqu'à présent réussi à éviter de s'impliquer plus avant dans cette Église qu'il était pourtant censé diriger un jour, si Borgia arrivait à ses fins. Sa Sainteté avait d'autres sujets de préoccupation plus pressants, présentement, mais je doutais que cela continue ainsi indéfiniment. En particulier si cela venait alimenter la rumeur récurrente selon laquelle le fils aîné du pape refusait de se vouer au dieu des chrétiens car en secret il rendait un culte à Mithra, comme nombre de soldats romains, et ce depuis des siècles.

Si ce genre de ragot est propre à émoustiller les convives les soirs de banquets, elles peuvent être fatales dans la bouche d'ennemis. Au bout du compte, César devrait choisir son camp. Il me restait à espérer que lorsque ce temps viendrait, il prendrait une décision rationnelle, affranchie de toute loyauté à un dieu — païen ou non. Car vraiment, je crois que les Grecs avaient raison quand ils disaient que les dieux ne font que s'amuser avec les humains, en jouant avec nos vies tels des enfants avec des petits personnages façonnés en argile.

— Cet homme, là, celui avec qui tu t'es battu en duel, repris-je. Qui est-ce ?

— Don Miguel de Lopez y Herrera, le neveu chéri de Ferdinand et Isabelle. Ils l'ont envoyé ici pour renforcer notre amitié et, naturellement, pour m'espionner.

— Et à ton avis, que leur raconte-t-il ?

— Vu qu'il trouve sa nouvelle résidence considérablement plus agréable que celle de Leurs Majestés très catholiques, il leur dit ce que je l'encourage à répéter. Que nous sommes l'allié le plus fidèle de l'Espagne, et cerné par des adversaires qui sont aussi les leurs. Qu'il est dans leur intérêt de nous soutenir sans réserve.

— Tu penses qu'ils le croient ?

César haussa les épaules.

— Je l'espère, mais je ne peux l'affirmer. Au vu de la propension de mon père à se faire des ennemis, nous avons besoin de toute l'aide possible. Cette idée démente qu'il a de vouloir faire de Juan le roi de Naples…

Depuis toujours, César et son frère cadet se disputaient l'approbation de leur père, et ils en étaient venus à se détester cordialement. N'ayant pas de frère ni de sœur, je ne pouvais prétendre comprendre ce qui motivait une si profonde inimitié. En revanche, je savais sans l'ombre d'un doute que Juan était un sot dangereux à qui l'on ne devrait rien confier, pas même la plus simple des missions. Lui faire sauter toutes les cases de l'échiquier d'un coup (au mépris des autres pièces, naturellement) dans l'unique but de le couronner de gloire était une telle folie que cela forçait l'admiration. Et pourtant, c'était bien l'intention de Borgia. Pour commencer, il avait uni Juan à une cousine du roi Ferdinand. Le jeune marié se trouvait à présent à la cour espagnole, où l'on attendait de lui qu'il sache se rendre agréable.

— Je te donne l'assurance, répliquai-je prestement, que de mon côté, je prendrai toutes les précautions possibles pour qu'il n'arrive rien à Sa Sainteté.

— Nous devrons mobiliser tous les moyens à notre disposition, j'en ai bien peur, rétorqua César.

S'approchant de moi tout à coup, il me prit la main et me donna un doux baiser sur la paume.

— Viens me voir, ce soir, me fit-il en exhalant son souffle chaud sur ma peau. Je déserterai les Espagnols dès que je le pourrai.

L'anticipation me rendit quelque peu fébrile. Mais je me souvins de ce que Borgia avait dit, de toutes ces femmes qui se jetaient aux pieds de son fils. Jamais je n'en ferais partie.

— Viens me voir, toi, répliquai-je en le quittant.

Après un rapide détour par mes quartiers pour me décrotter et revêtir des habits propres, je me dirigeai vers la salle des banquets du palazzo, où Sa Sainteté avait prévu un grand dîner avec les dignitaires de sa cour et quelques notables de la ville. Par la suite, elle prendrait la plupart de ses repas en privé ; mais elle avait bien l'intention de profiter de ses premiers jours à Viterbe pour se comporter le plus pompeusement possible.

César était assis à la droite de son père, et les jeunes nobles espagnols avaient pris place à ses côtés. En dépit des égards avec lesquels on l'avait traité dans l'arène, Don Miguel de Lopez y Herrera semblait d'une humeur massacrante. Je le vis bousculer un serviteur qui lui tendait une jatte où se laver les mains si violemment que le pauvre homme perdit l'équilibre, et serait tombé à la renverse s'il n'avait été rattrapé par un autre. La jatte pleine d'eau atterrit par terre, et le sol dut être essuyé à la hâte par un page. César fronça les sourcils mais s'abstint de tout commentaire, son silence venant rappeler si besoin était combien l'amitié des Espagnols était devenue vitale pour la famille Borgia.

Essayant de me faire la plus discrète possible, je restai alerte pour tenter de détecter tout événement insolite, tout changement de routine qui pourrait augurer des ennuis. Une fois satisfaite, je tournai mon attention vers les invités. Lucrèce était assise à la gauche de son père, une jeune femme mince parée d'or et de pierres précieuses, aux boucles blondes lui encadrant joliment le visage. Elle était en train de rire à une plaisanterie de Borgia, et semblait totalement ignorer Sforza. Je soupirai en songeant combien elle avait été excitée à l'idée de se marier, et avait idéalisé son futur époux avant même de l'avoir rencontré.

La vérité pure et simple était que Borgia l'avait vendue aux Sforza en échange de leur soutien lors du conclave qui l'avait élu pape l'année précédente. Mais cet objectif étant atteint, l'alliance avec cette maison (dont les membres avaient la réputation d'être fiers comme des paons) avait perdu beaucoup de son attrait. Les paris à ce propos allaient bon train dans les rues de Rome, la cote étant en ce moment à cinq contre trois que la pauvre Lucrèce, qui avait déjà été fiancée par trois fois, aurait un second mari avant longtemps. Comme on pouvait s'y attendre, son époux du moment ne goûtait guère la plaisanterie, mais il semblait vraiment épris d'elle, et donc peu enclin à faire quoi que ce soit qui puisse fâcher son redoutable beau-père. Il m'arrivait de penser que ma ténébreuse nature (qui, de fait, ne s'encombrait pas de ce genre de civilités) n'était pas un si grand désagrément que cela, après tout.

Lorsque la soirée toucha à sa fin, je retournai dans mes quartiers pour y attendre César. Je passai la chemise de nuit en dentelle noire qu'il aimait tant, et m'installai sur le lit avec l'un de mes livres préférés, *Des Femmes de renom*, écrit par le grand Boccace. J'étais plongée dans la lecture de la vie de Médée lorsque soudain, on frappa. Me demandant bien pourquoi César ferait une entrée aussi bruyante, je m'emparai de mon couteau et entrebâillai la porte, pour me retrouver nez à nez avec un domestique espagnol à l'air soucieux, qui ne s'embarrassa pas des politesses d'usage et me dit simplement :

— *Venga.*

5

Le domestique me précéda le long d'interminables couloirs et devant des gardes qui détournèrent soigneusement les yeux à mon passage, jusqu'à ce que nous arrivions à l'aile du palazzo où César et son père s'étaient installés. Lorsque les gardes postés là par Vittoro eurent décroisé leurs hallebardes pour nous laisser entrer, nous franchîmes de larges portes en bronze, traversâmes l'antichambre où en tant que cardinal, César se devait désormais de recevoir les pétitionnaires et autres conseillers, et arrivâmes enfin à ses quartiers privés, qui étaient dissimulés dans un coin donnant sur les jardins.

Plusieurs lampes avaient été allumées, projetant de grandes ombres sur les murs ornés de fresques vieilles de plus d'un siècle, qui décrivaient le martyre de saint Jean Baptiste. Je trouvais la perfide Salomé particulièrement réussie. Son Éminence, ainsi que l'on devait appeler César à présent, était étendue sur un immense lit englouti sous de lourdes tentures. Herrera lui rôdait autour. Le noble espagnol avait la tête de celui qui a désenivré un peu trop brutalement, et en a la nausée.

César, en revanche, semblait pâle mais pleinement en possession de ses moyens, abstraction faite de l'entaille qu'il avait à présent sur le bras gauche. Il était torse nu, et avait ôté ses bottes.

— Ce n'est pas si grave que ça, m'assura-t-il en voyant mon regard noir. Se tournant vers l'Espagnol, il dit :

— *Gracias, Don Miguel. Déjame con la señora, si se quiere.*

César avait parlé en castillan, la langue en usage à la cour d'Espagne. Entre eux, toutefois, les Borgia parlaient le catalan de leurs ancêtres. Nous autres serviteurs avions compris l'utilité qu'il y avait à connaître les rudiments de cette langue, proche mais dans le même temps suffisamment distincte du castillan pour que je ne saisisse pas d'emblée ce que César venait de dire. Après un instant de réflexion, je songeai qu'il avait dû lui demander de nous laisser.

L'Espagnol débita une réponse à toute allure (à laquelle pour le coup je ne compris rien du tout), avant de prendre congé, non sans m'avoir auparavant lancé un regard ouvertement méprisant. Le domestique qui était venu me chercher le suivit, et César et moi nous retrouvâmes seuls. Je me hâtai d'examiner sa plaie. L'entaille partait de sous son épaule gauche et s'arrêtait au niveau du coude. Eût-elle été un peu plus profonde, elle aurait pu sérieusement abîmer les muscles et les tendons.

— Contente-toi de la nettoyer, si tu veux bien, me dit-il. Je préférerais que personne ne l'apprenne.

Visiblement, il avait déjà tenté de s'en charger, car une bassine d'eau rouge était posée sur une petite table à côté du lit, ainsi qu'une aiguille et du fil. Son valet de pied avait dû être congédié.

— Tu te souviens que mon… talent s'exerce plutôt dans un autre domaine ? hésitai-je, n'étant que trop consciente de mes limites.

— Je m'en fiche, de ça. Tu es douée en couture ?

— Je suis très mauvaise, tu veux dire. J'arrive tout juste à faire passer le fil à travers le chas d'une aiguille.

Ce n'était pas de la fausse modestie : les travaux d'aiguille (censés faire partie de l'éducation de toute jeune fille convenable) avaient toujours été une vraie corvée, pour moi. Mais au vu des circonstances, j'allais devoir tâcher de faire mieux.

— Comment est-ce arrivé ? m'enquis-je en prenant une aiguière à côté du lit pour remplir la bassine d'eau propre. J'adoptai un ton calme, mais en mon for intérieur, je tremblais. J'arrive à m'en sortir lorsqu'il s'agit de gérer mes menstrues, mais hormis cela j'ai une peur panique du sang, et j'évite donc le plus possible d'être en contact avec cette substance. Exception faite, bien entendu, de ces moments où la noirceur s'empare de moi. Les fois où cela est arrivé, j'ai tué avec une rare violence, et je me suis même vautrée dans le sang.

Pour sûr, je suis un esprit contrariant.

— Herrera a pris l'épouse d'un officier de la garnison de Viterbe pour une fille de petite vertu, expliqua César. (Il avait l'air las, et quelque peu exaspéré à vrai dire.) L'officier en a pris ombrage, il y a eu une bagarre, et je suis intervenu.

— Tu as pris le coup destiné à un rustre simplement parce que c'est le neveu des monarques espagnols ?

L'idée m'irritait davantage que je ne l'aurais cru. César n'était plus un enfant, et ce depuis bien longtemps. Mais à cet instant-là, je ressentis comme l'envie de le protéger — envie qui venait uniquement de mon sentiment de responsabilité envers la Famiglia, assurément.

César haussa les épaules.

— C'est à peu près ça. Mais peu importe. Ce qui compte, c'est que ça n'aille pas plus loin. Herrera est déjà en train de s'époumoner, disant à qui veut l'entendre qu'il s'est senti insulté et qu'il exige la tête de cet officier. Tu imagines la réaction de la garnison, s'ils apprenaient ça ?

Ou pour être précis, la garnison sur laquelle Il Papa misait pour barrer la route de Rome à une armée ennemie, si d'aventure on devait en arriver là.

Tout en m'acharnant sur ce maudit fil qui refusait de passer dans le chas, je lui demandai :

— Y a-t-il eu d'autres incidents, avant ce soir ?

César jeta un coup d'œil à ce que j'étais en train de faire, puis regarda ailleurs.

— Le charme de Viterbe n'a pas agi longtemps. Les Espagnols s'ennuient. Du reste, moi aussi.

— Oh, mais ne t'inquiète pas. Les habituels écornifleurs ont suivi ton père jusqu'ici, et il y a des nouvelles putains, des pronostiqueurs, des artistes et même des voleurs pour distraire tout le monde.

Et fort probablement des espions, des intrigants et des agitateurs, songeai-je en mon for intérieur.

César se mit à rire, retint son souffle quand il sentit que je commençais à recoudre sa plaie, et resta obstinément silencieux jusqu'à ce que j'en finisse. Les heures passées en compagnie de Sofia m'avaient appris davantage que je ne le pensais.

— Tu te sous-estimes, conclut-il une fois ma mission accomplie. Il examina mon œuvre attentivement avant que je ne lui mette un bandage sur le bras, et sembla satisfait.

— Je vais dire à Lucrèce combien tu excelles aux travaux d'aiguille. Tu pourrais l'aider à confectionner cette nappe d'autel qui l'accapare en ce moment, qu'en dis-tu ?

— Je connais bien une centaine de moyens de t'empoisonner, tous plus atroces les uns que les autres.

De nouveau César rit, puis, passant un bras autour de ma taille, m'attira à lui.

— Reste avec moi cette nuit, fit-il. Tu m'as manqué.

J'étais tentée, mais j'hésitai.

— Tu ne devrais pas te fatiguer.

Des cernes bleutés apparaissaient sous ses yeux. Il tenta bien de réprimer un bâillement, mais n'y parvint pas.

— En toute honnêteté, je crois que j'en serais incapable.

Un aveu surprenant, pour un homme de son âge et de son tempérament. Je posai ma main sur son front, et fus soulagée de ne trouver aucun signe de fièvre. Toutefois, son état pouvait empirer durant la nuit. Il valait mieux qu'il ne reste pas seul.

Ainsi justifiais-je mon élan de tendresse. L'intimité (non d'ordre sexuel, mais plutôt celle provoquée par la sincère communion de deux esprits) était quelque chose d'extrêmement rare, dans ma vie. Je me disais que c'était tout aussi bien, mais il y avait pourtant des moments où cela me manquait terriblement.

— Comme tu veux, répondis-je, avant de m'installer auprès de lui dans le lit, et de ramener une couverture légère sur nous.

Il se tourna sur le côté, et me fit épouser les courbes de son corps. À peine quelques instants après, sa respiration était devenue profonde et régulière. J'étais bien, tout contre lui, et je me mis à penser aux problèmes posés par la cantharidine, ainsi qu'à leurs éventuelles solutions. J'en étais rendue au point où je me demandais si le temps était venu de tester sur quelqu'un ce que j'avais découvert jusque-là, lorsque je me rendis compte que César s'était réveillé.

Ah, l'endurance de la jeunesse ! Toujours sur le côté, les yeux braqués dans l'obscurité des tentures, je ne fis pas la sainte-nitouche lorsqu'il souleva ma chemise pour exposer mes cuisses, ni lorsque sa main glissa entre elles. Je n'eus qu'à me décaler un tout petit peu pour qu'elles soient exactement là où elles devaient être. Nous nous mîmes à bouger à l'unisson, l'urgence du moment se mariant harmonieusement à la familiarité de nos corps. Je connaissais ses rythmes ; il connaissait les miens. Et pourtant, je fus tout de même surprise de voir avec quelle rapidité le plaisir monta en nous. Que ce soit parce que nous avions tous deux un besoin à satisfaire, ou bien à cause de l'étrange sensualité de cette communion en grande partie silencieuse, nous eûmes à peine le temps de reprendre notre souffle que la libération arrivait.

Ainsi comblée, une femme normale aurait glissé sans plus attendre dans le sommeil, et rêvé de son amant. Mais pas moi : à peine Morphée m'eut-il ouvert ses bras que le cauchemar vint.

D'aussi longtemps que je m'en souvienne, le même rêve revenait me tourmenter. Je me trouve dans un tout petit espace, derrière un mur. Par un minuscule trou, je regarde à l'intérieur d'une pièce dans laquelle je sens des ombres bouger. Les ténèbres sont entrecoupées à intervalles réguliers d'éclairs de lumière. Il y a du sang partout, un véritable océan, dont le niveau monte dangereusement contre les murs et menace de m'emporter. J'entends une femme crier. Quelques mois plus tôt, je m'étais réveillée en sursaut en m'entendant crier son nom : *Mamma*. Mais c'était absurde. Ma mère était morte à ma naissance. Il était tout bonnement impossible que ce soit la femme dans la pièce baignée de sang.

Je me réveillai comme à l'accoutumée, terrorisée et moite de sueur, mais je savais depuis bien longtemps que la meilleure chose à faire était de rester allongée, et de respirer lentement et profondément. Je ne voulais surtout pas déranger César, qui avait autant besoin que moi de se reposer. Et à dire vrai, je n'avais pas non plus envie de devoir lui parler une fois de plus du cauchemar. Il partageait suffisamment souvent ma couche pour le savoir.

Je somnolai le restant de la nuit, et finis par me réveiller complètement. César dormait toujours profondément, un bras posé sur ma hanche. Discrètement, je me glissai hors du lit pour m'en retourner de l'autre côté du palazzo, dans mes quartiers. C'était l'heure de la relève de la garde, et je me dis qu'avec un peu de chance on ne me verrait pas. Non que cela ait la moindre importance. Les agents de Borgia étaient partout, et leurs rapports convergeaient vers lui tel un fleuve alimenté par autant de rivières, avant d'être englouti par l'océan lui-même. Il ne faisait aucun doute qu'il savait déjà pour l'altercation qu'il y avait eu en ville, mais j'étais d'avis qu'il approuverait la réaction de son fils — même s'il ne le lui avouerait jamais. Il fallait rester coûte que coûte dans les bonnes grâces des Espagnols jusqu'à ce que la roue tourne, comme elle le fait toujours. Ensuite, qui pouvait dire quel prix Borgia exigerait d'eux pour continuer à endurer leur présence ?

Une fois dans ma chambre, je me lavai prestement, ne prenant même pas la peine d'attendre qu'un domestique m'amène de l'eau chaude. Puis je choisis une tenue simple, coiffai mes cheveux en une natte enroulée autour de la tête et me dépêchai de descendre en cuisine. Toutefois, je ne m'y attardai pas : une fois que j'eus déniché un petit pain fourré à la crème de noisette et un solide panier pour faire mon marché, je ressortis.

Mon père, à l'époque où il était l'empoisonneur de la maison des Borgia, avait compris le risque qu'il y a à trop se concentrer sur ce qui est autour de soi, et à négliger ce qui se situe à la périphérie. Il croyait beaucoup aux vertus de la marche, et m'avait appris à regarder, à écouter et même à sentir une scène, afin de l'appréhender dans sa totalité et, plus important encore, de déceler les problèmes le plus tôt possible. Il savait également qu'il était capital d'avoir le bon accessoire pour passer inaperçu. D'où le panier.

Je descendis le large escalier en pierre du palazzo et partis d'un bon pas vers le sud-est, car c'était la direction qu'un page m'avait indiquée en bégayant lorsque je lui avais demandé où se trouvait la grand-place de Viterbe. La journée commençait agréablement, il faisait frais et seules quelques fines traces de nuages venaient perturber un ciel sinon bleu. Des fleurs d'automne aux couleurs chaudes ornaient les fenêtres des maisons, leur parfum se mêlant à l'odeur âcre de la lessive de soude dont on se servait pour frotter les pavés des rues. Étant depuis longtemps l'un des repaires attitrés des papes, la ville regorgeait d'églises, dont beaucoup étaient vieilles de plusieurs siècles et en général faites de pierres qui avaient jauni avec le temps. À cet égard (uniquement à celui-ci, entendons-nous), Viterbe avait une très vague ressemblance avec ma Rome bien-aimée. Mais hormis cela, tout ici me paraissait petit, étriqué, et toujours bien trop tranquille à mon goût.

Avec ses hauts murs ponctués çà et là de tours de guet, l'ancienne *porta romana* (par laquelle on entrait dans la ville) avait dû ouvrir à l'aube ; déjà, des gens de passage se dirigeaient vers le palais des papes, dans l'espoir d'y faire commerce. Plusieurs membres de la garnison de Viterbe en plastron, casque à plumes et hallebarde pointue, étaient de patrouille, mais je vis aussi des hommes de la garde papale. Je me demandais s'ils étaient là pour protéger Borgia, ou bien s'ils étaient chargés d'étouffer dans l'œuf le ressentiment de la populace envers ces arrogants d'Espagnols.

En arrivant à la grand-place, je pris le temps d'admirer les sculptures de lions et de palmiers, qui figurent tous deux sur les armoiries de la ville. Sur le marché, les étals regorgeaient de raisins et d'olives fraîchement récoltées. D'immenses barils d'huile d'olive vierge et de vin nouveau étaient empilés à côté de cages en osier où l'on avait enfermé poulets, canards et lapins. Je humai l'odeur acide des meules de pecorino et le doux arôme de la ricotta. D'énormes jambons roses étaient suspendus aux poutres, à côté des étals. Les artichauts bien charnus rivalisaient de charme avec les superbes champignons, dont la variété m'étonna, je dois dire. J'achetai un peu de tout afin de remplir mon panier.

Et pendant tout ce temps-là, j'ouvris grand mes oreilles. Les ménagères de Viterbe, dont beaucoup portaient le hennin, cette haute coiffe en forme de cône, faisaient de leurs courses une affaire sérieuse. Comme tout bon marchandeur, elles commençaient par se moquer de la somme qu'on leur demandait, mais finissaient toujours par se mettre d'accord sur le prix le plus juste pour tout le monde.

J'assistais à un échange animé concernant des haricots cocos roses lorsque je vis arriver sur le marché plusieurs cuisiniers, que je reconnus comme étant ceux de Borgia. Vêtus de leurs traditionnelles tuniques blanches rehaussées des armoiries papales, les *maestri di cucina* commencèrent à faire leur choix, suivis de près par les marmitons qui allaient devoir porter leurs achats. Ils n'avaient visiblement pas vu que l'humeur avait soudain changé dans le marché. On aurait dit qu'un nuage noir venait de passer devant le soleil.

— Maudits Romains, grommela la matrone à côté de moi. Délaissant les haricots cocos, elle s'éloigna d'un pas bruyant. Et elle ne fut pas la seule. Une par une, les ménagères jetèrent un regard mauvais aux nouveaux arrivants, puis quittèrent les lieux.

C'est alors qu'une dispute éclata non loin de l'endroit où je me tenais. Un robuste boucher, vêtu d'un tablier en cuir éclaboussé de sang, refusait de marchander le prix d'un cuissot de bœuf. Tout de go, il déclara au cuisinier rouge de confusion que s'il ne voulait pas payer, il pouvait aller voir ailleurs.

— Ne fais pas l'idiot, enfin, protesta le *maestro*. Personne ne l'achèterait à ce prix-là.

— Un idiot, ah oui ? (L'expression du boucher s'assombrit encore quand il empoigna un couperet, et l'enfonça d'un grand coup sur sa planche en bois.) Si tu n'aimes pas notre façon de faire, pourquoi ne pas rentrer à Rome ?

Un murmure d'approbation s'éleva des étals alentour. Au milieu de tout cela, quelqu'un d'autre s'écria :

— Et d'ailleurs, emportez ces maudits Espagnols avec vous.

— Ou mieux encore, cria un autre, renvoyez-les en Espagne. On ne veut pas de gens comme eux ici.

— Ni de vous, d'ailleurs !

— Va dire ça à Sa Sainteté, tiens !

En entendant le nom de Borgia prononcé, je me figeai sur place. Soit, j'admettais que l'attitude des Espagnols les ait contrariés, au regard de ce que César m'avait raconté. Mais si la grogne s'étendait au pape lui-même… Car il n'y avait pas de quoi s'inquiéter outre mesure de voir quelques paysans se conduire comme des ânes bâtés sur une route du nord. En revanche, si les habitants de la ville sur laquelle Borgia comptait justement pour stopper une avancée de l'armée française s'enhardissaient à ce point, la situation était bien plus préoccupante que je ne le croyais.

Les cuisiniers se replièrent alors sous les sifflets et les huées, et injures et autres poings levés les accompagnèrent jusque dans la rue menant au palazzo. Peu après, les matrones refirent leur apparition. Un murmure de satisfaction parcourut les lieux, puis tout revint à la normale. Je m'en retournai lentement dans la même direction, en réfléchissant à la scène dont je venais d'être témoin. Les Espagnols s'étaient-ils comportés comme les derniers des malotrus pour mériter une telle hostilité ? Ou bien se pouvait-il que les gens soient manipulés par une main invisible, dans le but d'engendrer une ambiance délétère en ville ? Celle de della Rovere peut-être, agissant de concert avec les Français ? Une des rumeurs voulait que le cardinal ait passé un accord avec le jeune Charles VIII, par lequel le roi français se verrait remettre les clés de la ville de Naples s'il aidait della Rovere à accéder à la papauté qu'il convoitait tant.

Soudain une armée de cors retentit, me tirant brusquement de ma rêverie. Une troupe de cavaliers arrivait au galop dans les rues tortueuses qui venaient du palazzo, leurs bannières flottant au vent, leurs éperons en argent brillant au soleil. C'était César, qui chevauchait aux côtés d'Herrera, les autres Espagnols en cavalcade derrière eux. Des chiens couraient à leurs trousses en aboyant, ils devaient donc être en route pour une partie de chasse à courre.

Il arrive tout le temps que des escouades de jeunes aristocrates à cheval se fassent ainsi remarquer dans les rues de Rome. Mais ils se cantonnent aux larges avenues, et en général ne causent pas d'ennuis. Ce jour-là en revanche, tous ceux qui passaient par là restèrent cloués sur place par le spectacle qui se déroulait sous leurs yeux. Puis, ce fut le chaos.

Je me réfugiai sous la première porte cochère venue, et tous les gens autour de moi m'imitèrent. Les camelots poussèrent leurs charrettes vers les ruelles les plus proches en courant, et ceux qui avaient la malchance de conduire des chariots durent fouetter leurs animaux furieusement pour tâcher de s'écarter du chemin à temps. Je vis un homme s'élancer au dernier moment pour empoigner une petite fille perdue au milieu des poules, qui battaient des ailes frénétiquement. Un chat blanc, qui me rappelait le mien, fit le gros dos, sortit les griffes et cracha.

Je dois admettre que moi-même, je sentis la colère me gagner. C'était tout bonnement exaspérant de voir ces hommes faire si peu de cas de la tranquillité de la ville qui les accueillait — et proprement insupportable de constater que César en faisait partie. En eussé-je été capable, je l'aurais volontiers jeté à terre pour cogner un peu son crâne de jeune écervelé contre les pavés, et au diable les conséquences.

Mais tournée de côté comme je l'étais pour ne pas recevoir dans l'œil les cailloux que les sabots des chevaux faisaient voler partout, j'étais bien certaine que César n'avait pas fait davantage attention à moi qu'aux pauvres âmes sur son passage. Ils finirent par s'éloigner dans un nuage de poussière, avec dans leur sillage des maîtres-chiens pantelants, qui tentaient tant bien que mal de suivre le rythme.

Je restai là où j'étais un instant, à écouter le bruit des sabots s'estomper. Mon panier s'était renversé, et plusieurs artichauts étaient allés rouler dans la rue. Alors que je me penchais pour les ramasser, j'entendis les premiers grommellements autour de moi.

Je me redressai lentement, et jetai un coup d'œil aux passants. Tous, hommes comme femmes, écumaient de rage. À quoi bon avoir les murs les plus solides, si dans son exaspération, la populace décidait d'ouvrir son cœur (et ses portes) aux ennemis de Borgia ?

Cette pensée était si inquiétante que je dus empoigner l'un des artichauts un peu trop fermement, et le bout très pointu d'une feuille me piqua à la main. Je regardai la goutte de sang perler dans ma paume, et un très mauvais pressentiment s'insinua en moi.

6

Ce soir-là le pape dîna de chevreuil, que le chef servit rosé, comme Borgia l'aimait. La vue du plat me donna la nausée, et me rappela également combien j'étais en colère après César. Il agissait avec ces Espagnols comme une jouvencelle évaporée, et cela me restait en travers de la gorge. Herrera était assis à côté de lui, ce soir-là, et son humour devait être irrésistible tant César riait à gorge déployée.

Je ne m'attardai pas dans la salle des banquets comme à l'accoutumée, mais jetai une cape sur mes épaules et sortis prestement. Sur la plupart des toits en tuiles de la petite ville, de la fumée sortait des cheminées. À l'ouest, les derniers rayons du soleil perçaient tant bien que mal la brume, qui promettait une averse plus tard. Ce serait bientôt l'heure des vêpres, mais la place devant le palazzo restait animée. Des marchands en tout genre jouaient des coudes avec les prêtres, camelots, prostituées et quelques rares pénitents, tous avides de faire les dernières affaires (sur un plan matériel ou spirituel, c'était selon) avant la nuit. Les condottieri maintenaient l'ordre mais à mesure que l'heure avança, la pression de la foule se fit plus forte.

Ne trouvant pas la paix que j'étais venue chercher, je songeai à retourner à l'intérieur du palazzo lorsqu'un soudain éclair de couleur à la périphérie de ma vision m'arrêta. De l'un des *corsi* donnant sur la place avait surgi un personnage tout droit sorti d'une imagination débridée, vêtu d'une tunique et de collants de toutes les couleurs, et portant sur la tête un chapeau en feutre pointu dont les grelots scintillaient dans l'ultime rayon de soleil couchant. Il réussissait l'exploit de taper sur un tambour tout en soufflant dans une trompette et en secouant la tête pour faire tinter ses grelots. Il ressemblait à tous les bouffons qui vont de cour en cour pour exercer leur métier ; cependant, il avait aussi quelque chose de curieusement familier.

Avançant sur la place à coups de sauts guillerets, il arriva enfin tout près de l'endroit où je me tenais. Il s'arrêta alors devant moi, me fit un sourire gracieux, ôta son chapeau et exécuta une révérence plutôt convaincante.

Ayant obtenu mon attention, il ne tarda pas à se redresser et à repartir en direction de la ville avec force cabrioles. J'aspirai un bon coup, expirai lentement, et le suivis.

David ben Eliezer et moi trouvâmes un endroit discret où nous asseoir à l'arrière d'une taverne, à la clientèle bariolée de jongleurs, ménestrels, histrions et mimes en tout genre. Cela donnait une assemblée plutôt bruyante, dont les rires retentissants réduisaient la probabilité que quelqu'un nous entende. Une jeune femme plantureuse vint prendre notre commande, tout en lançant un regard approbateur à David. Il avait de nouveau ôté son chapeau pour le poser à côté des autres accessoires allant de pair avec son accoutrement, et de fait, il n'était pas sans évoquer un personnage d'un tableau de Botticelli, tout en regard ténébreux et grâce féline. Mais ce déguisement de bouffon restait une idée ingénieuse. Personne n'aurait soupçonné que se cachait derrière un rebelle juif déterminé à protéger son peuple par la ruse, s'il le pouvait — et par l'épée, s'il le devait.

— Je suis désolée d'avoir dû quitter Rome sans te voir, dis-je lorsque la serveuse fut repartie. Dans le tourbillon d'activités qui avait précédé le départ du pape du Vatican, je n'avais pas eu le temps d'arranger un rendez-vous avec lui. Mais pour heureuse que je fusse de le voir, sa soudaine apparition à Viterbe ne présageait assurément rien de bon.

Il me fit un petit signe de tête pour m'indiquer qu'il comprenait.

— Moi aussi, j'ai été fort occupé. Nous avons beaucoup de choses à nous dire. Mais tout d'abord, je t'ai amené des lettres, m'annonça-t-il en les faisant glisser sur la table. Une de Sofia, une autre de Rocco, et un message d'une femme qui s'appelle Portia. Elle refuse de me dire comment elle a fait pour me trouver, mais elle veut que tu saches que ta petite chatte va bien. Et elle espère qu'il en va de même pour toi. (Il m'observa avec beaucoup trop de perspicacité.) Elle se trompe, n'est-ce pas ?

Je rangeai les missives dans ma bourse. Celle de Sofia était la bienvenue. Quant à celle de Rocco… je ne voulais pas y penser pour le moment.

— Je vais bien.

David et moi avions bravé le danger ensemble, et réchappé de peu à la mort, mais je restais réticente à l'idée de lui infliger le récit de mes problèmes. C'est ainsi que nous parlâmes de sujets plus légers jusqu'à ce que nous soyons tous deux satisfaits de voir que nous n'attirions pas spécialement l'attention. À ce moment-là seulement lui demandai-je la raison de sa venue à Viterbe.

— Je n'aurais pas fait tout ce chemin, m'expliqua-t-il, si Sa Sainteté n'avait pas décidé de venir en toute hâte ici. Cela dit, Rome n'a pas grand-chose pour elle en ce moment. Le temps y est épouvantable, les rumeurs de peste s'intensifient et la colère gronde parmi la populace.

— Hormis la peste, ce n'est guère mieux à Viterbe, à vrai dire. (Je m'approchai de lui.) Rends-toi compte, les domestiques de Borgia se font ouvertement insulter sur la place du marché, maintenant. Quant à la garnison… Disons que je ne parierais pas sur leur loyauté.

— C'est fort regrettable.

David se fit silencieux lorsqu'on nous amena nos coupes de vin, du pain et une jatte d'huile vert pâle. Nous prîmes le temps de faire trempette, puis il dit :

— Je t'apporte une nouvelle que je ne pouvais confier à un messager.

D'instinct, mon estomac se contracta. Je reposai la coupe.

— Dis-moi.

— Un assassin est en route pour Viterbe. Peut-être est-il même déjà là.

Je ne pouvais décemment écarter une menace aussi concrète contre Borgia, mais il n'y avait tout de même pas de quoi s'alarmer.

— Encore un ? fis-je en reprenant ma coupe. Ils sont comme les champignons, on dirait qu'il en surgit de nouveaux après chaque averse.

— Malheureusement, celui-ci pourrait bien être différent. La quantité d'argent qui a changé de main laisse à penser qu'il est bien plus dangereux que tous ceux que tu as pu affronter par le passé.

Les assassins sont comme les empoisonneurs, ils varient en talent et, par conséquent, en tarif. Toutefois, je restais sceptique.

— Comment l'as-tu appris ?

— Tu sais que nous avons toujours des contacts avec l'Espagne ?

— À vrai dire, je m'en doutais.

Si des dizaines de milliers de juifs espagnols avaient été forcés de fuir grâce à Leurs Majestés très catholiques, d'autres avaient choisi de rester là en se faisant *conversi*, des convertis à la foi chrétienne. Ils vivaient dans le soupçon permanent, même si quelques-uns avaient retrouvé la sécurité dans les rangs de la sainte Église, et même de la cour royale.

— Il y a eu un certain nombre de transferts de fonds entre des banques romaines et espagnoles, ces temps-ci, poursuivit David. Le but semble être de brouiller les pistes quant à leur origine, tout autant qu'à l'identité du bénéficiaire. En d'autres termes, quelqu'un se donne beaucoup de mal pour porter atteinte à Borgia. Et malgré tout le respect que je te dois, je crains que cette fois-ci il n'y arrive.

Loin de lui en vouloir pour son honnêteté, je m'en félicitais. Seule une sotte dédaignerait les avertissements de quelqu'un qui s'était avéré aussi bon et digne de confiance que David.

— As-tu autre chose à me dire ? demandai-je.

— Pas encore, mais j'ai pensé qu'il valait mieux venir ici dès que j'ai eu vent de ce qu'il se passait. Nous avons versé une fortune à Borgia en échange de la promesse qu'une fois élu pape, il ferait preuve de tolérance envers nous. Jusque-là, il ne s'est pas dédit. Mais s'il devait tomber…

Je hochai la tête d'un air sombre.

— Tous les candidats à la papauté fondent leur pouvoir sur la sainte Église. Ils n'hésiteront pas à mettre tous les maux du monde sur le dos du premier bouc émissaire venu, s'ils pensent que cela peut la préserver.

— Et tu crois vraiment que Borgia est différent en cela ?

— Oui, car au contraire des autres, il puise son pouvoir en lui-même. L'Église est simplement le moyen d'arriver à ses fins. Il l'anéantirait allègrement pour la rebâtir sous une toute nouvelle forme, si cela lui permettait d'atteindre plus rapidement le but qu'il s'est fixé.

— Es-tu en train de me dire que dans l'immensité de son ambition, il laisserait de la place aux autres pour respirer ?

Je ne l'aurais pas dit avec autant d'éloquence, mais il avait raison.

— Oui, c'est à peu près ça. Alors, mon ami, comment allons-nous faire pour le garder en vie ?

David me lança un sourire rusé. Quels que soient les enjeux, il trouvait toujours du plaisir à relever un défi.

— Tu serais étonnée de ce que les gens se laissent aller à évoquer, en présence d'un bouffon. Si quiconque à Viterbe a entendu dire quoi que ce soit sur cet assassin qui puisse nous révéler son identité, je le saurai.

Je n'en doutais pas, mais j'avais tout de même une suggestion à faire.

— Étant donné d'où cette information nous parvient, tu ferais bien de surveiller plus particulièrement les Espagnols.

David leva un sourcil interrogateur.

— Sous-entendrais-tu que les compatriotes de Borgia, ceux qui sont censés être ses alliés, pourraient se cacher derrière la menace qui pèse sur lui ?

À la vérité je n'y aurais pas songé, sans la perfidie bien connue de Leurs Majestés très catholiques ; or, ce détail méritait qu'on s'y arrête. À juste titre ou non, je me devais d'envisager qu'en dépit du mal que Borgia s'était donné pour les courtiser (en leur offrant la part du lion suite à la découverte du Nouveau Monde, par exemple), leur loyauté envers lui ne soit pas aussi inébranlable que cela.

Toutefois, je modérai ma réponse.

— Je ne dis pas cela, mais tu comprendras que je ne veuille pour l'instant écarter aucune possibilité.

Il y songea un moment, avant d'acquiescer.

— D'accord. As-tu la possibilité de m'introduire auprès d'eux ?

Ce fut à mon tour de sourire.

— Rien ne pare un grand prince aussi bien qu'un grand bouffon. J'en parlerai à Borgia.

Nous conclûmes notre conversation en parlant de Rome et des amis que nous avions en commun, puis je pris congé et retournai au palazzo. Là, sous la charpente en bois raffinée d'où pendaient des bannières papales vieilles de plusieurs siècles, Borgia poursuivait sa soirée entouré de sa cour. Herrera semblait aimablement prêter attention à tout ce que le pape lui disait, mais je le vis rouler des yeux moqueurs lorsque Sa Sainteté tourna la tête ailleurs.

Quand le repas se termina enfin, je me retirai dans mes quartiers où, après quelque hésitation, j'ouvris la missive de Sofia. Elle espérait que je prenais bien soin de ma santé — en d'autres termes, que je n'abusais pas de la poudre qu'elle m'avait procurée. La peste était bien arrivée en ville mais pour l'instant semblait contenue, grâce aux mesures habituelles consistant à condamner les maisons des malades à l'aide de planches ; quant aux pauvres diables à l'intérieur, ils vivraient ou mourraient, selon la volonté de Dieu. Elle concluait en me demandant de lui écrire pour lui donner de mes nouvelles, et si j'avais besoin de quoi que ce soit, de le lui dire également.

Je reposai la lettre, et pris celle qui émanait de Rocco. Ma main trembla-t-elle légèrement en l'ouvrant ? J'aimerais croire que non, mais la question reste posée.

Il allait bien, et espérait qu'il en allait de même pour moi. Nando avait fait un dessin de leur rue, que son père joignait à cette missive. Il me remerciait encore d'avoir encouragé le don artistique du petit garçon. Ils avaient pris un chien depuis peu, un croisement de lévrier et de Dieu sait quoi. Nando avait insisté pour l'appeler Bella. Au départ Rocco trouvait qu'elle ne faisait pas vraiment justice à un tel nom, mais après quelques repas, un endroit où dormir au chaud et un bon bain, Bella avait su gagner sa faveur. Il se trouvait pas mal occupé par plusieurs commandes, et avait mis au point une nouvelle méthode lui permettant d'ajouter de la couleur à du verre en fusion, qui selon lui devrait m'intéresser. Il me demandait si je savais quand j'allais revenir en ville.

Mais de Carlotta d'Agnelli, sa future femme, il ne parlait point.

Assurément, c'était simplement par mégarde. Il avait rempli la page, et avait omis de la retourner pour continuer. Ou bien il avait manqué de temps. Car sinon, il l'aurait évoquée avec force détails, n'est-ce pas ?

En souriant, je repliai soigneusement la lettre et la rangeai, mais je gardai le dessin ouvert sur mon bureau. Nando avait vraiment réussi à rendre l'animation qui caractérise la rue des verriers. J'arrivais presque à sentir la fumée de charbon de bois émanant des fours, et cette odeur sèche du sable juste avant qu'il ne se transforme en liquide.

Avec une vigueur renouvelée, j'ouvris l'un des coffres que j'avais amenés de Rome. À l'intérieur, bien calés dans des écrins adaptés à leur taille, se trouvaient les instruments dont je me servais pour mes expériences. Les amener à Viterbe s'était avéré difficile et quelque peu risqué, mais je refusais de laisser mon séjour forcé à la *campagna* m'être plus désagréable que nécessaire. Après avoir disposé cornues, lentilles, creusets et autres balances sur une table, je me mis au travail et fus bientôt plongée dans mes essais sur la cantharidine.

Mon père avait toujours souligné l'importance de prendre des notes sur les expériences que l'on faisait, et j'en avais gardé l'habitude. J'avais déjà rempli plus de la moitié d'un carnet avec mes présentes observations. Bien que la cantharidine soit loin d'être le poison le plus puissant à ma connaissance, s'il tenait ses promesses il aurait un avantage énorme sur les autres, à savoir que les hommes le prendraient de leur plein gré. L'administration d'un poison à l'insu de la victime constitue souvent la plus grande partie du défi posé par mon métier. Dans ces conditions, posséder un poison que les hommes convoiteraient… Je ne pus m'empêcher de sourire en songeant au champ des possibilités.

Plusieurs heures passèrent. Ma colère envers César étant retombée, je me demandai en passant s'il viendrait me voir, mais j'avoue que l'idée ne me transporta pas. À vrai dire, la nuit avançant, les bras de Morphée me parurent de plus en plus attirants. Mais je résistai, craignant que le cauchemar ne revienne me hanter.

Je finis par conclure un marché avec moi-même. Je n'avais bu qu'une seule coupe de vin avec David, et sans conteste, il s'était écoulé suffisamment de temps pour que les effets de l'alcool se soient estompés. Convaincue par ma propre logique, je remballai tous mes instruments — une tâche fastidieuse, mais qui valait mieux que d'éveiller la curiosité sur mes activités. Le temps d'en finir, j'étais si lasse que ma main trembla en préparant la poudre. Je l'avalai en faisant la grimace, et me hâtai de me mettre au lit. Je fis aussi bien car l'effet fut foudroyant, au point que je me demandai si peut-être je ne l'avais pas dosée à l'excès.

Mais c'était sans importance, désormais. Je m'enfonçai dans le sommeil un sourire aux lèvres, et si je rêvai cette nuit-là je n'en sus jamais rien.

7

— Vous avez entendu la nouvelle ?

Je tournai la tête pour faire face à Renaldo, qui était sur mes talons. C'était le lendemain matin. Nous nous trouvions dans le couloir menant aux appartements de Borgia, et l'intendant avait fait si peu de bruit que je ne l'avais pas entendu approcher. Du moins c'est ce que j'espérais, sinon cela signifiait que j'étais davantage préoccupée encore que je ne le pensais.

— Quelle nouvelle ?

Son nez pointu en frétilla d'excitation.

— Les messagers arrivés de Rome ce matin nous ont rapporté qu'il y avait eu un violent orage en ville, hier soir. Les appartements du pape au Vatican ont été frappés par la foudre. Sous la violence du choc, deux des secrétaires de Sa Sainteté ont été jetés à terre, et ont perdu connaissance.

C'était en effet proprement étonnant. Les orages à Rome au début de l'automne sont plutôt rares, et pour que le Vatican lui-même soit frappé…

— Manifestement, répliquai-je, le fait que cela soit arrivé *après* le départ de Sa Sainteté est le signe de la bienveillance de Dieu à son égard.

Renaldo faillit s'en étrangler de rire.

— Bien sûr, on peut le voir comme ça. Mais la cote est déjà à cinq contre deux que le Tout-Puissant a simplement raté son coup.

— Pur sacrilège, à n'en pas douter.

Je ne disais pas cela pour médire, la religion étant un domaine foncièrement obscur pour moi. Simplement, je ne voulais pas que

Renaldo se mette dans une position inconfortable en venant me répéter cette nouvelle. Toutefois, cette possibilité ne semblait pas l'inquiéter outre mesure.

— Voilà ce qui passe pour être de l'humour, à notre époque, répliqua-t-il, avant de s'approcher pour me faire part des détails. À en croire le bruit qui court, Satan protégerait notre maître. D'où le départ de Borgia de Rome juste avant le châtiment divin.

Je ne me rappelais même plus d'un temps où l'on n'accusait pas Borgia d'être le serviteur du diable. Je suppose que l'on dit cela de tous les hommes qui ont de grandes ambitions, et accomplissent par ce biais de grandes choses. Néanmoins, il devait se préparer quelque chose, pour que cela ressorte précisément maintenant.

— À votre avis, quel genre d'ingrédient faudrait-il pour bien faire monter la sauce, dans cette affaire ?

Renaldo renchérit :

— Ou plus exactement, qui nous la prépare ?

Il avait raison. À Rome, je possédais mes propres sources d'informations. Même si elles étaient loin de rivaliser avec celles de Borgia, elles restaient efficaces de par leur diversité, car elles allaient du ghetto juif au réseau de contrebandiers qui avaient investi les souterrains de Rome. À Viterbe, je connaissais trop peu les lieux et les gens pour ne pas tâtonner dans le noir.

— Vous me préviendrez, si vous entendez quoi que ce soit d'autre ? priai-je Renaldo.

Il acquiesça d'un signe de tête, l'air grave.

— Vous et moi nous comprenons, Donna Francesca. Nous voulons tous deux ce qui est le mieux pour notre maître.

Sur ce point, j'étais éminemment d'accord. Le problème était que notre maître, pour sa part, ne semblait pas toujours savoir ce qui était le mieux pour lui — et son fils, pas davantage. Mais passons. Ma priorité était de dire à Borgia ce que je venais d'apprendre par David. Toutefois, ainsi qu'il arrive souvent lorsqu'on a de bonnes intentions, cela n'alla pas sans complications.

— Sa Sainteté est occupée à régler une affaire d'État, m'informa le secrétaire, lèvres pincées et nez en l'air. Tous les secrétaires de Borgia me traitaient avec suspicion, voire une franche aversion — ce dont je n'aurais su les blâmer. Après tout, j'étais une femme qui avait la confiance du pape, ce qui à leurs yeux constituait en soi une aberration, sans parler de ma sinistre profession.

— Une affaire de la plus haute importance, précisa-t-il. Je crains de ne pouvoir vous faire entrer, à moins…

Il s'interrompit en entendant une voix en colère qui traversa soudain le mur pourtant épais. Si l'on ne distinguait pas ce qu'elle disait, le ton en revanche était on ne peut plus clair, tout comme le fait qu'elle appartenait bien à Borgia. Visiblement, quelque chose avait déplu au pape.

— À moins… que ce ne soit urgent…, poursuivit le secrétaire, avec comme une lueur d'espoir dans les yeux.

Borgia et moi avions en effet un arrangement. Suivant les circonstances, il pouvait me recevoir séance tenante. Il me suffisait de prononcer le mot « urgence » pour que toutes les barrières jusque-là infranchissables s'ouvrent devant moi. C'était lui-même qui y avait songé, car il savait fort bien qu'accorder une telle prérogative à son empoisonneuse pouvait s'avérer un jour vital pour lui.

— *¡ Aquesta lloba !* s'écria Sa Sainteté, encore plus fort. Cette louve ! Mais comment ose-t-elle ? *¿ Qui cony es creu que és ?*

J'aurais été bien incapable de dire pour qui la reine d'Espagne se prenait (hormis l'évidence), mais le ton mordant de la remarque de Borgia dans son catalan maternel ne laissait aucun doute sur ses sentiments envers elle. Il était rare que le pape fasse étalage de sa colère, et en général, lorsqu'il y cédait, c'était seulement pour l'effet ; mais présentement, il avait l'air réellement furieux. Quoi qu'ait fait Isabelle, elle avait déclenché son courroux.

— Savez-vous ce qui a provoqué une telle réaction ? m'enquis-je auprès du secrétaire.

L'homme hésita, réticent à l'idée de partager quoi que ce soit avec moi, mais l'anxiété (qui se retrouvait à un niveau alarmant chez tous ceux qui servaient Il Papa) eut raison de lui.

— Les Espagnols ont arrêté Juan pour conduite immorale, dit-il en reniflant faiblement. Comme s'ils devaient s'attendre à autre chose.

J'étais proprement abasourdie. Arrêter le fils du pape dans la foulée de son mariage au sein de la famille royale était un acte d'hostilité ou je ne m'y connaissais pas. Mais peut-être n'était-ce finalement pas si surprenant que cela. Je n'avais jamais fait confiance à Leurs Majestés très catholiques. Leur décision d'expulser les juifs d'Espagne les avait révélés comme les pires des fanatiques, des êtres cruels, manquant singulièrement de vision ; et cela n'augurait rien de bon pour qui décidait de s'allier avec eux. Je leur reprochais la plupart de ce qu'il s'était passé depuis, en particulier d'avoir entretenu le climat malsain qui avait conduit au meurtre de mon père.

Sans plus attendre, j'annonçai :

— Je dois voir Sa Sainteté de toute urgence.

Le mot magique ayant été prononcé, le secrétaire s'écarta. J'entrai au beau milieu d'une tirade pour le moins crue (et a priori irrecevable du point de vue anatomique) de la progéniture de la reine d'Espagne. En me voyant, Borgia s'interrompit. D'une main, il prit un linge et épongea la sueur qui lui ruisselait du front. De l'autre, il accepta une coupe de vin qu'un serviteur lui tendait d'une main tremblante.

Il en but une longue gorgée tout en me toisant.

— Qu'est-ce que tu me veux, l'empoisonneuse ?

Assurément, le moment était fort bien choisi pour rappeler au monde entier ce que j'étais pour lui.

— Quelques minutes de votre temps, s'il vous plaît, Votre Sainteté.

Je parlai d'un ton si humble que malgré son humeur noire, Borgia ne put retenir un sourire.

— Dehors ! hurla-t-il aux autres.

Les personnes présentes (secrétaires et importuns, principalement) quittèrent le bureau à une telle hâte que le mouvement agita le bas de sa soutane. Borgia et moi étions seuls.

— Allez, ne tourne pas autour du pot, s'exclama-t-il d'un geste de la main. Quelle mauvaise nouvelle m'amènes-tu encore ?

L'expérience m'avait appris que lorsqu'il s'agissait de traiter avec un homme aussi pétri d'intrigues et de perfidie que Borgia, il n'y avait rien de tel que la vérité nue.

— Un assassin est en route pour Viterbe. Il est même possible qu'il soit déjà là.

Sa Sainteté haussa les épaules.

— Un de plus ? Que dire, sinon tant mieux. Je ne voudrais pas voir ton talent s'émousser.

Ce qui, chez un autre homme, n'aurait été que pure bravade, témoignait dans le cas de Borgia d'un vrai courage personnel. Il ne perdait pas de temps à craindre ce que ses ennemis pourraient lui faire, préférant à la place qu'eux aient peur de lui. C'était admirable mais si, de mon côté, j'avais réussi à le garder en vie jusque-là, lui comme moi ne pouvions nous laisser aller à un tel excès de confiance.

— Celui-ci est peut-être différent des précédents, répliquai-je. Une grande quantité d'argent a changé de mains dans les banques, à la fois ici et en Espagne. Et quelqu'un s'applique davantage que d'habitude à dissimuler sa provenance, ainsi que son ou ses bénéficiaires.

Il plissa les yeux. Borgia s'enorgueillissait d'avoir une armée d'espions, et à raison : il était très rare qu'il soit pris au dépourvu. Mais même Argos aux cent yeux ne pouvait tout voir.

— Comment sais-tu cela ?

— David ben Eliezer est venu me le dire en personne. Vous vous souvenez de lui ?

— L'agitateur juif, celui qui veut se battre ?

— Je ne pense pas qu'il veuille se battre nécessairement. Simplement, il ne croit pas que les débonnaires hériteront vraiment un jour de la Terre. Ni même qu'ils seront encore là pour le voir.

Borgia émit un grognement. Il fit le tour de son immense bureau et s'assit dans un fauteuil qui s'apparentait davantage à un trône. Croisant ses mains au-dessus de son ventre, il rétorqua :

— Je mentirais si je disais que je ne suis pas d'accord avec lui. Ses sources sont-elles fiables ?

— Il ne m'a pas dit qui elles sont, mais je n'en attendais pas autant. Ce qui compte ici, c'est que j'ai une confiance absolue en cet homme. Si David croit que la menace est réelle, nous devons la prendre au sérieux.

— En faisant quoi ?

Je n'eus pas le temps de répondre que Borgia ajouta :

— Et ne me propose pas de limiter mes déplacements ou mes visites ; je ne veux pas en entendre parler. Si je t'écoutais, je vivrais comme une jeune recluse derrière les murs d'un couvent.

Imaginer Borgia en religieuse vierge coupée du monde m'obligea à me presser fort les lèvres pour ne pas éclater de rire. Lorsque je fus certaine que l'envie m'était passée, je répondis :

— Pour commencer, je suggère que vous mettiez vos propres hommes aux portes de la ville, pour surveiller de près toutes les allées et venues.

Il était peut-être déjà trop tard pour empêcher l'assassin d'entrer dans Viterbe, mais il me semblait que cela avait tout de même un intérêt. Comme celui de rappeler à la garnison que la garde personnelle de Borgia était une force avec laquelle il allait falloir composer.

— Ce n'est pas une mauvaise idée, grommela-t-il. Quoi d'autre ?

— J'aimerais faire entrer David au palazzo. Sous un déguisement, naturellement. Une autre paire d'yeux et d'oreilles nous serait utile, et il excelle dans les situations périlleuses.

— Accordé. Mais j'exige que vous fassiez tous deux preuve de délicatesse dans cette affaire, c'est clair ?

Je comprenais ses réserves (du moins le croyais-je), mais cela ne m'empêcha pas de rétorquer :

— Sauf votre respect, Votre Sainteté, nous avons un assassin sur les bras, et potentiellement un très bon. Je ne vois pas ce qu'il y a de délicat là-dedans.

— Ah bon ? Dans ce cas, dis-moi, qui est la cible ?

Peut-être avais-je déjà passé trop de temps au service de Borgia, ou bien toutes ces années à vivre sous son toit lorsque j'étais enfant avaient-elles faussé mon jugement à jamais ? Toujours est-il que je compris sa question un peu trop facilement. Je me rendis également compte que s'il la posait, c'est qu'il avait déchiffré en un instant ce que j'avais mis toute une nuit à comprendre.

En vérité, c'étaient les banques espagnoles qui m'avaient mise sur la piste. Non pas que l'Espagne n'ait pas de bons assassins, mais l'Italie et la France sont connues pour en produire de meilleurs. Alors pourquoi faire passer l'argent par l'Espagne, dans ce cas ? Je ne voyais qu'une seule raison.

— Manifestement, dis-je, il est possible que ce soit vous, la cible.

Il leva un sourcil interrogateur.

— Seulement « possible » ? Mais qui d'autre vaudrait la peine qu'on lui envoie un assassin aussi coûteux ?

Il me parlait avec le ton d'un précepteur s'adressant à une élève prometteuse. Cela ne me dérangeait pas, car je savais combien il pouvait m'apprendre.

— Vos ennemis tentent de vous tuer quasiment depuis le jour où vous avez été élu pape, et vous êtes encore bien en vie. Je crains qu'ils n'aient fini par se rendre compte qu'ils n'ont peut-être pas besoin de s'attaquer à vous directement. Il leur suffit de vous affaiblir suffisamment pour que vous chutiez de vous-même.

Un homme médiocre aurait rejeté d'emblée la notion que son succès ne dépendait pas totalement de lui, mais qu'il le devait au moins en partie à d'autres forces, extérieures. Borgia, qui comprenait mieux que quiconque comment fonctionnait cet échafaudage branlant sur lequel repose le pouvoir, observa l'échiquier en marbre et or posé sur son bureau, comme s'il ne songeait à rien d'autre que son prochain coup. Distraitement, presque, il me demanda :

— Et comment pourraient-ils accomplir cela ?

La partie avait évolué, voyais-je à présent. La reine n'était plus en danger. Un fou s'était avancé pour la protéger, et les renforts arrivaient du côté d'un cavalier.

— En détruisant la seule chose dont vous avez absolument besoin pour survivre : votre alliance avec l'Espagne.

— Ah, oui, encore l'Espagne. C'est curieux comme le sujet revient souvent, ces temps-ci. (Il reporta son attention sur moi.) Que penses-tu de cette affaire avec Juan ? À ton avis, est-ce lié ?

— Je n'écarterais pas la possibilité, mais en toute sincérité, Juan est bien trop loin présentement pour que je me soucie de lui. Je dois me concentrer sur la situation ici.

Borgia me fit part de son approbation avec un autre grognement.

— Certes. Mais si vous étiez cet assassin très bien payé, que feriez-vous ?

Je priais pour qu'il prenne la rapidité de ma réponse comme le signe de ma dévotion envers lui, et non la preuve que je nourrissais des pensées déloyales.

— Une possibilité serait de faire du mal à quelqu'un qui vous est proche, de telle manière qu'Herrera et les autres Espagnols soient tenus pour responsables. Dans ce cas de figure, vous seriez amené à les tuer et, de fait, à rompre l'alliance.

Sa Sainteté hocha lentement la tête.

— Tout le monde sait que je détruirais quiconque s'en prend à mes enfants.

C'était la seule chose qu'il craignait véritablement, davantage encore que de tomber aux mains d'un assassin : les enfants de Borgia étaient le gage de son immortalité. C'est ce qui explique, je suppose, que la moindre opposition à sa volonté dans ce domaine-là le faisait enrager.

— Bien entendu, il faut prendre toutes les précautions pour protéger César et Lucrèce, et c'est déjà le cas. Il est donc probable que la cible ne soit pas eux, mais quelqu'un d'autre.

J'attendis, le laissant arriver à sa propre conclusion, comme il avait coutume de le faire. Personne n'appréciait une bonne énigme autant que Borgia, et n'était plus doué pour les éclaircir. Au bout d'un moment, les commissures de ses lèvres se contractèrent convulsivement. Il prit une autre gorgée du vin, puis reposa la coupe.

— Herrera lui-même ?

J'acquiesçai d'un signe de tête.

— Et qu'il meure de façon à vous incriminer. Les Espagnols seraient furieux, ou tout au moins prétendraient l'être, et l'alliance volerait en éclats.

— Te rends-tu compte que tout cela est peut-être le seul fait de Ferdinand et Isabelle ? Peut-être n'attendent-ils qu'une excuse pour me trahir. En l'admettant, crois-tu qu'ils iraient jusqu'à comploter la mort de leur propre neveu pour arriver à leurs fins ?

— Je ne l'exclus pas.

Pour autant, on ne manquait pas de prétendants. Le roi français, par exemple, mais également les familles rivales en Italie : les Orsini, les Sforza, les Médicis, les della Rovere, les Farnèse… la liste n'en finissait pas. Au bout du compte, c'était sans importance. La seule chose qui comptait était de stopper cet assassin au plus vite.

Sans rancœur — car s'il y avait bien un homme qui savait apprécier un bon stratagème, c'était lui —, Borgia s'exclama :

— C'est ingénieux, tu ne trouves pas ?

— Certes. Mais vous auriez tout intérêt à garder les différentes hypothèses en tête, et à vous protéger en conséquence. Néanmoins, nous pourrions également envisager une solution… moins orthodoxe.

Je n'en dis pas plus. L'art de converser avec un homme de pouvoir tel que Borgia avait grandement à voir avec le fait de planter une petite graine, puis de ne plus y toucher jusqu'à ce qu'elle prenne racine. Heureusement, il avait l'esprit vif, et je n'eus pas à attendre longtemps.

Il me fit un franc sourire, avec peut-être un soupçon de désapprobation.

— Francesca, tu ne suggères tout de même pas sérieusement de… ? (Son sourire s'élargit.) Seigneur Dieu, mais si.

Et je n'allais pas m'en excuser. Nous savions tous deux que je n'étais pas à son service uniquement pour mon talent en matière de poisons, mais aussi car j'étais prête à considérer ce que d'autres, drapés dans leur morale, nommaient « l'impensable ». Comme si ce n'était pas dans l'esprit de l'homme (et de la femme) qu'avaient germé toutes les horreurs possibles et imaginables depuis la nuit des temps.

— Je dis simplement qu'il serait peut-être judicieux d'agir de façon préventive.

— Ha ! (Borgia donna une grande tape de la main sur son bureau, si énergique que la nymphe en porcelaine disposée au coin faillit bien tomber.) Tu le penses vraiment. Tu veux tuer Herrera.

Il avait raison, je voulais l'éliminer. Pour moi, c'était la réponse la plus simple et efficace à la menace. Nous avions tout à y gagner, et quasiment rien à y perdre, du moment que c'était bien fait.

— Dans un cas comme dans l'autre, répliquai-je, il constitue un handicap. Naturellement, il faudrait que cela soit fait convenablement, pour donner l'impression d'un accident tragique.

— Et comment t'y prendrais-tu ?

Il voulait me faire plaisir, mais j'osais croire que mon idée pouvait séduire un homme qui savait se montrer aussi impitoyable que moi, voire davantage.

— Il y a plusieurs solutions. Il pourrait tomber de la loggia dans la vallée en contrebas, par exemple. Ou bien se noyer dans l'un des nombreux lacs de la région. Ou encore faire une mauvaise chute à cheval. Tous ces malheurs peuvent arriver à un homme ayant pris certaines substances qui causent des vertiges et une sensation de désorientation, tout en ne laissant aucune trace dans l'organisme. Par ailleurs, il y a bien d'autres façons de tuer qui sont totalement indétectables. Par exemple…

Borgia leva une main, me stoppant dans mon élan.

— Assez. Je ne sais si je dois applaudir ton ingéniosité ou en être terrifié. Donc, tuer Herrera. Un accident… tragique… nous tous accablés de chagrin… la promesse d'une vie brillante trop vite écourtée, et ainsi de suite. L'idée a un certain charme, je l'admets. Malheureusement, conclut-il à contrecœur, cette histoire avec Juan change la donne. Nous avons besoin de l'Espagnol.

— Sauf votre respect, en vie il continuera à être un problème.

Sa Sainteté me regarda de plus près, les yeux plissés.

— Cela fait un petit moment que tu n'as pas tué, n'est-ce pas ? La dernière fois, c'était cet homme à la basilique Sainte-Marie de Rome, il y a quelques mois, si mes souvenirs sont bons ?

— C'était de la légitime défense, lui rappelai-je.

Je ne mentais pas, c'en était vraiment… au sens strict du terme. Par ailleurs, ce mécréant était mort d'une minuscule coupure, car le couteau que j'avais en main (mon arme de choix dans ces moments-là) était enduit d'un poison de contact. Il était mort très rapidement.

— Bien entendu, bien entendu, Francesca. Mais s'agissant du cas présent, nous aurions tout intérêt à faire preuve de retenue.

— Vous pourriez le prendre en otage, proposai-je. (Une piètre solution, selon moi, mais elle pourrait tout de même lui être utile.) Exiger la libération de Juan en échange de la sienne.

Borgia écarta cette possibilité comme si elle était indigne d'être envisagée.

— Bien trop grossier, et pire, ce serait laisser passer une belle occasion. Non, c'est le moment idéal pour prendre de la hauteur. Pour montrer à tous que cette louve et son poltron de mâle ne sont rien d'autre que des ingrats qui me poignardent dans le dos, quand moi je fais preuve de grandeur.

C'était l'aspect de Borgia que ses adversaires négligeaient à leurs risques et périls. Il pouvait être en proie d'émotions les plus intenses qui soient, et rester dans le même temps froidement rationnel. C'était comme s'il avait la capacité de se détacher de son propre corps, et de voir le monde avec une objectivité implacable. Certes, il agissait toujours en partant de l'hypothèse que seuls ses désirs avaient une quelconque importance, mais cela ne l'empêchait pas d'en arriver bien souvent à la bonne conclusion.

Je soupirai, sentant l'inéluctable arriver, mais tout de même encline à faire une dernière et futile tentative.

— Assurément, c'est une question d'honneur que de…

— L'honneur ne doit jamais se substituer aux résultats, Francesca. Souviens-toi de ça. Le neveu bien-aimé reste en vie, du moins pour l'instant.

Borgia ponctua sa phrase d'un regard insistant, comme pour s'assurer que je le comprenais bien. Si j'avais soif de tuer, il me faudrait me contenir. Pire, ma protection de la Famiglia s'étendrait désormais aussi à Herrera, un homme que je détestais déjà cordialement.

J'eus plusieurs heures pour méditer sur ce mauvais coup du sort, jusqu'à ce que le bruit des sabots dans la cour annonce le retour de César et des Espagnols. Leur visite aux bains semblait les avoir ragaillardis. Nous eûmes droit à profusion de démonstrations d'amitié, de camaraderie et de gaieté tapageuse, avant qu'ils ne se séparent dans la grande salle du palazzo.

J'attendis que César ait le temps de rentrer dans ses propres quartiers avant d'aller le voir. Il se trouvait dans sa chambre et avait ôté sa cape, mais n'avait pas eu le temps d'enlever ses chausses et ses bottes toutes crottées. Lorsque j'entrai, il était en grande conversation avec l'un de ses secrétaires, qui lui donnait les dernières nouvelles d'Espagne. Je ne pus m'empêcher d'admirer la maîtrise dont savait faire preuve le nouveau cardinal. Il attendit que nous soyons seuls pour éclater de rire.

— Juan, arrêté ! (Il exécuta une révérence moqueuse.) Mes sincères excuses à Leurs Majestés très catholiques. J'admets volontiers que je n'avais pas une très haute opinion d'eux, mais visiblement j'avais tort.

— Pour sûr, ton frère mérite ce qui lui arrive, répliquai-je. Mais cela pose tout de même un problème.

Il hocha la tête, son esprit vif passant déjà au point suivant. De tous les membres de la famille Borgia, César avait toujours été le plus intelligent, ce qui expliquait en partie pourquoi il s'avérait également le plus dangereux.

— Donc tu as déjà discuté avec le pape, rétorqua-t-il.

Je réprimai un soupir. La rivalité des Borgia se retrouvait partout — s'agissant d'un beau bijou, d'un destrier vif comme l'éclair, de la loyauté d'un serviteur en particulier. Car en définitive c'était ce que j'étais, et j'aurais été bien sotte de l'oublier. Ce qui ne m'empêchait pas de l'être assez pour accueillir César dans ma couche, une complication qu'une femme plus sage que moi aurait su éviter.

— Si tu avais été là lorsqu'on a appris la nouvelle, fis-je avec le plus de diplomatie possible, je suis bien certaine que Sa Sainteté t'aurait demandé conseil en premier.

Prenant place sur un petit tabouret en bois incurvé, César entreprit d'enlever ses bottes. En public, le fils de Jupiter jouait son rôle de prince à la perfection. Mais en privé, il détestait faire des manières, et s'acquittait de tâches que d'autres de moindre rang que lui n'auraient même jamais conçu de faire eux-mêmes. Il m'avait raconté avec un plaisir non dissimulé les nuits passées à dormir à même le sol lors d'expéditions effectuées en compagnie des hommes de sa garde personnelle, qui lui étaient aussi proches que des frères. Pendant deux semaines et parfois plus, ils parcouraient un terrain accidenté en faisant des exercices qui ressemblaient étrangement à de l'instruction militaire, même si César s'obstinait à dire que c'était simplement pour se distraire.

Borgia avait vu clair dans son jeu et cela lui déplaisait, mais jusque-là tout au moins il n'avait pas exigé de son fils aîné qu'il s'adonne à des activités davantage sédentaires, convenant mieux à sa nouvelle charge de cardinal et, de fait, éveillant moins de craintes chez les autres prélats. Toutefois, les Espagnols avaient réussi là où le pape avait échoué : depuis leur arrivée, César avait été forcé de contenir ses élans naturels et de donner la préférence à leurs passe-temps.

L'effort requis l'avait rendu davantage impatient qu'en temps normal, et je sentais bien qu'il rongeait son frein. Il jeta négligemment la seconde botte par terre, et se leva.

— Il y a autre chose, annonçai-je. David ben Eliezer est venu en personne me prévenir qu'un assassin était en route pour Viterbe. Manifestement, ajoutai-je après un instant d'hésitation, toi, ton père et Lucrèce êtes tous en danger, mais il m'est également venu à l'idée que la cible pourrait être Herrera.

César ne parut pas s'inquiéter outre mesure d'entendre que sa famille et lui étaient le point de mire d'un meurtrier. Il avait été élevé dans une maison où l'on comprenait le danger inhérent qu'il y a à vouloir monter toujours plus haut l'échelle du pouvoir. Fortuna était une déesse capricieuse, qui pouvait à tout moment décider de retirer sa bénédiction et faire plonger l'ambitieux dans un gouffre insondable.

Néanmoins, la mention d'Herrera le surprit, ne serait-ce qu'un instant.

— Intéressante, comme idée. Devrais-je m'inquiéter pour Don Miguel ? (En voyant ma tête, il sourit d'un air espiègle.) Non, Francesca, tu n'as tout de même pas proposé à mon père de nous débarrasser de lui avant que l'assassin ne puisse frapper ?

Avec une certaine raideur, je rétorquai :

— Sa Sainteté pense que ce n'est pas utile pour le moment.

Les Borgia *padre e figlio* semblaient lire en moi comme dans un livre ouvert. Je me devais de croire que ce n'était pas le cas de tout le monde, sinon je n'aurais jamais survécu aussi longtemps dans mon métier.

César éclata d'un rire franc. Il passa un bras autour de ma taille et m'attira à lui.

— Tu me vois profondément soulagé de savoir que le pape agit avec la sagesse qui lui est coutumière. Mais il reste tant de tensions à relâcher. (Il se pencha tout contre moi, et enfouit son visage dans mon cou.) Tu m'as manqué, hier matin. Tu t'es esquivée avant mon réveil.

— Tu aurais pu venir me voir hier soir.

Il se recula pour me regarder.

— Les Espagnols…

— … nécessitent beaucoup d'attention, je sais.

À en croire César, il agissait seulement par égard pour son père, et avait mis de côté ses ambitions comme le bon fils qu'il était. Et céder aux caprices des Espagnols n'avait rien à voir avec sa propre nature intensément sensuelle, naturellement, ou son besoin d'évacuer la frustration qui grandissait chaque jour un peu plus depuis qu'on l'avait nommé cardinal.

— C'était comment, les bains ? m'enquis-je aimablement.

— Purifiant. Après t'avoir fait transpirer, et laissé tremper un bon moment dans la boue, ils te frottent de la tête aux pieds. Je ne sais pas avec quoi ils font ça exactement, mais…

Je me penchai un peu plus près pour respirer son odeur.

— Eucalyptus, sel de mer et une touche de citron. Et ça t'a plu ?

Il rit, sachant très bien ce que je voulais dire, et se pressa un peu plus contre moi.

— À ton avis ?

— Ton endurance m'impressionnera toujours. (C'était ma façon d'admettre que je sentais effectivement son ardeur tout contre moi, et que cela me plaisait.) Comment se fait-il que tu ne sois pas plus… détendu ?

La principale attraction des bains étant les jolies jouvencelles et jouvenceaux au service des clients, je pensais que César aurait pris part aux réjouissances. Mais peut-être me méprenais-je.

— Tu peux remercier les Espagnols pour ça, m'expliqua-t-il tout en me caressant le dos. La vue de ces hommes dans une pissotière suffirait à couper l'appétit des plus aguerris.

— Leur compagnie commencerait-elle à perdre de son charme ?

— C'était déjà le cas avant qu'on arrive à Viterbe, répondit-il en posant les lèvres précisément sur la zone, juste derrière mon oreille, qui était d'une sensibilité inouïe. Pour tout te dire, je me suis même demandé si le célibat n'aurait pas de bons côtés, finalement.

— Je peux t'assurer que non, dis-je en l'enlaçant fort.

— Comment se fait-il, poursuivit-il en remontant mes jupons, que nous ayons une telle attirance l'un pour l'autre ?

— À cause de nos natures qui sont si bien en accord l'une avec l'autre ? proposai-je en défaisant les lacets de ses chausses. Nous étions amis avant d'être amants, rappelle-toi.

Ses mains me caressèrent les cuisses, avant de s'égarer entre elles.

— Es-tu toujours mon amie, Francesca ? Puis-je vraiment te faire confiance ?

— Pourquoi me demandes-tu cela ? haletai-je doucement.

— Parce que, répondit-il en m'empoignant la jambe pour la caler contre sa hanche, il y a des moments où le poids de ce masque que je dois porter m'est insupportable. Je veux croire qu'il y a au moins une personne en ce monde avec qui je peux être moi-même.

Je me mordis la lèvre pour ne pas crier lorsqu'il me caressa, et plantai mes ongles dans ses épaules carrées. Avec la plus grande difficulté, je lui dis :

— Assurément, tu sais que je ressens la même chose.

Et pourtant il y avait tant de choses que je n'avais jamais avouées à César, la première d'entre elles étant mes sentiments pour Rocco : l'homme à cause duquel j'aspirais à être une femme meilleure. De cela, César n'en saurait jamais rien, car je ne voulais pas le blesser. Du reste, à quoi cela servirait-il ? Rocco vivait dans la lumière, et j'étais convaincue pour ma part que jamais je ne parviendrais à l'atteindre. Pour une maîtresse des ténèbres comme moi, il était aussi inaccessible que le paradis lui-même.

Quelle chance, dans ce cas, de pouvoir encore jouir des plaisirs terrestres.

César se glissa en moi avec un grognement, son souffle chaud contre le mien. À un autre moment que celui-ci j'aurais préféré le confort d'un lit, mais en cet instant-là rien d'autre n'importait plus que la prompte délivrance d'une passion qui montait rapidement en nous, jusqu'à en devenir intolérable. Je sentis la fraîcheur du mur en stuc contre mon dos lorsqu'il me souleva plus haut, plongeant encore plus loin en moi. Toutes les vicissitudes de ce monde furent bientôt réduites à néant. J'enfonçai mes dents dans la chair tendre à la base de sa gorge, sentis le goût salé de son sang sur ma langue, et laissai le feu qu'il avait allumé consumer toutes mes peurs.

César était encore endormi lorsque je quittai sa couche. De retour dans mes appartements, je me lavai et me changeai, puis décidai d'aller trouver David pour lui dire que tout était arrangé quant à sa venue au palazzo. À peine m'étais-je mise en marche dans les rues tortueuses qu'il se mit à bruiner. Arrivée aux portes de la ville, je constatai que Borgia n'avait pas perdu de temps à déployer sa garde personnelle. Vittoro était venu en personne donner les ordres à ses hommes, et sous mes yeux je les vis prendre le contrôle de la zone. Les hommes de la garnison s'étaient écartés, ne sachant visiblement pas comment, voire s'ils devaient même répondre. Le temps que leurs officiers prennent une décision, il serait trop tard. Concrètement, Borgia venait de prendre le contrôle de l'unique (donc vital) point d'entrée et de sortie de Viterbe.

Au lieu du flot régulier se déversant par la *porta romana*, chaque individu cherchant à entrer en ville était stoppé et minutieusement examiné, et la foule attendant de pouvoir passer grossissait de minute en minute. Le murmure de voix en colère commença à s'élever à l'extérieur des murailles.

Je jouai des coudes pour m'approcher. Un groupe de pèlerins, leurs capes de voyage ornées d'une croix au niveau du bras pour signifier leur intention d'aller se recueillir sur le tombeau de saint François d'Assise, attendaient présentement de pouvoir passer. Leur chef, un homme rubicond, protesta avec véhémence mais sans grand résultat. Ils étaient une dizaine, et chacun fut soumis au même examen que s'ils étaient le premier camelot venu. Dans l'ensemble, ils paraissaient prendre ce contretemps de bonne grâce, mais à la fin j'entendis une femme grommeler que non contents d'avoir été retardés sur la route, il leur fallait encore loger dans une ville qui n'avait visiblement aucune idée de la façon dont traiter les gens respectables.

J'allais repartir lorsque mon attention fut attirée par une religieuse faisant partie du groupe de pèlerins. Elle portait l'habit de laine naturelle des clarisses

., et me regardait fixement. Son visage pâle, encadré par un voile, possédait la beauté sans rides de celles qui vivent une vie de sainte et semblent protégées des ravages du temps qui laisse son empreinte sur nous autres simples mortels. Je n'aurais su dire son âge, mais à la gravité de ses gestes, je penchais pour une cinquantaine d'années. La lourde croix en bois qu'elle avait à la taille indiquait également qu'elle avait atteint une certaine position dans son ordre. Lorsque nos regards se croisèrent, elle hésita, puis — je ne me trompais pas — me sourit.

L'instant d'après, un mouvement de foule m'obligea à avancer et je la perdis de vue. Je me demandai alors si je ne l'avais pas imaginée.

Tout cela fut très bref, et je retournai bien vite à mon étude des nouveaux arrivants à Viterbe. Si David avait raison, quelque part parmi cette foule bariolée de négociants, avocats, émissaires, soldats, mercenaires, camelots, gitans et autres artistes, qui avaient tous à faire en ville à présent que le pape y était en résidence, se trouvait peut-être l'ennemi secret venu détruire Borgia. Il ne me restait plus qu'à le retrouver avant qu'il ne frappe.

Je n'avais aucune illusion quant au fait que j'étais bien un pion entre les mains de Borgia. Mais celle qui ne craint pas de descendre dans l'arène, et sait en ressortir indemne, finit un jour par être promue (selon les règles obscures de ce jeu) au rang de reine, avec les pouvoirs de vie et de mort sur autrui que confère un tel statut. À cette fin, j'étais prête à tout risquer.

Mais tout d'abord il me fallait trouver David, ce que je fis dans la taverne où nous avions discuté la veille. Il terminait un bol de soupe de pommes de terre lorsque je me glissai sur le banc en face de lui.

— Borgia est d'accord pour que tu viennes au palazzo, annonçai-je après m'être assurée qu'aucune oreille ne traînait dans les parages. Il prend ton avertissement très au sérieux.

— Tu me vois heureux de l'entendre. Tu veux toujours que je surveille les agissements des Espagnols en particulier ?

Je hochai la tête et lui expliquai brièvement pourquoi je pensais qu'Herrera était peut-être la cible. En revanche, je n'infligeai pas à David ma suggestion en vue de régler le problème posé par le neveu bien-aimé, Borgia ayant écarté cette option… pour le moment.

Lorsque David eut rassemblé ses affaires, je le raccompagnai au palazzo. Ensemble, nous allâmes trouver Renaldo dans le petit bureau qu'il avait réquisitionné dans la grande salle. L'intendant avait l'air encore plus soucieux que d'habitude.

— Qui est-ce, Francesca ?

Je compris qu'il me demandait implicitement pourquoi je le dérangeais avec une créature aussi humble qu'un bouffon.

— C'est un ami, précisai-je.

Je lui résumai ensuite le problème posé par l'assassin.

— Encore un, gémit Renaldo quand j'en eus terminé. Et celui-ci plus dangereux encore que les autres. Cela n'en finira donc jamais ?

— Borgia est simplement mis à l'épreuve, répliqua David en nous prenant de court. Il a réussi à poser son postérieur sur le trône de Saint-Pierre, à lui maintenant de démontrer qu'il est capable d'y rester.

Renaldo le regarda de plus près, en tentant de faire abstraction du chapeau à grelots et du costume bariolé.

— On ne se connaîtrait pas ?

— David m'a déjà aidé par le passé, rétorquai-je. C'est la raison de sa présence ici.

L'intendant hocha la tête en signe de compréhension.

— Dans ce cas, très bien. Je vais vous mener auprès des artistes.

Mais s'il doit y avoir du grabuge, comme cela a été le cas *par le passé*, j'apprécierais d'être prévenu un tantinet à l'avance.

En les quittant, j'entendis David lui certifier que ses intentions étaient totalement pacifiques, et que Renaldo n'avait absolument pas lieu de s'inquiéter. Il mentait presque aussi bien que moi.

En parlant de mensonges…

Vu l'heure de la journée et le temps qu'il faisait, je partis en quête de Lucrèce au dernier étage du palazzo, où une large baie laissait pénétrer le soleil — quand il y en avait. Je devais l'alerter du danger potentiel, mais en même temps, j'avoue avoir été curieuse de savoir comment elle vivait son simulacre de mariage.

Plusieurs dames de compagnie se trouvaient là, en train de travailler à la fameuse nappe d'autel mentionnée par César, mais de Lucrèce, point de trace. En me voyant, elles sursautèrent comme autant de jolis oiseaux découvrant un chat galeux et affamé en leur sein. Je me retirai prestement en m'excusant de les avoir dérangées, et repartis en quête de la jeune fille.

La chambre qu'elle occupait seule se trouvait non loin des appartements de Borgia et de César. À Sforza, son infortuné époux, on avait attribué des quartiers dans une aile séparée du palazzo, aussi éloignée d'elle que possible tout en étant sous le même vaste toit. Et pourtant, ce fut sa voix que je distinguai en arrivant devant la porte. Giovanni Sforza, seigneur de Pesaro et descendant de la puissante maison des Sforza, n'avait pas l'air content.

— Je vous le dis, s'écria-t-il suffisamment fort pour que je l'entende à travers le chêne massif, nous ne devrions pas être ici ! Vous êtes ma femme et votre place est à mes côtés, à Pesaro !

Lucrèce répliqua plus doucement, mais avec une telle fermeté que je n'eus aucune difficulté à comprendre ce qu'elle disait. Bien sûr, je fus aidée en cela par le fait que je m'étais précipitée pour coller mon oreille contre la porte.

— Mon père en a décidé autrement. Vous vous croyez prêt à le défier, soit, mais ce n'est pas mon cas. Si vous souhaitez retourner à Pesaro, je vous en prie, faites donc, mais n'escomptez pas que je vienne avec vous.

Pour une jeune fille de treize ans confrontée à un homme en colère, qui faisait le double de son âge et avait tout au moins une autorité symbolique sur elle en tant qu'époux, Lucrèce m'apparut remarquablement calme. Mais elle avait grandi sous la tutelle d'un père qui considérait toute démonstration de doute comme une confession de faiblesse, méritant la réponse cinglante qu'elle recevrait de toute façon en ce dur monde.

— Naturellement, rétorqua Sforza. Pourquoi le feriez-vous ? Après tout nous sommes seulement mariés, devant Dieu et les hommes. Et ça ne compte pas, comparé à la volonté de votre père, ce grand homme !

— Je vous rappelle que vous parlez de Sa Sainteté le pape. Elle décide ce qu'il plaît à Dieu, et non à vous. (Lucrèce adopta un ton plus conciliant pour continuer.) Est-ce si dur de rester ici, à Viterbe ? La ville est charmante, et cela nous donne l'occasion de nous connaître un peu mieux, loin des intrigues de Rome.

— Mais toujours aussi près de votre père, qui se montre étrangement possessif à votre égard. Je vois bien qu'il n'accepte pas notre mariage. D'ailleurs, je commence à me demander s'il accepterait de vous voir mariée à qui que ce soit.

— Qu'insinuez-vous par là ?

Malgré sa jeunesse, Lucrèce était loin d'être sans cervelle. Elle savait jusqu'où les ennemis de Borgia étaient prêts à aller pour le calomnier, n'hésitant pas à traîner sa relation avec sa fille adolescente dans la boue la plus infâme. Je me retins de respirer en l'entendant parler ainsi, car Sforza venait de commettre une grande erreur en le lui rappelant — et plus grave encore était son égarement, si lui-même nourrissait ce genre de soupçon à propos de son épouse.

Mais le seigneur de Pesaro semblait ne se rendre compte de rien. Pour un peu, j'aurais dit qu'il était même totalement dénué de bon sens.

— Je m'interroge, c'est tout. Si l'on nous autorisait à vivre ensemble comme le mari et la femme que nous sommes, découvrirais-je que vous…

Que quoi, exactement ? Qu'elle n'était pas vierge, comme le prétendaient les immondes accusations dont elle faisait l'objet avec son père ? Je pressai une main contre ma bouche pour contenir le juron qui me vint spontanément. Mais comment Sforza pouvait-il se montrer aussi stupide ? Et cruel ?

— Hors de ma vue ! cria Lucrèce, son sang-froid finissant par l'abandonner, ne serait-ce que pour le moment — ou peut-être, à l'instar de son père, comprenait-elle les avantages qu'il y avait à se mettre en colère de façon ponctuelle. Sortez d'ici, et ne revenez pas !

— Vous n'avez pas à me donner d'ordres ! Je suis votre mari…

— Si vous ne partez pas d'ici immédiatement, j'irai rapporter à mon père ce que vous venez de me dire. Papa me croit suffisamment protégée pour ne pas être au courant des horreurs que ses ennemis font circuler à mon propos. Je lui laisserai entendre que c'était le cas jusqu'à ce que *vous*, vous me les mettiez en tête. Avez-vous une quelconque idée de la rage dans laquelle cela le mettra, et du châtiment qu'il vous réservera ?

D'une voix faible, Sforza répliqua :

— Mais il a besoin du soutien de ma famille…

— Il en a eu besoin pour accéder à la papauté, mais maintenant il est pape, et si vous ne faites pas preuve d'une grande prudence, il finira par considérer toute la maison Sforza comme un problème. Au lieu de lui faire regretter d'avoir accepté notre mariage, vous devriez chercher à vous attirer ses bonnes grâces.

— Je ne sais comment.

Une confession difficile, assurément, de la part d'un membre de l'une des familles les plus fourbes de toute l'Italie — mais, dans le même temps, personne n'avait jamais prétendu que Giovanni Sforza était né intelligent, ni même courageux. Lucrèce l'était bien davantage, ainsi qu'elle n'hésita pas à le lui montrer.

— Vous pouvez commencer par faire ce que je vous ai dit, partir.

Un long silence s'ensuivit. Je les imaginai tous deux se dévisageant fixement — Lucrèce à la chevelure d'or et au visage d'ange, face à un Sforza qui devait broyer du noir mais restait (rendons-lui cette justice) bel homme. Dans d'autres circonstances, peut-être auraient-ils vraiment pu être heureux ensemble. Mais le monde était ce qu'il était, et ne laissait par conséquent que très peu de place aux affaires du cœur.

Absorbée par le drame qui se déroulait tout près de moi, j'eus à peine la présence d'esprit de me cacher derrière une colonne que la porte de la chambre s'ouvrait à la volée, laissant passer un Sforza furieux, qui s'éloigna aussitôt d'un pas lourd et bruyant. J'attendis qu'il ait disparu au bout du couloir pour entrer d'un pas hésitant. M'attendant presque à trouver la fille de Borgia en larmes, je fus surprise de la voir assise sur une banquette près de la fenêtre, en train de lire tranquillement.

En me voyant arriver, elle me fit un grand sourire.

— Francesca, comme c'est bon de te voir. Viens, assieds-toi. (Elle tapota le tabouret à côté d'elle.) J'espère que tu as quelques histoires croustillantes à me raconter. Je m'ennuie à mourir.

La tension autour de ses yeux suggérait qu'elle était en proie à des sentiments beaucoup plus complexes que cela, mais je comprenais sa détermination à vouloir les dissimuler. Depuis le plus jeune âge, Lucrèce et moi avions appris le danger qu'il y avait à trop se révéler.

— Voyons voir… commençai-je en m'asseyant. Surgit alors une soubrette, avec deux coupes de vin chaud sur un plateau. Je m'en délectai, avant de me souvenir que je n'avais pas encore mangé ce matin-là. Déterminée à la distraire, je me lançai dans un compte rendu fantaisiste des événements des derniers jours à Viterbe.

— À en croire la rumeur, deux bonnes femmes ont failli en venir aux mains au marché, car elles convoitaient toutes deux la même botte de poireaux. C'est alors qu'un cochon s'est échappé, et en un rien de temps ça a été le chaos. Un garnement en a profité pour voler des pommes sur un étal. Pendant qu'on courait après le fripon, un baril de vin a été renversé et son contenu s'est déversé partout. Mais à la consternation de ceux qui tentèrent de l'éponger, le vin sentait l'aigre. Et voilà qu'à présent le viticulteur rejette la responsabilité sur le dos du tonnelier ; le tonnelier, lui, dit que c'est la faute du roulier qui l'a poussé jusqu'au marché, et ce dernier, bien entendu, soutient que le problème vient du viticulteur, qui s'est servi d'un moût tout juste bon pour la fabrication de vinaigre. Plusieurs avocats récemment arrivés de Rome ont mis leur nez dans cette affaire, et Dieu seul sait quand tout cela finira, maintenant.

Lucrèce éclata de rire, ses soucis apparemment oubliés.

— Jamais, s'il y a suffisamment d'avocats qui s'en mêlent. Dans plusieurs siècles, personne ne saura plus où se trouvait la ville de Viterbe, mais tout le monde aura entendu parler de cette affaire de vin aigre que personne n'est parvenu à régler.

Si je souris devant sa fantaisie, je n'étais pas dupe : ce que Sforza avait insinué était véritablement impardonnable. Elle attendrait son heure mais j'étais bien certaine qu'au final, elle lui ferait payer cher l'insulte qu'il leur avait faite, à son père et à elle. Après tout, c'était une Borgia.

— Je suis venue évoquer une affaire sérieuse avec vous, annonçai-je.

Malgré son jeune âge, Lucrèce avait le droit de savoir pourquoi sa sécurité venait d'être renforcée, ne serait-ce que pour être elle-même davantage vigilante. Je ne croyais toujours pas que César ou elle constituait la cible, mais il fallait prendre toutes les précautions. Or, elle non plus ne montra aucune surprise lorsque je lui parlai de l'assassin, se contentant de soupirer.

— Parfois, je me demande ce que c'est que de vivre une vie parfaitement normale, loin de toute cette agitation.

Je compatissais, au vu du nombre de fois où il m'était arrivé de me poser la même question. Toutefois, je lui fis également remarquer :

— Une telle vie vous paraît peut-être enviable, mais elle offre très peu d'occasions d'avoir une prise sur son destin. Le commun des mortels est toujours surpris par les événements, et en général ça n'est pas plaisant.

— Peut-être, consentit Lucrèce. Mais étant donné que je n'ai aucun contrôle sur mon destin non plus, je crois que je préférerais encore vivre ainsi.

Je brûlais d'envie de lui dire qu'elle en avait peut-être davantage qu'elle ne le croyait, du moment qu'elle agissait avec discernement, mais elle le découvrirait par elle-même en temps voulu.

Nous dégustâmes quelques amandes en buvant un peu de vin, et discutâmes de Rome, de mode, et de ses insipides dames de compagnie, dont elle se passait fort bien. Au bout d'un moment, le silence s'installa. Je sentais que quelque chose lui pesait, et songeai que ce devait être Sforza, mais une fois de plus elle m'étonna.

— Crois-tu que César acceptera un jour la vie que notre père a choisie pour lui ? s'enquit-elle.

J'hésitai. Sous-entendre qu'un conflit existait bien entre le père et le fils était dangereux, par définition. Cernée comme elle l'était de toutes parts, il était essentiel que la Famiglia fasse bloc.

— Il fera ce qu'il doit faire, répondis-je.

— Mais comment se sent-il ?

— Il… accepte ce qui ne peut être changé, pour l'instant.

Elle hocha la tête, apparemment satisfaite, mais n'en avait pas fini.

— Et toi, Francesca ? Quelle vie imagines-tu pour toi ?

Je finis ma coupe et me levai.

— Je préfère ne pas m'appesantir sur ce genre de sujet. Descendrez-vous pour le dîner ?

Elle accepta ma dérobade de bonne grâce, et dit :

— Comment pourrais-je rater une occasion d'écouter parler pendant des heures des Espagnols revêches et des prélats tous plus assommants les uns que les autres ?

Je souris malgré moi.

— Il y a un nouveau bouffon.

Son visage s'illumina.

— Vraiment ? Dans ce cas pour sûr, je viendrai. Peut-être nous montrera-t-il qui est le plus fou de tous.

— Ou peut-être vous fera-t-il simplement rire.

Je priais pour que David en soit capable. À vrai dire, je voulais qu'il arrive à l'amuser suffisamment longtemps pour oublier Sforza, ses ignobles accusations, et le prix qu'elle devait payer — que nous devions tous payer — pour que Borgia puisse assouvir ses ambitions.

Me concernant, cela ne m'intéressait pas de faire les comptes, et de toute façon, l'eussé-je voulu que j'en aurais été incapable. Espérons qu'il garde un peu de place pour laisser respirer les autres, songeai-je en me rappelant les paroles de David.

Pour autant, je ne parvins pas à m'ôter de l'esprit la question de Lucrèce. Comment lui dire que ce n'était pas l'avenir qui m'accablait, mais le passé ? Tant que je n'aurais pas trouvé le moyen de l'enterrer, je resterais enfermée dans un cauchemar sans fin.

9

Renaldo me trouva dans la grande salle tôt le lendemain matin. Malgré la menace qui pesait sur nous, il avait l'air de bien meilleure humeur que la veille. Un récent investissement venait de lui rapporter une coquette somme, et il se prenait à rêver d'une retraite anticipée.

— Une villa à Capri, peut-être, me dit-il d'un ton songeur, alors que nous ramenions tous deux nos capes contre nous pour parer à l'humidité des lieux.

La pluie coulait des avant-toits du palazzo, faisant de grosses flaques un peu partout sur la place. De la pluie, de la pluie et encore de la pluie. Il me tardait presque d'être en hiver, pour avoir au moins la chance de voir tomber de la neige.

— Une terrasse où s'asseoir au soleil, des colombes qui roucoulent dans le jardin, une jolie épouse aux formes généreuses…

— Ça m'a l'air charmant, lui accordai-je. Mais que ferions-nous sans vous ?

— Rien ne dure, répliqua-t-il en haussant les épaules. Comme le dit le philosophe grec Héraclite, la seule constante, c'est le changement. Vous savez que c'est lui qui a inventé l'idée de Logos, qui représente la source et l'ordre du cosmos. Mais dans les Saintes Écritures, on ne parle pas d'autre chose : « Au début était le verbe », et le « verbe » est Logos. Alors, que dites-vous de cela ?

Fut un temps où je pensais que Renaldo ne levait jamais le nez de ses registres. J'avais appris, depuis, que la vérité était tout autre, et une telle érudition ne me surprit donc pas.

— Héraclite a également dit que le cosmos n'avait pas été créé par Dieu ou par l'homme mais qu'il est, tout simplement, lui dis-je. Ce qui explique en partie, j'imagine, la réticence de notre Mère la sainte Église à embrasser le regain d'intérêt pour la pensée antique.

Renaldo hocha la tête avec le plus grand sérieux.

— Tout à fait, tout à fait. Cela me fait penser, une religieuse vous cherche.

— Une religieuse ? A-t-elle dit ce qu'elle voulait ?

— Je ne crois pas. J'admets avoir été surpris lorsque le garde à l'entrée est venu me le dire. Non pas qu'une religieuse demandant à vous voir soit étrange. Nous en connaissons tous au moins une, mais…

— Pas moi.

Renaldo avait les yeux humides et un peu gonflés, la conséquence de trop d'heures passées au-dessus de ses livres de comptes. Il battit lentement des cils.

— Plaît-il ?

— Je ne connais pas de religieuse, et surtout, je ne vois pas ce qu'elle me veut. Quand est-elle venue ?

Renaldo n'avait plus l'air sûr de lui, tout à coup.

— Il y a quelques minutes, peut-être plus.

Je regardai autour de moi dans la salle, espérant l'apercevoir. Au bout d'un moment, je pris congé de l'intendant et me dirigeai vers les larges doubles portes donnant sur la place. Malgré le mauvais temps, prêtres, marchands et pétitionnaires se bousculaient pour entrer au palazzo, quand d'autres se contentaient d'observer les prélats qui allaient et venaient dans toute leur gloire et leur splendeur.

Tout à coup, je remarquai quelqu'un qui allait à contresens. Une religieuse en train de traverser la place, en direction de l'église toute proche de Santa Maria della Salute. Je la suivis du regard, et la vis bientôt jeter un coup d'œil par-dessus son épaule, en direction du palazzo. Aussitôt, je reconnus le visage pâle de la femme qui m'avait souri, aux portes de la ville.

Sans réfléchir, je me précipitai au bas de l'escalier en pierre, puis sur la place. La nonne venait de s'engouffrer dans l'église. Je lui courus après en pataugeant dans les flaques d'eau. En entrant à mon tour dans le lieu sacré, je regardai dans toutes les directions, mais elle n'était nulle part. Arrivée à la moitié de la nef, je commençai à me demander si mon imagination ne m'avait pas encore joué des tours. Mais l'instant d'après, je trouvai enfin ma religieuse qui priait, à genoux, devant un autel consacré à sainte Claire.

N'étant pas sûre de savoir pourquoi je l'avais suivie, j'hésitai. J'avais beau faire partie des sceptiques, je savais tout de même que ce n'était pas bien d'interrompre une nonne en prière. Du reste, que lui aurais-je dit ? Mon questionnement perdit tout son sens lorsque tout à coup, elle se signa et se releva. En se retournant, les mains jointes au niveau de la taille, elle m'aperçut. Son beau visage serein s'illumina, et elle me sourit.

— Les voies du Seigneur sont proprement étonnantes, s'exclama-t-elle. Vous étiez justement dans mes pensées, et vous voilà devant moi.

Ne sachant que répondre, je me contentai de demander :

— Vous êtes venue au palazzo ?

Elle acquiesça d'un signe de tête.

— Pour m'enquérir de vous, mais hélas, le garde ne s'est pas montré très obligeant.

Ce n'était guère surprenant. Ils devaient se compter sur les doigts d'une main, ceux qui à la cour des Borgia seraient disposés à parler de moi — et encore moins à s'impliquer dans une quelconque affaire me concernant.

— Pourquoi vouliez-vous me voir ? m'enquis-je alors. Que puis-je faire pour vous ?

Ce fut à son tour d'hésiter. Nous parlions toutes deux à voix basse par égard pour les lieux, mais la religieuse vérifia tout de même que personne ne se trouvait alentour avant de parler.

— Vous êtes bien Francesca Giordano, n'est-ce pas ?

Lorsque je le lui confirmai d'un signe de tête, elle serra les mains plus fort, comme pour contenir son excitation.

— C'est bien ce que je pensais, hier, quand je vous ai vue aux portes de la ville, m'expliqua-t-elle. Pardonnez-moi, mais cette vision était tellement troublante que je n'ai su quoi faire sur le moment. J'ai prié le Seigneur pour qu'Il me conseille, et ce matin je me suis réveillée avec la certitude que je devais vous parler.

— Je ne comprends pas…

La profession que j'exerçais était certes dérangeante, mais hormis cela il n'y avait rien de particulièrement remarquable chez moi. Certainement rien qui nécessitait que l'on y consacre des prières.

Soudain, la nonne tendit les bras et prit mes mains dans les siennes. Je me raidis sous l'effet de la surprise, mais ne cherchai pas à me dégager. En me regardant droit dans les yeux, elle s'exclama :

— On ne vous l'a donc jamais dit ? Vous êtes tout le portrait de votre mère. Dès que je vous ai vue, j'ai su que vous étiez la fille de cette chère Adriana.

Nous prîmes place sur un banc en pierre, non loin de l'autel dédié à sainte Claire. La religieuse était silencieuse, jouant machinalement avec les grains en bois de son sobre chapelet. Lorsque l'étau dans ma poitrine commença enfin à se desserrer, je me forçai à parler.

— Hormis mon père, je n'ai jamais connu personne qui connaissait ma mère.

Ses doigts cessèrent de bouger, et elle me regarda. Une fois de plus, je fus frappée par la grande sérénité qui se dégageait d'elle ; preuve s'il en était de sa sainteté, qui la protégeait des tribulations de la vie.

— Vous m'en voyez désolée, me dit-elle d'une voix douce. Et pardonnez-moi pour cette entrée en matière peu conventionnelle. Je m'appelle mère Benedette. Je suis l'abbesse du couvent d'Anzio. Adriana et moi étions amies dans notre jeunesse, à Milan. Nos vies ont pris des chemins très différents, mais je ne l'ai jamais oubliée.

— Je vous en prie, vous n'avez pas à vous excuser. Je suis…

heureuse de pouvoir parler d'elle.

En vérité, j'étais bouleversée. N'ayant jamais connu ma mère, mon imagination l'avait façonnée en un idéal après lequel je languissais avec tout le désespoir d'une enfant dont le cœur a été meurtri. Il m'arrivait même d'être convaincue de me souvenir d'elle me chantant des chansons, alors qu'elle était morte à ma naissance. Dans ces moments-là, je me disais que ma santé mentale était peut-être davantage chancelante que je ne voulais bien l'admettre.

Avec hésitation, car tout cela était si nouveau et angoissant, je demandai :

— Est-ce que je lui ressemble vraiment ?

Mon père m'avait très peu parlé de ma mère, à cause de la douleur de la perte, avais-je toujours supposé. De mon côté, étant une enfant perturbée, qui possédait un talent troublant pour tout ce qui avait trait à la mort, je n'avais pas voulu l'accabler en plus de questions.

— Pendant un instant, quand je vous ai vue aux portes de la ville, m'expliqua l'abbesse, j'ai cru avoir remonté le temps et voir Adriana. La ressemblance est saisissante.

Elle marqua un temps d'arrêt, puis ajouta :

— Votre mère et moi étions si proches ; comme deux sœurs, vraiment. C'est une bénédiction que Dieu m'ait guidée vers vous.

Elle changerait certainement d'avis en apprenant la vérité sur mon compte. Car il ne faudrait pas longtemps avant qu'une âme bien intentionnée lui chuchote à l'oreille que j'étais l'empoisonneuse du pape et une sorcière, par-dessus le marché. Oh, et aussi une *puttana* qui partageait la couche d'un prince de la sainte Église. Avant que cela n'arrive, j'étais déterminée à profiter de l'occasion pour apprendre tout ce que je pouvais d'elle.

— Comment était ma mère ? m'enquis-je.

Comme si elle comprenait le désir ardent qui m'animait, l'abbesse se lança dans une longue réponse :

— Adriana était la personne la plus gentille et la plus aimante que j'ai jamais connue. C'était aussi une femme pleine d'entrain.

Je me rappelle qu'elle ne marchait pas, elle courait. Elle adorait la musique et elle jouait très bien du luth. Quant à ses travaux d'aiguille…

— Elle était mauvaise ?

J'eus un coup au cœur en songeant que ma mère et moi avions peut-être ce point en commun, quoique insignifiant : une telle possibilité ne m'avait jamais traversé l'esprit.

Mère Benedette partit d'un gloussement.

— C'était la pire des punitions, pour elle. Ses fils étaient toujours emmêlés, ses coutures de travers. Une fois, je me souviens qu'on nous avait donné de la broderie à faire. J'avais fini mon ouvrage en un rien de temps mais Adriana peinait sur le sien, n'arrêtant pas de se piquer les doigts et de maculer le tissu de son sang. Je ne supportais pas de la voir besogner ainsi, et je lui avais proposé de finir à sa place ; mais elle savait que ce n'était pas bien et elle refusa de m'entraîner dans le péché. Heureusement, notre professeur de broderie était une femme sensée, et en voyant ce qu'Adriana lui montrait en dépit des efforts fournis, elle lui avait conseillé de se mettre au dessin.

— L'a-t-elle fait ?

Je n'avais même jamais pris un fusain en main, même si j'aimais regarder les autres dessiner, en particulier le petit garçon de Rocco, Nando. La technique me fascinait.

— Oh oui, et avec un certain succès. Ses meilleurs dessins étaient ceux d'animaux. Elle aimait sincèrement les bêtes, et ramenait constamment des égarées à la maison.

Mon père et moi nous étions servis d'animaux errants pour expérimenter sur eux de nouveaux poisons, une pratique qu'il considérait comme nécessaire mais regrettable, et avait du mal à accepter. Voyant à quel point cela le troublait, je lui avais suggéré de les remplacer par des êtres humains. Une fois remis du choc de ma proposition, il s'était laissé convaincre par l'idée que d'accorder une mort plus rapide à ceux que l'on condamnait à une exécution atrocement lente était en fait un acte de miséricorde. C'est ainsi que j'avais toujours procédé, depuis. Les résultats sont plus précis (donc plus utiles), mais cela n'enlève rien au fait qu'il s'agit d'un acte de compassion.

— Savez-vous comment elle a rencontré mon père ?

Mère Benedette acquiesça d'un signe de tête.

— La maman d'Adriana s'était fait piquer par une guêpe. Cela s'était infecté, et la pauvre femme souffrait terriblement. Les docteurs étaient impuissants, comme d'habitude ; mais Giovanni, qui commençait à se bâtir une réputation en tant qu'apothicaire, lui fabriqua un cataplasme qui aida à évacuer le poison et lui permit de guérir.

— J'imagine que la famille lui en a été reconnaissante ?

— Ils auraient dû l'être, assurément, mais comme tant d'autres ils préféraient ne pas avoir affaire à un juif. Ils s'étaient tournés vers lui en tout dernier recours. De son côté, Adriana n'approuvait pas leur façon de se comporter et elle est allée voir Giovanni, seule, pour le lui dire.

Je n'avais que très récemment accepté le fait que mon père était né juif, chose qu'il m'avait cachée toute sa vie. Certes, il s'était converti au christianisme, et pour autant que je le sache, sa foi était sincère. Mais ma mère l'avait connu *avant*. Je me demandais comment elle avait eu le courage d'aller le voir.

— J'aimerais vous en dire plus, me dit mère Benedette en se levant, mais l'heure des vêpres approche à grands pas. Peut-on se revoir ?

Je me levai à contrecœur.

— Oui, bien entendu. J'aimerais beaucoup. Vous a-t-on dit que je loge au palazzo ?

Je n'osai être plus directe et lui demander ce qu'elle savait exactement de moi. Son sourire, toutefois, ne vacilla pas.

— Je sais que tu es au service de Sa Sainteté.

— Peut-être devrais-je vous dire…

L'abbesse leva une main.

— Francesca, je ne suis pas venue ici pour te juger. D'après ce que je comprends, tu protèges la vie du Vicaire du Christ sur Terre, et avec beaucoup de talent. Je n'ai pas besoin d'en savoir plus.

Je détournai la tête prestement, de crainte qu'elle ne voie combien j'étais bouleversée par ses paroles. D'après mon expérience, une telle générosité d'esprit était très rare. J'étais habituée à susciter peur et répulsion (quand ce n'était pas de la haine pure et simple) chez quasiment tout le monde, hormis un très petit nombre de personnes que je pouvais considérer comme mes amis.

L'abbesse et moi nous séparâmes peu après, ayant convenu d'un nouveau rendez-vous au même endroit le lendemain matin. En traversant la place pour rentrer au palazzo, je repensai à ma mère et à tout ce que je venais d'apprendre sur elle. Pour la première fois, je m'autorisai à méditer sur la vie que j'aurais eue, si elle avait vécu. Quelle petite fille j'aurais été, quelle femme je serais devenue.

Fort probablement, à ce stade de ma vie je serais mariée et j'aurais des enfants. Mon expérience des femmes normales était très limitée, mais j'en connaissais tout de même quelques-unes. Mon autre moi ressemblerait-il aux filles de Vittoro, toutes de bonnes épouses et de bonnes mères ne cessant de lui déposer de nouveaux petits-enfants dans les bras ? Passerait-elle ses journées à tenir la maison, à s'occuper de sa progéniture toujours grandissante et à tâcher de plaire à son mari — comme toutes les femmes convenables, assurément ? Sans cauchemar pour la tourmenter, quels seraient ses sentiments, ses pensées, ses désirs ? Mon imagination vacilla. Tristement, je fus obligée de reconnaître qu'elle m'était aussi étrangère qu'une inconnue croisée dans la rue.

La pluie s'était transformée en bruine, et je sentis le froid glacial pénétrer ma cape mouillée. En arrivant au palazzo, je ne songeai à rien d'autre qu'un bon feu de cheminée dans ma chambre et des vêtements secs. Mais c'était compter sans Herrera, qui se prélassait non loin de l'entrée, où il avait une vue imprenable sur la place. S'il n'avait pas parlé, je ne l'aurais probablement même pas remarqué.

— Je suis stupéfait de voir que vous osez entrer dans une église, s'exclama-t-il. Vous ne vous êtes jamais dit que vous offensez Dieu, en agissant ainsi ?

Le bon sens me dictait d'ignorer l'insulte et de passer mon chemin. Mais en toute honnêteté, je n'avais guère de patience pour un homme dont je restais persuadée qu'il nous serait davantage utile mort que vivant.

— En effet, ripostai-je. Je vis dans l'attente que le sol s'ouvre sous mes pieds, et que je tombe dans un abîme brûlant qui me mènera tout droit en enfer. Mais curieusement, ça n'est pas encore arrivé.

Visiblement, le neveu bien-aimé n'avait pas l'habitude qu'un être qu'il considérait comme son inférieur s'adresse à lui de cette manière. Son visage s'assombrit et il se leva, l'air furieux.

— Vous blasphémez.

— Ah bon ? Pour sûr, vous-même en tant que dépravé devez être un expert sur le sujet.

Je parlai sans réfléchir, comme la petite sotte que je suis. Ce n'est pas dans ma nature de provoquer qui que ce soit ; je préfère de loin l'unique coup mortel asséné sans avertissement. Mais cela ne m'empêcha pas d'être prise de court par la violence de sa réaction.

— Comment osez-vous ! hurla-t-il soudain en m'empoignant le bras.

Un peu trop tard, je compris que j'avais poussé l'orgueilleux descendant de la famille royale espagnole dans ses retranchements. Pire encore, je n'en avais cure.

— ¡ *Puta maligna* ! se déchaîna-t-il. Tu pollues la couche d'un prince de l'Église, qui deviendra peut-être pape un jour. Plus vite Sa Sainteté se rendra compte de la menace que tu représentes et se débarrassera de toi, mieux ce sera !

La douleur me transperça. Mon épaule n'était pas loin de se déboîter mais tout ce qui m'importait présentement, c'est qu'il était très près : je sentais son haleine chargée et la sueur sous ses aisselles. Il venait de commettre une grave erreur. Malheureusement, la plupart de ceux qui auraient pu l'en avertir étaient morts.

Un voile rouge passa devant mes yeux. Le couteau que je portais près du cœur me glissa aisément dans la main, et en une seconde, la pointe s'enfonçait sous le menton de l'Espagnol. La noirceur qui me hante s'éveilla, une bête affamée qui allait sous peu être rassasiée.

Tant qu'il me restait une once de sang-froid, je lui dis :

— Réfléchissez, si ce couteau était enduit d'un poison qui nécessitait le plus léger des contacts avec votre peau pour vous tuer, ne devriez-vous pas vous montrer un tout petit peu plus agréable envers moi ?

Herrera balbutia quelque chose, mais la pression de la lame contre sa chair l'arrêta. Il ne me libéra pas le bras, mais sa poigne se desserra. Je me rendis alors vaguement compte que toutes les personnes présentes dans la salle nous regardaient fixement, certaines stupéfaites, d'autres animées d'une franche curiosité. L'Espagnol n'était pas aimé, manifestement. Ils semblaient être plus d'un à ne pas se soucier outre mesure de le voir mourir ici et maintenant. Encore quelques minutes et ils commenceraient à prendre des paris.

Naturellement, je savais que je ne pouvais le tuer. Borgia me l'avait interdit et, du reste, il y avait des témoins. Je laissai quand même l'Espagnol sentir la pointe du couteau contre sa peau juste un peu plus longtemps.

Il n'y avait pas de poison sur la lame — pas à ce moment-là. Mais j'avais vraiment tué un homme de cette manière-là quelques mois auparavant. Peut-être Herrera en avait-il entendu parler. Cela aurait expliqué son teint soudain terreux, et le mouvement convulsif qui était apparu au niveau de sa mâchoire serrée.

Que Dieu me pardonne, mais je m'amusais beaucoup.

Bien trop vite, je dus revenir à la réalité. Notre auditoire se dispersa dans toutes les directions. Au même moment, je sentis une présence derrière moi, et entendis quelqu'un se racler la gorge.

— Francesca ?

Sans bouger le couteau de place, je jetai un coup d'œil par-dessus mon épaule. César se tenait derrière moi, mains sur les hanches, et m'observai d'un air interrogateur.

Herrera émit un miaulement pathétique. Le fils de Jupiter l'ignora.

— Il y a un problème ? me demanda César aimablement.

Je haussai les épaules.

— Ton ami ici présent vient de me traiter de putain malfaisante. Il avait également essayé de me déboîter l'épaule, mais passons.

César fronça les sourcils.

— Vraiment ? Quel infortuné choix de mots.

— J'exige des excuses.

Mon dégoût pour l'Espagnol était tel qu'une partie de moi ne plaisantait vraiment pas. César tenta de garder son sérieux, mais c'était une bataille perdue d'avance. Il savait autant que moi que ce que je demandais était totalement impossible.

— Je veux qu'il s'excuse également, répliqua-t-il. Mais il y a un problème. Don Miguel est un Espagnol. C'est un homme fier, comme moi. La probabilité qu'il implore ton pardon, comme je suis persuadé qu'il aimerait le faire, au vu des circonstances actuelles, est à peu près équivalente à celle qu'il se mette à battre des ailes et s'envole jusqu'à la lune.

Je fis semblant de regarder dans le dos d'Herrera. N'y trouvant point trace d'ailes, je soupirai théâtralement. Estimant que j'avais dit ce que j'avais à dire (et que la patience de César n'irait pas plus loin), je rengainai mon couteau.

Herrera me relâcha, mais au même moment il leva le bras pour me donner un coup qui, à tout le moins, m'aurait envoyée cogner contre le mur en pierre, et probablement cassé quelque chose par la même occasion. César n'hésita pas une seconde. Il se mit entre nous, et ce faisant donna un coup de coude à l'Espagnol, si fort que l'autre en eut le souffle coupé. En prenant mes deux mains dans les siennes, il me regarda droit dans les yeux.

— Permets-moi d'implorer ton pardon au nom de mon ami.

Un sourire apparut au coin de mes lèvres. Un comportement pour le moins impudique et en public, de surcroît : j'étais ravie.

— Eh bien, si tu insistes.

— Mais oui, absolument.

Il s'approcha et déposa un baiser dans chacune de mes paumes, d'abord l'une, puis l'autre, sa bouche s'attardant sur ma peau soudain réchauffée.

Herrera grogna de dégoût, et se sauva en toute hâte. Lorsqu'il fut loin, César me lâcha les mains et recula d'un pas. Il paraissait sincèrement inquiet.

— Mais qu'avais-tu en tête, Francesca ? Cela aura fait le tour de Viterbe avant le coucher du soleil, et de Rome au petit-déjeuner. Que tu le veuilles ou non, nous avons besoin d'Herrera. En le provoquant comme cela, tu te mets en danger… et nous aussi.

— Je sais, et je m'en excuse. Simplement…

Comment expliquer mon acte, même à moi ? Ce que je voulais par-dessus tout, c'était arriver à me contrôler, tout au moins en public. Réussir à dissimuler la noirceur de mon être sous un vernis de professionnalisme, et vaquer à mes tâches quotidiennes comme si je n'étais pas réellement différente des gens normaux, mais simplement dotée de certains talents un peu spéciaux. Or, au moment où mon couteau était sorti de son fourreau, j'aurais tranché la gorge d'Herrera avec joie, et je me serais délectée de voir son sang couler. Je compris combien j'étais encore tentée par les ténèbres, et cela me déconcerta. Borgia avait-il raison ? Cela faisait-il trop longtemps que je n'avais pas tué ?

— Il est arrivé quelque chose, avouai-je.

Cela me coûtait de l'admettre. En règle générale, je ne confessais jamais aucune faiblesse, même à ceux que je considérais comme mes amis.

César me prit par le coude et m'emmena à l'écart, le long d'un passage où l'on serait moins la cible des regards.

— Dis-moi.

— J'ai rencontré une nonne… une abbesse. Elle connaissait ma mère.

César prit une lente inspiration. Il me connaissait suffisamment bien pour saisir l'importance que cet événement revêtait pour moi.

— Je croyais que ta mère était morte à ta naissance.

Je lui avais confié cela et, inévitablement (au vu de notre intimité), il savait que je faisais souvent le même cauchemar.

— Mère Benedette et elle étaient amies d'enfance, à Milan. Je la retrouve de nouveau demain. Elle a beaucoup de choses à me dire.

César m'observa de près. Je savais qu'il entretenait une relation complexe avec sa propre mère, la redoutable Vannozza Cattanei. Elle ne partageait plus la couche de Borgia depuis des années, bien entendu, mais Sa Sainteté continuait à aller la voir régulièrement, pour goûter ses célèbres gâteaux au citron mais aussi pour discuter d'intérêts mutuels, le premier d'entre eux étant l'avenir de leurs enfants. À en croire la rumeur, c'était Vannozza qui avait eu l'idée du mariage espagnol de Juan, et elle n'avait soulevé aucune objection lorsque Borgia lui avait révélé son intention de faire de César un cardinal. Mais si sa mère ne montrait pas plus d'intérêt que son père pour aider César à réaliser son rêve, son fils lui restait totalement dévoué.

— Il est tout à fait normal que tu veuilles en savoir un peu plus sur ta maman, commença-t-il, cependant…

Je comprenais son hésitation. Manifestement, je ne pouvais revenir à chacune de mes rencontres avec l'abbesse d'humeur à menacer quelqu'un d'un couteau. Aussi délicatement que possible, César venait me rappeler la nécessité de contrôler mes noirs élans, de crainte qu'ils n'affectent ma capacité à servir son père.

— À quoi penses-tu ? me demanda-t-il.

Je lui mentis, avec une grande aisance comme d'habitude. Et

pourtant, il y avait une parcelle de vérité dans ce que je dis.

— À Capri. Peut-être y prendrai-je ma retraite, en partant du principe que je vive suffisamment longtemps.

Il sourit et me prit dans ses bras.

— Tu veux vraiment vivre parmi les sirènes, et attirer les imprudents vers une mort certaine ?

— Non, je veux en finir avec la mort.

En finir, une bonne fois pour toutes. Cela, tout au moins, était la vérité.

— Malheureusement, rétorqua César, nous ne sommes pas libres d'écouter ce que nous dictent nos cœurs.

Encore une vérité, quoique amère. Je posai ma tête contre son torse ; il me caressa les cheveux. Nous nous réconfortâmes comme nous pûmes, en prétendant que cela nous suffisait.

10

Herrera ne se montra pas au dîner, ce soir-là. À en croire la rumeur, il était parti bouder quelque part avec ses camarades ibériques. César les avait apparemment accompagnés. J'eus droit à un regard courroucé de la part de Borgia lorsque je fis mon apparition à la salle des banquets, mais cela n'alla pas plus loin. Il était en grande conversation avec ses prélats, d'ordinaire si dociles, qui commençaient pourtant à montrer quelques signes d'agitation. Je les entendis mentionner della Rovere, ainsi que les Français. De Juan en revanche, ils ne parlèrent point.

David était parti également, certainement pour surveiller les Espagnols. Ce sont de grands amateurs de bouffons, bien qu'ils les préfèrent nains, apparemment. Peut-être aurais-je dû leur envoyer Portia. J'étais en train de me demander si elle saurait encore faire un salto arrière, comme au temps où c'était l'une des acrobates les plus populaires de Rome, lorsque Vittoro se posta brusquement devant moi.

— Mais à quoi songeais-tu ? chuchota le capitaine.

Il était entendu qu'entre nous, il n'y avait nul besoin de s'embarrasser de civilités. Ce qui ne m'empêcha pas de rougir – et d'espérer qu'il ne le remarque pas.

— Manifestement, à pas grand-chose. Je me rends compte que ça n'aurait jamais dû arriver.

Une façon bien à moi d'admettre que je m'étais comportée comme une jeune écervelée avec Herrera. Mais je ne regrettais pas totalement ce que j'avais fait, car jamais je n'endosserais le rôle de la victime sans défense. Je préférais encore mourir les armes à la main.

— Peut-être entendais-tu impressionner l'Espagnol dans le but de lui faire accepter ta protection ? ironisa Vittoro.

Je souris malgré moi.

— Nous savons tous deux que je ne suis pas assez rusée pour cela. Sans compter qu'en toute probabilité, il ne se laissera plus approcher par moi.

Satisfait de voir que je comprenais la gravité de mon acte, Vittoro entreprit de me rassurer.

— On trouvera bien une idée, ne t'inquiète pas. En attendant, mes hommes surveillent de près tous ceux qui arrivent à Viterbe. Mais avec les inondations au nord, beaucoup de voyageurs se retrouvent bloqués ici et cela nous complique la tâche. As-tu réfléchi plus avant à l'identité de cet assassin, ou à son plan ?

— César t'a expliqué, pour l'argent ?

Vittoro hocha la tête.

— Je sais, ben Eliezer affirme qu'il provient d'Espagne, ce qui porte à croire que l'assassin aussi. (Il eut un moment d'hésitation.) J'ai le plus grand respect pour David, tu le sais. Jamais je ne le sous-estimerais.

— Certes, moi non plus.

— Tu me vois heureux de l'entendre. Il est récemment arrivé à Viterbe, n'est-ce pas ? D'ailleurs il se trouve ici même, au palazzo.

Je le dévisageai avec un intérêt renouvelé.

— En effet. Où veux-tu en venir, exactement ?

— Eh bien, tout de même… L'homme qu'il a pour mission de surveiller est le neveu chéri de Leurs Majestés très catholiques – majestés qui ont expulsé ses semblables d'Espagne. Et dans les pires conditions, encore.

J'en restai bouche bée, et les pensées se bousculèrent aussitôt dans ma tête. Les juifs avaient terriblement souffert de cette expulsion. Ils y avaient perdu leurs richesses, certes, mais beaucoup y avaient également laissé la vie, que ce soit dans les violences qui s'en étaient suivies ou à cause des maladies qui s'étaient multipliées dans ce chaos. Pour sûr, Ferdinand et Isabelle avaient commis un grand crime, dont toute la chrétienté pourrait être amenée à répondre, et à juste titre. Mais cela n'avait rien à voir avec ce juif en particulier.

— Vittoro, tu ne penses tout de même pas…

Il détourna légèrement le regard.

— Je dis juste qu'un grand défenseur du peuple juif comme lui pourrait vouloir venger un acte qui a coûté des milliers de vies et causé de terribles souffrances.

— Mais enfin, c'est David qui est venu nous prévenir, pour l'assassin ! lui rappelai-je. Pourquoi diable aurait-il fait cela si… ?

— Pour détourner les éventuels soupçons de lui, peut-être ? Nous savons tous deux que Sa Sainteté possède le meilleur réseau d'espions en Europe, voire au-delà. Comment expliques-tu qu'il n'ait pas eu vent de la présence de cet assassin ?

— Je te l'accorde, mais tu oublies que les juifs ont besoin de la protection de Borgia. Pourquoi feraient-ils quoi que ce soit qui menace sa papauté ?

— Tu as raison, mais ils ne se priveraient pas d'agir si au contraire, ils étaient convaincus de la renforcer.

Je secouai la tête, incapable que j'étais de voir où il voulait en venir.

— En détruisant son alliance avec l'Espagne ? L'alliance qu'il doit conserver coûte que coûte s'il veut survivre ?

— Pour l'instant, me corrigea Vittoro. Mais si la situation évoluait réellement dans ce sens, cela ne lui laisserait-il pas d'autre choix que de trouver un terrain d'entente avec les grandes familles d'Italie ? Et en définitive, cette manœuvre ne renforcerait-elle pas encore sa papauté ?

À dire vrai, c'était logique, mais la probabilité de voir Borgia choisir cette voie était infime. Cela faisait des décennies qu'il entretenait la vision d'une *famiglia* régnant sur toutes les autres, toujours dans cette idée d'assurer son immortalité. Comme les plus grands Césars dans l'histoire, son nom vivrait à jamais. Néanmoins, je n'avais jamais connu non plus d'homme aussi parfaitement réaliste et capable de regarder la vérité en face sans ciller.

— Il y serait contraint par la perte de l'alliance avec les Espagnols, selon toi ?

Vittoro me confirma sa pensée d'un signe de tête.

— Exactement. Forcer la main de Borgia de cette façon serait risqué, manifestement, peut-être même trop pour l'envisager. Je ne dis pas que c'est ce qui est en train de se passer. Tout ce que je demande, c'est que tu ne te fermes à aucune possibilité.

J'accusai le coup, car David était mon ami – mais aussi car je me rendis compte que j'aurais dû y songer moi-même.

— La suggestion vient-elle de toi, ou de Borgia ? m'enquis-je. Sa Sainteté consultait le capitaine de sa garde au moins aussi souvent que moi. Je n'étais pas dans la confidence, mais je savais que s'il y avait bien un homme en qui Borgia avait confiance, c'était Vittoro.

— Ni l'un ni l'autre. Elle vient de César.

J'en tombai des nues – non que le fils de Jupiter envisage une telle perfidie de la part de David, mais qu'il ne m'en ait pas parlé lui-même.

— Pourquoi a-t-il évoqué cela avec toi ?

Vittoro haussa les épaules.

— Il sait que tu comptes ben Eliezer parmi tes amis. Peut-être a-t-il pensé que tu le prendrais mieux si cela venait de moi. Du reste, c'est à envisager. Tu es d'accord avec moi ?

Après avoir assuré Vittoro que je réfléchirais sérieusement au fait que l'homme introduit par mes soins dans la maison de Borgia était peut-être un assassin prêt à détruire tout ce que j'avais juré de protéger, je pris congé de lui. Sa Sainteté pouvait rester aussi longtemps qu'il lui plaisait à table. Pour ma part, j'allais prendre un bon bain, ainsi qu'un peu de la poudre de Sofia, dont j'avais grandement besoin. Et si Dieu avait un tant soit peu de miséricorde pour moi, j'allais dormir d'un sommeil sans rêve.

En dépit de la drogue, je me réveillai tôt. Pendant un instant, je restai étendue sur le dos et regardai le ciel de lit, en me demandant ce qui avait changé. Je finis par comprendre que c'était la pluie : je ne l'entendais pas tomber. J'apercevais même un faible rayon de soleil qui filtrait à travers les contrevents. Je me levai et m'habillai prestement. Ayant un peu de temps avant mon rendez-vous avec mère Benedette, je décidai d'aller trouver César pour avoir une petite conversation avec lui. Mais à peine avais-je passé ma porte que Renaldo m'intercepta. L'intendant était fort pâle, et en nage. Pendant une seconde je craignis qu'il ne soit malade, mais je compris bien vite ce qui avait causé une telle détresse.

— Une blanchisseuse a été retrouvée morte, me chuchota-t-il en se tamponnant le front avec un linge. Vittoro se trouve avec le corps en ce moment. Il pense que vous devriez y jeter un œil.

Au pas de course, nous descendîmes l'étroit escalier en colimaçon qui menait au niveau inférieur du palazzo. Les blanchisseries se trouvaient là, juste à côté des puits intérieurs qui s'enfonçaient profondément sous terre. À notre approche, un air chaud et humide nous enveloppa.

— Que s'est-il passé ? m'enquis-je.

— Dieu seul le sait. Tout ce qu'on m'a dit, c'est qu'elle avait la tête plongée dans l'une des cuves à rinçage.

J'étais venue ici peu après mon arrivée à Viterbe, et constaté qu'elles étaient équivalentes à celles du palais du Vatican, en plus petites. Sous le beau plafond en voûte, plusieurs femmes (et quelques hommes) peinaient au milieu des bacs de lessive, des chaudières alimentées de façon à avoir de l'eau bouillante en permanence, des grandes essoreuses en bois et des immenses cuves où alternaient eau chaude pour savonner le linge, et eau froide pour le rincer. À proximité se trouvaient les fils où le linge appartenant au personnel et à la garde de Borgia était étendu. Je ne m'étais pas particulièrement souciée de ces lieux, car tout ce qui était porté ou d'une quelconque manière utilisé par la Famiglia était nettoyé ailleurs, par des serviteurs qualifiés se consacrant uniquement à cette mission. Mais à présent, je me disais que j'aurais peut-être dû être plus vigilante.

— Elle s'est noyée ? insistai-je.

— Ça m'en a tout l'air, rétorqua Renaldo. Mais pourquoi serait-elle tombée dans une cuve ? Et si c'est le cas, qu'est-ce qui l'a empêchée d'en ressortir ?

Autant de réponses qu'il allait me falloir déterminer. Vittoro avait demandé que le corps soit étendu à même le sol, dans une pièce à part. La victime était une femme bien en chair, aux bras musclés, et devait avoir dans les cinquante ans. Je me penchai vers elle pour l'examiner de plus près. Son visage conservait une expression égale, et elle ne semblait pas avoir souffert ou s'être débattue avant de mourir.

— D'après les femmes qui travaillaient avec elle, intervint Vittoro, elle avait l'air parfaitement normale jusqu'au moment où elle s'est mise à suffoquer. Immédiatement, elle a porté une main à la poitrine et basculé dans la cuve. Elles l'ont sortie aussi vite qu'elles ont pu, mais c'était trop tard.

Je hochai la tête et m'approchai encore, ouvrant une paupière, puis l'autre. Si elle s'était noyée, ses yeux auraient été injectés de sang. Or, ce n'était pas le cas.

— Elle était déjà morte en tombant à l'eau, en conclus-je.

— Qu'est-ce qui a bien pu tuer si brutalement une femme comme elle, en bonne santé ? intervint Renaldo. Ce dernier était resté sur le côté, l'air d'être prêt à décamper à tout moment, mais il tint bon.

— C'est ce qu'il va nous falloir découvrir, rétorquai-je. A-t-elle de la famille ici ?

Si c'était le cas, ils allaient insister pour prendre possession du corps, afin de le préparer à l'enterrement. Et il serait impossible de cacher ce qu'il me fallait pourtant faire.

— Je vais me renseigner, s'empressa de proposer l'intendant. Il partit au pas de course, manifestement heureux d'avoir une raison de s'éclipser.

— Elle est de Palerme, annonça-t-il en revenant quelques minutes après. Personne ici ne la connaît vraiment. En toute probabilité, ce sont les autorités qui vont se charger du corps.

Vittoro et moi échangeâmes un regard, puis je me tournai vers Renaldo.

— Je suis sûre que des problèmes plus urgents vous attendent ailleurs, lui fis-je d'un ton rassurant.

Il me gratifia d'un hochement de tête reconnaissant et repartit à la hâte. Sur les ordres de Vittoro, le cadavre fut transporté jusqu'à la pièce la plus éloignée possible des blanchisseries. Des soupiraux laissaient filtrer un peu de lumière, mais je demandai que l'on apporte également quelques braseros. Puis je m'éclipsai brièvement pour aller chercher la boîte contenant divers instruments, que je conservais dans le double fond du coffre hérité de mon père. Je pris également un grand tablier en toile.

Pendant que Vittoro montait la garde, je déshabillai la femme et pratiquai une autopsie sommaire mais acceptable, au vu du peu de temps que nous avions. Si quelqu'un devait nous trouver ici, cela ferait prodigieusement scandale. Et au vu des rumeurs de sorcellerie persistantes à mon encontre, je ne survivrais probablement pas à la profanation d'un corps de chrétienne.

L'aversion que j'ai du sang me rendit la tâche difficile, tout comme mon peu d'expérience en la matière. Il est rare qu'un empoisonneur se préoccupe des mécanismes du corps, en dehors des divers moyens de les interrompre. Mais mon père s'intéressait à l'anatomie, au point de posséder plusieurs traités très sérieux à ce sujet, et Sofia avait depuis complété mon instruction. Ma main n'était quand même guère assurée au moment de faire la première incision dans la poitrine. Lorsque le sang se mit à couler, je sentis la noirceur en moi remuer, telle une immense bête s'agitant dans son sommeil. Au prix d'un immense effort de volonté, je détournai mon esprit de cet abîme et concentrai toute mon attention sur la tâche à accomplir.

— Personne n'est autorisé à quitter les blanchisseries, m'informa Vittoro pendant que je m'affairais. J'ai posté des hommes devant. Mais je dois te prévenir, les gens ne sont pas loin de paniquer. Certains craignent que ce ne soit la peste.

— Ce n'est pas ça.

Des gouttes de transpiration s'étaient formées sur mon front mais j'étais toujours là, je me dominais – et j'en soupirai de soulagement.

— En es-tu certaine ? Car s'il y a le moindre risque que ce soit ça, nous devons faire quitter les lieux à Sa Sainteté au plus vite.

— Cela ne servirait pas à grand-chose. Personne n'arriverait à distancer une épidémie qui tue aussi rapidement. Mais comme je te l'ai dit, il n'y a pas d'inquiétude à avoir de ce côté-là.

— Je suis heureux de l'entendre, répliqua Vittoro. Il se dit aussi que c'est la preuve de la présence de Satan ici.

Je me raidis.

— Le diable l'aurait tuée ?

— En gros, oui, c'est ce qu'on raconte. Et quand la nouvelle de cette mort va commencer à circuler, il y aura forcément quelqu'un pour se souvenir de celle du marmiton, et ils se remettront à parler de lui. De là à faire le lien entre les deux…

En secouant la tête, je me remis au travail. Je ne mis pas longtemps à trouver ce que je cherchais. Quand j'en eus terminé, je recousis la poitrine de la femme et la rhabillai. Puis je touchai légèrement son front de ma main, et lui confiai dans un murmure mon espoir d'obtenir son pardon pour ce que j'avais été obligée de lui faire subir.

— Alors ? me demanda Vittoro tandis que je me lavai les mains dans une bassine. Le sang pâle faisait comme des tourbillons dans l'eau. Je pris une profonde inspiration, pour tenter de desserrer un peu cet étau qui m'enserrait la poitrine.

— Elle a un caillot au niveau du cœur, suffisamment gros pour l'empêcher de battre.

Il me regardait avec l'air d'un homme qui avait envie de me

croire, mais n'était encore pas tout à fait convaincu.

— Dans ce cas, c'est une mort naturelle ?

Je haussai les épaules.

— Possible. Mais il existe des poisons qui provoquent cet effet-là.

Vittoro écarquilla légèrement les yeux.

— C'est vrai ?

Je hochai la tête, et tendis le bras pour prendre une serviette. Incapable de garder pour moi ma frustration, je m'exclamai :

— Donc une fois de plus, il est impossible de dire si c'était ou non un meurtre. Mais deux morts brutales en quelques jours, de deux personnes apparemment en bonne santé et au service de Sa Sainteté… Je n'aime pas du tout ça.

— Moi non plus. Que fait-on ?

— Que peut-on faire, hormis redoubler de vigilance une fois de plus ? Et bien sûr, prendre toutes les précautions pour éviter que la panique gagne les habitants. Si cela devait se savoir en ville…

— L'information ne sortira pas d'ici, m'assura Vittoro. Pour une fois, les déplorables relations entre les habitants et les domestiques de Sa Sainteté vont jouer en notre faveur.

J'espérais qu'il avait raison mais par-dessus tout, que les morts mystérieuses allaient cesser. Toutefois, lorsque je quittai Vittoro pour le laisser s'occuper de l'enterrement, je m'interrogeai sur les bénéfices qu'il y avait à tuer un marmiton et une blanchisseuse. Et s'ils avaient vraiment été assassinés, qui serait le suivant sur la liste ?

11

Je m'arrêtai en haut du grand escalier de pierre qui dominait la place devant le palazzo pour tenter de me rasséréner, mais sans grand succès. Le rayon de soleil que j'avais si brièvement aperçu s'était volatilisé, et les nuages menaçants étaient de retour. La journée s'annonçait morose dans tous les sens du terme, songeai-je, résignée, en pressant le pas sur la place. L'église Santa Maria della Salute était vide lorsque j'entrai, et je sentis l'air froid et humide de ces vieux murs de pierre jusque dans mes os. Je ramenai ma cape contre moi et scrutai l'abside, qui était plongée dans la pénombre.

Ne voyant pas l'abbesse, je m'assis sur un banc en pierre auprès de l'autel dédié à sainte Claire. J'attendis suffisamment longtemps pour songer qu'après avoir eu l'occasion d'y réfléchir, mère Benedette avait peut-être décidé qu'il valait mieux ne pas se lier d'amitié avec moi. Je commençais même à me demander comment faire pour y remédier lorsqu'elle apparut, le souffle court et le pas leste.

Arrivée à quelques pas de moi, elle s'exclama :

— Toutes mes excuses. J'ai été retardée par ces chères sœurs du couvent où je loge. Elles veulent bien faire, mais...

Elle s'interrompit pour me regarder. Mon impatience devait se voir comme le nez au milieu du visage, car elle s'enquit :

— J'espère que tu n'as pas attendu trop longtemps ?

— Pas du tout, la rassurai-je en lui faisant un peu de place sur le banc. Mon soulagement quant à sa présence effaçait tout le reste, et n'avait d'égal que ma soif d'entendre ce qu'il lui restait à me raconter.

Elle sentit certainement mon besoin, car elle me fit un petit sourire en prenant place, et m'annonça :

— Nous avons beaucoup de choses à nous dire. Mais avant toute chose, j'ai quelque chose pour toi.

Elle prit le petit panier en osier qu'elle avait posé à côté d'elle, et me le présenta en souriant de plus belle.

Je soulevai le couvercle et regardai à l'intérieur. Bien enveloppés dans un linge blanc, je vis une demi-douzaine de petites brioches en forme de dôme, à l'arôme fort appétissant.

— Cela s'appelle le *panetto*. Dans les boulangeries milanaises, c'est à qui produira les meilleurs *panetti*, m'expliqua mère Benedette. Ta mère en était particulièrement friande.

Je n'avais jamais entendu parler de ces brioches, mais le geste me toucha.

— Est-ce vous qui les avez faites ?

L'abbesse me le confirma d'un hochement de tête.

— En toute sincérité, il y a très peu à faire au couvent où je loge jusqu'à ce que la route du nord rouvre, et que nous puissions continuer notre pèlerinage à Assise. Les sœurs sont très bonnes avec moi, naturellement, mais j'ai l'habitude d'être bien plus occupée que cela. (Elle me montra le panier d'un geste.) Adriana et moi aimions bien faire la cuisine ensemble, notamment ces brioches. Cela fait si longtemps que je me demandais si je me souviendrais de la recette ; mais apparemment, oui.

Je soulevai de nouveau le couvercle, et humai profondément. L'idée de ma mère faisant la cuisine me donna une étrange sensation de nostalgie. L'espace d'un instant, je vis un feu de cheminée et une femme fredonnant doucement, tandis qu'un parfum (semblable à celui qui flottait dans l'air à présent) envahissait la douillette pièce où elle se trouvait. Mais bien trop vite l'image se volatilisa, comme si elle n'avait jamais été.

— C'est très gentil à vous, répliquai-je.

La courtoisie a de nombreuses utilités, parmi lesquelles celle de nous procurer une réponse toute faite, qui nous permet de dissimuler aisément ce que l'on a vraiment en tête.

— Oh, je l'avoue volontiers, je les aime tout autant. Et cela fait bien longtemps que je n'en ai pas mangé.

— Eh bien, nous allons tout de suite y remédier, m'exclamai-je en lui tendant le panier ouvert.

Elle prit l'une des brioches en me faisant un beau sourire, et je l'imitai. Borgia n'étant pas gourmand de desserts, il était rare que l'on en prépare en cuisine. Cela ne m'avait jamais manqué, mais lorsque la première bouchée encore tiède de brioche parfumée au miel et aux raisins secs fut sur ma langue, j'en soupirai de plaisir.

— C'est délicieux, fis-je. Comment l'appelez-vous, déjà ?

— Un *panetto*, répéta mère Benedette en ôtant délicatement une miette qui s'était logée à la commissure de ses lèvres. Certains boulangers ajoutent d'autres fruits, parfois même des noisettes, mais Adriana les aimait ainsi. J'ai pensé que ce serait aussi ton cas.

— Et vous ne vous êtes pas trompée ; c'est délicieux. Vous faites une très bonne cuisinière.

L'abbesse rit doucement.

— Mes chères sœurs du couvent d'Anzio riraient de bon cœur, si elles t'entendaient. Je suis convaincue qu'elles m'ont fait abbesse pour que je ne remette plus les pieds en cuisine.

Lorsque j'éclatai de rire, et protestai que ce ne pouvait être vrai, elle répliqua :

— J'exagère, mais pas complètement. Il y a quelques plats que je réussis plutôt bien, en grande partie parce qu'Adriana m'a appris à les faire. Elle adorait cuisiner, et ne cessait de trouver de nouvelles façons de combiner les ingrédients. Je n'irais pas jusqu'à dire que tous ses efforts étaient couronnés de succès, mais en général elle s'en sortait très bien.

Je songeai à moi-même, toujours à expérimenter de nouveaux ingrédients pour mes poisons, et fis la grimace.

— Quelque chose ne va pas, mon enfant ? s'enquit l'abbesse.

— Pas du tout, je regrette simplement de ne pas être meilleure femme d'intérieur. Je sais un peu cuisiner, mais en général je n'ose en infliger le résultat qu'à moi-même.

J'avais été contrainte de faire à manger à Borgia, le jour où il m'avait fait entrer clandestinement au conclave qui allait l'élire pape. Mais c'était simplement parce qu'il ne faisait confiance à personne d'autre pour le garder en vie pendant qu'il restait enfermé avec les autres cardinaux, à tenter de les amadouer.

— Mon père a fait de son mieux, mais il m'a élevée seul, et par conséquent il y a certaines choses que je n'ai jamais apprises.

Il m'en avait enseigné quantité d'autres, mais je ne voyais aucune raison de m'étendre à ce sujet.

— La mort de ton père m'a beaucoup attristée. C'était un homme bon.

Ma gorge se serra. Comme toujours il m'était difficile d'entendre parler de mon père, même si plus le temps passait, moins ils paraissaient nombreux à avoir envie d'évoquer sa mémoire. Moi-même, il m'arrivait d'avoir du mal à me souvenir de son visage – hormis dans mes rêves, où il figurait souvent. Mon père était un grand marcheur, et il m'est arrivé de rêver de lui déambulant avec moi à travers un quartier de Rome que l'on affectionnait tous deux particulièrement. Quand cela arrivait je n'avais qu'une envie, lui parler des problèmes qui me tourmentaient pour qu'il me prodigue ses sages conseils ; mais il ne parlait jamais, et si jamais j'insistais, invariablement je me réveillais. C'est ainsi que depuis qu'il n'était plus à mes côtés (et même si je me sentais très mal armée pour cela), j'avais été obligée de me débrouiller seule.

— Il a donné sa vie en cherchant à protéger celle des autres, précisai-je. Et son assassin court toujours.

— Assurément, Sa Sainteté aurait le pouvoir de…

Je n'avais vraiment pas envie de discuter de la réponse de Borgia – ou plutôt de son absence de réponse – à cette monstruosité. Car c'était en s'attelant à la tâche de tuer l'ignoble pape Innocent VIII (un homme qui cherchait à prolonger sa vie dissolue en buvant du lait maternel et même le sang de jeunes garçons) que mon père avait péri. Par la suite, je n'avais eu d'autre choix que de terminer ce qu'il avait commencé afin d'ouvrir la voie de la papauté à Borgia. Je ne saurais jamais si Innocent avait réellement péri de mes mains, mais je mentirais en disant que je m'en souciais. Cela pouvait bien attendre jusqu'au jour où je devrais rendre des comptes pour mes péchés dans le monde d'après – en partant du principe qu'un tel endroit existait.

— Sa Sainteté a bien d'autres soucis en tête, répliquai-je évasivement.

— Oui, naturellement. Pardonne-moi de t'avoir parlé ainsi. Tu sais, ton père et ta mère s'aimaient sincèrement. Ils étaient faits l'un pour l'autre, c'était une évidence.

Je songeai à Rocco, et à ce que cela signifiait d'aimer quelqu'un en dépit d'obstacles qui paraissent insurmontables. Avais-je hérité davantage de ma mère que je ne l'aurais cru ?

— Cela a dû être difficile pour eux, continuai-je. Un juif et une jeune chrétienne de bonne famille. Comment ont-ils même osé penser qu'ils pourraient fonder un couple ?

— Au départ, ton père a fait de son mieux pour éconduire Adriana, mais elle a refusé de se laisser décourager. Elle lui a notamment fait observer, et à juste titre, que s'il était né chrétien il aurait été accueilli à bras ouverts dans sa famille. Le père d'Adriana était dans le commerce des épices, et avait relativement bien réussi. En revanche, il n'avait absolument pas la richesse nécessaire pour marier sa fille dans l'une des grandes familles de négociants ou lui trouver un mari noble. De son côté, Giovanni avait manifestement davantage de talent que l'apothicaire moyen, et tout le monde lui prédisait un avenir. Le seul problème était sa religion.

— Mais il s'est converti au christianisme, fis-je remarquer.

Par amour pour ma mère ou par véritable conviction, je n'en savais rien – et ne pensais pas que cela avait une quelconque importance.

— Tu sais bien que les *conversi* sont invariablement l'objet de soupçons, rétorqua l'abbesse. Et qu'ils sont toujours les premiers à être accusés d'hérésie.

— Est-ce pour cette raison que sa famille ne voulait pas de ces noces ? Ils craignaient que cela ne mette leur fille en danger ?

Pour difficile que ce soit, je pouvais l'admettre. Rocco protégeait son jeune fils Nando farouchement et même moi, qui constituais pourtant la plus improbable des mères, j'avais risqué ma vie pour sauver le petit garçon. L'amour et la protection de ses enfants figuraient assurément parmi les instincts les plus élémentaires, chez l'homme.

Du moins le croyais-je.

Mère Benedette resta silencieuse pendant un petit moment, avant enfin de dire :

— La famille de ta mère ne voulait pas qu'elle épouse ton père car leur haine des juifs les aveuglait totalement. Cela me peine de le dire, mais au bout du compte, rien d'autre ne comptait pour eux. Lorsqu'ils ont appris que Giovanni s'était converti, et qu'Adriana et lui avaient osé se marier sans leur permission, ils lui ont dit qu'elle les couvrait de honte et qu'ils ne voulaient plus entendre parler d'elle.

Je savais ce que c'était que d'être consumée par la haine, mais jamais je n'aurais imaginé que l'on puisse être dominé par ce sentiment au point de rejeter son enfant.

— Au moins, mon père et elle ont pu construire une vie ensemble.

— Et c'est tout à leur honneur. (Avec un doux sourire, mère Benedette m'indiqua le panier de *panetti*.) Allons, manges-en un peu plus et parlons de choses plus gaies. Adriana n'aimerait pas nous voir abattues. Elle possédait un optimisme à toute épreuve qui, je dois l'admettre, nous a parfois entraînées dans des situations plutôt cocasses. Je me souviens de cette fois où elle m'a demandé de l'aider à trouver des foyers à toute une portée de chatons, qui se sont en fait avérés être des petits chats sauvages…

En l'entendant décrire ces pitreries de jeunes filles, je ne pus m'empêcher de sourire, puis de rire franchement. Lorsque je quittai l'abbesse, après avoir convenu d'un autre rendez-vous avec elle, je me sentais autant repue d'histoires sur ma mère que de ce bon *panetto*. Je repartis en direction du palazzo d'une humeur aussi légère que mon pas. Grâce à la religieuse, ma mère sortait enfin de l'ombre de la mort et prenait vie dans mon esprit. J'avais presque l'impression de la voir, cette jeune femme pleine d'amour et de joie, qui s'essayait à son rôle d'épouse tout en attendant avec impatience la naissance de son enfant.

Mais oui, elle était bien là, les cheveux auburn comme moi, portant une simple robe blanche sous un surcot vert, l'anse de son panier à son bras. Elle tourna la tête et sourit dans ma direction. L'impression était saisissante, au point que je tendis une main et appelai son nom.

— *Mamma !*

Elle ne répondit pas, et pour cause : la seconde d'après, je vis avec horreur du sang jaillir d'une dizaine de plaies qui lui étaient apparues sur le corps. Une vague écarlate déferla alors sur la place, grossissant à vue d'œil, se précipitant sur moi. Ma mère se recroquevilla, agrippée à son panier. Elle me lança un dernier long regard, avant de se désagréger en un millier de particules au sol.

— *Mamma !*

Ma voix porta au loin à cause du vent qui s'était levé, ce même vent qui éparpilla les cendres, là où, l'instant d'avant, ma mère se tenait.

Je titubai jusqu'au mur le plus proche, une main contre ma bouche pour me retenir de crier. Une partie de moi savait que ce que j'avais vu n'était pas réel. Il m'était arrivé d'expérimenter de telles visions par le passé – des images macabres d'un monde où ne régnaient plus que mort et désespoir. Je n'arrivais pas à déterminer avec certitude si ces horreurs étaient des fantasmes fabriqués de toutes pièces par un esprit dérangé, ou bien un avant-goût de la damnation qui m'attendait. Si je ne m'y étais jamais habituée, j'étais au moins capable, à présent, d'en repousser les pires effets. Mais ce que je venais de vivre était différent.

L'horrible image de ma mère anéantie sous mes yeux me remplit d'une souffrance et d'une terreur comme je n'en avais jamais connu. Pendant un atroce moment, je craignis de perdre tout contrôle de moi-même et de me donner en spectacle devant une foule à la curiosité malsaine, qui verrait inéluctablement en moi une sorcière possédée par des démons. Et alors, même Borgia ne pourrait me sauver.

Poussée par la peur et l'instinct de survie, rien d'autre, je me ressaisis et me mis à courir sur la place, puis dans les escaliers du palazzo. La bile me prenait à la gorge, et mes membres étaient comme entravés par des fers. J'avais le cœur qui cognait si fort qu'il allait éclater, c'était une évidence. Une fois en haut des marches, je me forçai à me retourner. La place était noire de monde, comme à l'accoutumée, mais personne ne semblait avoir remarqué ce que j'avais vu. Ma mère n'était plus, et du reste il n'y avait aucune trace de son passage.

Je respirai aussi profondément que possible, pour tenter de me calmer. Malgré la fraîcheur de la journée, j'avais les paumes moites. L'anse du panier contenant les derniers *panetti* glissa dans ma main. Un rire hystérique monta en moi quand je me rendis compte que pendant tout ce temps-là, je ne l'avais pas lâché.

Une fois dans mes appartements, je me surpris à faire les cent pas, dévorée par une énergie frénétique que j'arrivais à peine à contenir. Des éclairs de couleurs apparaissaient et disparaissaient devant mes yeux. Ma poitrine me faisait mal, tant j'avais la respiration saccadée, mais c'est à peine si je m'en aperçus. Je ne saurais dire combien de temps je restai à m'agiter ainsi, mais seules les cloches sonnant l'heure de la sexte m'arrêtèrent. Dès la fin du temps de prière, le déjeuner serait servi. Si je n'étais pas présente dans la salle des banquets comme prévu, on allait se poser des questions.

Avec la plus grande difficulté, je parvins à me laver, à me recoiffer et à revêtir des habits propres. Je n'en avais pas terminé que mes mains tremblaient violemment. Je ne pouvais décemment me présenter devant Borgia dans un tel état. Désespérée, je sortis la fiole contenant la poudre de Sofia. Elle aurait été horrifiée d'apprendre que j'en prenais pour une autre raison qu'une bonne nuit de sommeil. Mais elle n'avait aucun moyen de savoir combien la situation était devenue catastrophique. D'autre part, elle aurait été injuste de juger mes actions depuis Rome et sa relative sécurité.

M'étant persuadée aussi facilement que cela de la justesse de mon irrépressible envie, je mélangeai une petite quantité de poudre à très peu de vin, que j'avalai ensuite prestement. Ainsi armée, je m'aventurerai hors de mes quartiers. J'étais obsédée par la crainte que mon état se voie et suscite des commentaires. Je me sentais entourée d'ennemis prêts à bondir sur moi. César, David, Vittoro et tous les autres – n'importe lequel d'entre eux pourrait dissimuler une profonde inimitié derrière de faux sourires et des mots doux. Ma main se porta brusquement au couteau que je portais sous mon corsage. Le toucher me réconforta vaguement.

Dans la salle des banquets, tout avait l'air normal, et personne ne sembla me remarquer particulièrement. La vision sanglante que j'avais eue me revenait brusquement à l'esprit de temps à autre, mais sous l'effet de la poudre je fus bientôt en mesure de l'observer comme à distance, presque comme si la chose était arrivée à une inconnue. Le temps que soit servi le dessert, composé de figues et d'oranges, ainsi que d'un verre d'hypocras épicé, je me sentais déjà beaucoup mieux.

Un profond soulagement et une certaine jubilation m'envahirent alors. J'eus le plus grand mal à me retenir de sourire. César, regardant dans ma direction, leva un sourcil interrogateur. À côté de lui, faisant semblant d'écouter ce que Sa Sainteté était en train de dire, Herrera se fendit d'un sourire narquois.

En le voyant faire, les pensées se bousculèrent soudain dans ma tête. Si l'alliance espagnole devait voler en éclats…

Borgia aurait besoin d'une armée au plus vite. Une armée suffisamment forte pour convaincre ses ennemis de négocier un accord le laissant en possession du trône de Saint-Pierre. Juan était prisonnier des Espagnols et un âne bâté, par-dessus le marché : il ne serait d'aucune utilité à son père. Restait donc César, le fils aîné, qui toute sa vie avait rêvé de mener des hommes à la bataille.

Cui bono ? À qui profite le crime ? Telle est l'éternelle question.

Le nouveau bouffon se pencha pour murmurer un bon mot à l'oreille du neveu chéri, qui ne se doutait absolument pas combien il était proche de rejoindre son Créateur. À côté de lui, le prince vêtu de rouge riait et levait son verre pour trinquer. À mesure que je les observais tous, la fausse sensation de bien-être procurée par la poudre se dissipa, et je me retrouvai lamentablement échouée sur les rivages inhospitaliers de la réalité.

12

Lors des deux jours suivants je n'eus pas d'autre vision de ma mère, mais (et malgré que j'aie augmenté les doses de la poudre de Sofia) le cauchemar revint, encore et encore, me plongeant dans une obscurité baignée de sang d'où je me réveillai terrorisée, en sanglots et près de suffoquer.

La seconde nuit, César dormait à côté de moi, et ma détresse le réveilla. Il était habitué à mon sommeil souvent entrecoupé, et ne se donna pas la peine de me poser de questions : il m'offrit simplement le réconfort de ses bras. Dépouillée de toute fierté, je me cramponnai à lui jusqu'à ce que l'horizon finisse par rosir.

Lorsque je me réveillai complètement, je me tournai vers lui sans mot dire, mue par un besoin éperdu d'oublier mes démons ne serait-ce qu'un instant. Étant jeune et viril, il répondit à ma frénésie comme il le faisait toujours, mais au moment de la libération ce n'était pas à lui que je pensais. En cet instant-là, il n'était que le moyen d'arriver à mes fins.

Nous nous levâmes pour nous habiller, et il me demanda :

— Tu es fâchée contre moi ?

Un épisode me revint soudain en mémoire – cela se passait un après-midi d'été. Nous nous trouvions dans la cour, au cœur du palazzo du cardinal. Borgia et César se disputaient car le père avait décidé d'envoyer son fils à l'université à Florence quand tout ce que celui-ci désirait, c'était d'entrer dans l'armée. Ils s'étaient quittés sur de terribles paroles et j'étais restée aux côtés de César, dans un coin de la loggia, le temps qu'il cesse de vomir.

Je passai ma chemise et répondis :

— Bien sûr que non. Pourquoi le serais-je ?

— À cause de Ben Eliezer.

Jusque-là ni lui ni moi n'avions mentionné ses soupçons vis-à-vis de David, mais cela ne m'avait pas empêché de les retourner et les retourner encore dans ma tête – et aussi, de m'interroger sur César.

— Tu crois vraiment qu'il pourrait être l'assassin ? rétorquai-je.

— Je crois surtout que tu ne veux pas qu'il le soit.

Il s'assit sur le lit pour enfiler ses bottes, et je vins l'aider. À califourchon sur sa jambe, je me lançai :

— Supposons un instant que ce ne soit pas David. Qui d'autre bénéficierait de la fin de l'alliance avec les Espagnols ?

— Eh bien, tous les ennemis de mon père, non ?

— Je veux dire quelqu'un ici, suffisamment près pour faire du mal.

— Pourquoi poses-tu la question ?

Toujours de dos, je poursuivis :

— Il y a eu deux morts inexpliquées, récemment. Un marmiton alors que nous étions en route pour Viterbe, et il n'y a pas deux jours de cela, une blanchisseuse.

— Ont-ils été empoisonnés ?

— Je ne sais pas. Il est possible que leur mort soit naturelle. Si ce n'est pas le cas, le poison utilisé serait extrêmement élaboré.

La première botte enfilée, je m'attelai à la seconde.

— Mais pourquoi quelqu'un se donnerait-il la peine de faire tout cela ? demanda César. C'étaient des petites gens, n'est-ce pas ?

— À ce que j'en ai vu, oui.

— Dans ce cas, je ne vois pas pourquoi on se démènerait de la sorte pour les supprimer. Tu sais, ajouta-t-il plus gentiment, cela arrive vraiment que les gens meurent, Francesca. Sans d'autre raison que cela.

— Bien sûr, mais…

Il me donna une tape sur les fesses, puis se leva. En rentrant sa chemise, il déclara :

— Tu ferais mieux de te concentrer sur les vrais dangers plutôt que d'en inventer là où il n'en y a pas.

Je savais qu'il disait cela par bienveillance, mais cela me piqua tout de même au vif. Si le marmiton et la blanchisseuse avaient été empoisonnés, c'était bien parce que j'avais échoué à les protéger – même si on n'attendait pas de moi que je le fasse. Examiner tout ce qui était destiné à la Famiglia me prenait déjà suffisamment de temps comme cela ; en faire de même pour toute la cour papale aurait été impossible. Comme César l'avait si bien résumé, j'avais toujours supposé que personne ne se fatiguerait à tuer de simples mortels de cette manière-là. Je ne m'expliquais pas pourquoi cela aurait brusquement changé, mais je n'arrivais pas non plus à m'ôter de l'esprit que ces morts étaient suspectes.

Pour tenter de contenir mon anxiété, je pris le temps après le petit-déjeuner de combler mon retard dans ma correspondance. Je commençai par Sofia, et l'assurai d'emblée que je dormais mieux que jamais grâce à sa poudre – tout en passant sous silence le fait que j'en prenais davantage qu'elle n'aurait souhaité, et que je n'avais pas non plus totalement arrêté de boire du vin.

Cela t'intéressera peut-être d'apprendre, écrivis-je ensuite, *que j'ai rencontré une amie de ma mère, une abbesse qui la connaissait à l'époque où elles étaient deux jeunes filles à Milan. Elle m'a raconté comment mes parents sont tombés amoureux l'un de l'autre, et aussi que ma mère était une merveilleuse cuisinière, qui possédait également un talent certain pour le dessin. J'espère vivement avoir l'occasion d'en apprendre davantage à son sujet, grâce à elle.*

Je passai sous silence la terrifiante vision que j'avais eue par la suite, et qui me hantait toujours. Cela ne ferait que l'inquiéter pour rien.

Après avoir cacheté la lettre et l'avoir mise de côté pour la confier aux messagers en partance pour Rome ce jour-là, je pris une nouvelle feuille de papier et la posai devant moi, dans l'intention d'écrire à Rocco. À plusieurs reprises je levai ma plume, mais les mots refusèrent obstinément de venir. Je voulais le remercier pour le dessin de Nando, le féliciter pour son acquisition d'un chien qui avait l'air superbe, et lui demander comment il allait ; au lieu de cela, je n'arrivais pas à m'ôter de la tête Carlotta, et le fait qu'il ne l'avait pas mentionnée une seule fois dans sa missive. Se trouvait-elle encore en ville, ou bien sa famille était-elle partie pour échapper à la peste ? Rocco et elle avaient-ils commencé à préparer leur mariage ? D'ailleurs, une date avait-elle été fixée ? Sinon, l'aimait-il vraiment ?

La plume se cassa net entre mes doigts. Poussant un juron, je jetai les deux bouts sur le bureau et me levai brusquement. Ce n'était vraiment pas le moment de languir après ce qui ne serait jamais. Me sentant tout à coup agitée et impatiente, je tentai de me distraire en me plongeant dans le travail. À mon entrée en cuisine, les habituels bavardages cessèrent instantanément. M'étant résignée depuis longtemps à susciter pareille réaction, je n'y prêtai guère attention. Mais lorsque je sentis que cela s'éternisait, je me rendis compte que j'étais la cible de regards plutôt renfrognés. Visiblement, le risque que je n'avais pas hésité à prendre quelques jours plus tôt pour assurer la sécurité de Borgia (et par extension, la leur) avait déjà été oublié. Peut-être étaient-ils attristés par la mort de la blanchisseuse, survenue si vite après celle du marmiton : la plupart d'entre eux avaient dû les connaître tous deux. Cependant, ils n'avaient aucune raison de m'en tenir personnellement responsable.

À moins qu'ils ne croient, ainsi que Vittoro l'avait prédit, que ces morts soient l'œuvre de Satan. Qui serait mieux placée qu'une sorcière experte en poisons pour agir sur ses ordres ?

Déterminée à faire mon devoir envers et contre tout, je m'attelai à l'inspection des derniers arrivages en date de meules de fromage, de caisses de pommes, de champignons et d'asperges destinés à la famille Borgia et à ses nobles invités, ainsi que de plusieurs barils de cidre, une demi-douzaine de sacs de farine, la carcasse découpée d'une vache et une centaine d'huîtres enroulées dans des algues.

Personne ne tenta de m'en empêcher, mais j'eus la sensation d'être constamment observée. Plusieurs des cuisiniers s'enhardirent au point de faire le signe des cornes (pour repousser le mauvais œil), croyant que je ne les voyais pas.

Je gardai mon sang-froid, mais j'étais d'humeur sombre lorsque je quittai les cuisines. Parvenue en haut des escaliers qui menaient au rez-de-chaussée du palazzo, je m'arrêtai et m'affaissai contre le mur. Peut-être était-ce dû au fait que j'avais récemment songé à mes parents et à la vie qu'ils avaient partagée, ou bien parce que Rocco s'était immiscé dans mes pensées, comme s'il ne les avait jamais quittées – toujours est-il que mon isolement me parut en cet instant-là insupportable. Je fermai fort les yeux, pris péniblement une respiration. Je ne pouvais prendre le risque que l'on me voie dans un tel état de faiblesse : n'importe qui pourrait en tirer profit.

Un peu de poudre me calmerait. Mais si je continuais à en prendre à ce rythme-là, je courais le risque d'épuiser mes réserves avant de rentrer à Rome et de réussir à amadouer Sofia pour en obtenir davantage. Ou bien de me trouver un autre fournisseur. Il me faudrait régler ce problème le temps venu. Pour l'heure, je me raccrochai à l'idée que j'étais capable de résister à l'envie d'en prendre, ne serait-ce que momentanément, ce qui prouvait bien que les craintes de Sofia n'étaient pas fondées. Pour sûr, je n'avais pas à m'en alarmer.

Réticente malgré tout à l'idée de rencontrer quelqu'un, je m'engouffrai dans un étroit *passetto* qui courait tout le long du mur d'enceinte du palazzo. On trouve fréquemment ce genre de passage discret dans les résidences des nobles. Quand j'étais plus jeune, ceux qui étaient dissimulés dans le palazzo de Borgia sur le Corso m'avaient été fort utiles. J'espérais qu'il en serait de même à présent, mais à peine avais-je fait quelques mètres qu'un mouvement furtif, un peu plus loin, m'arrêta. D'instinct, je restai en retrait pour ne pas être vue.

Une porte s'était ouverte, laissant entrevoir un jeune homme plutôt bien fait de sa personne. Il avait à peu près mon âge, et de beaux cheveux bruns tirant vers le roux. Je le vis lancer une poignée de pièces en l'air, sourire en les voyant retomber dans sa paume et s'éloigner prestement. Soulagée de le voir partir dans la direction opposée, j'allais continuer mon chemin lorsque la porte s'ouvrit de nouveau. Cette fois-ci, c'est Herrera qui sortit dans le couloir.

L'Espagnol regarda dans les deux directions et, ne m'ayant pas repérée, se dirigea vers moi. Je n'avais nulle part où me cacher, et aucun moyen de battre en retraite. Bon sang, c'était bien ma chance. N'ayant d'autre choix, je m'avançai promptement, comme si j'étais pressée et ne songeai à rien d'autre qu'à atteindre ma destination.

Le neveu bien-aimé s'immobilisa brusquement, mais le choc initial vira rapidement à la rage.

— *Toi* ! Qu'est-ce que tu fais ici ?

— Je vais à… Peu importe où je vais.

Je tentai de le contourner, mais il me bloqua le passage.

— Tu me suis ! Tu m'espionnes !

Je comprenais sa préoccupation. Il avait pris un grand risque en arrangeant un rendez-vous galant avec ce jeune homme. Borgia s'en moquerait bien, tout comme la plupart des prélats de sa cour. Mais si cela devait revenir aux oreilles de Leurs Majestés très catholiques…

— Absolument pas.

De nouveau, je tentai de le contourner. De nouveau, il m'en empêcha.

L'Espagnol serra les poings, fit un pas en avant. Je résistai à l'envie pressante de m'emparer de mon couteau.

Aussi calmement que possible, je lui dis :

— Il n'y a aucune raison pour que cela se passe mal entre nous, señor.

Il me regarda alors comme si j'étais véritablement folle.

— As-tu oublié que tu m'as menacé d'un couteau à la gorge ?

— Oui… C'est-à-dire que vous étiez sur le point de me déboîter l'épaule. Mais je vous l'accorde, ajoutai-je à contrecœur, je suis allée trop loin ce jour-là. Je m'en excuse.

Mon effort était loin d'être suffisant. Écumant de rage, Herrera cracha :

— Tu m'as humilié devant lui.

À part moi, je maudis César d'avoir piétiné la vanité de l'Espagnol au lieu de chercher à l'apaiser.

— Je peux vous assurer que Son Éminence m'a vertement tancée pour mon inconvenance.

Herrera écarta cette considération d'un geste. Toujours furieux, il s'exclama :

— Il ne t'aime pas, pas vraiment, même s'il agit autrement.

Ah, c'était donc cela, n'est-ce pas ? Pourquoi ne l'avais-je pas vu plus tôt ? Pour résistante que je sois aux flèches de Cupidon, je devrais tout de même être capable de reconnaître la douleur qu'elles causent.

— Naturellement, señor, répliquai-je le plus calmement possible.

— Alors laisse-le tranquille ! Cesse de compromettre son âme !

— Vous vous méprenez sur mes intentions. Mon unique souhait est de protéger…

— Assez ! Tu mens comme tu respires. Et à présent tu vas aller raconter des mensonges sur moi ! Mais je t'en empêcherai. Par Dieu et tous les saints, je t'en empêcherai !

Il se jeta sur moi. J'eus une seconde pour me décider : dégainer mon couteau et prier pour qu'ensuite, Borgia me croie lorsque je jurerai avoir tué l'Espagnol en légitime défense. Ou bien…

Tout au fond de moi, la noirceur s'éveilla. Avant de ne plus pouvoir du tout me contrôler, je tournai les talons et me mis à courir. Derrière moi, j'entendis Herrera qui me suivait, tout en se répandant en injures. Poussée par la peur de ce que je pourrais lui faire (pour sûr, l'imbécile devait croire le contraire), j'accélérai encore l'allure. Soudain je m'engouffrai par une porte, et me retrouvai dans une partie animée du palazzo. J'étais au beau milieu du passage et m'arrêtai abruptement. Herrera fit de même lorsqu'il surgit l'instant d'après.

Étant aussi peu enclin que moi à attirer l'attention, l'Espagnol fut contraint de me regarder m'éloigner sans rien faire. Je ne sais où j'avais l'intention d'aller – n'importe où, du moment que je mettais le plus de distance possible entre moi et cet énergumène. J'aurais pu lui dire que je comprenais fort bien le prix à payer pour celui qui ne peut être vraiment lui-même en société, mais il ne m'aurait pas entendu. C'était dommage, vraiment ; nous avions en fait quelque chose en commun, en plus de notre intérêt pour César.

Je n'étais pas allée bien loin lorsqu'un page s'approcha furtivement et me fourra un papier dans la main, avant de s'enfuir aussitôt, comme s'il craignait qu'un contact prolongé avec moi ne le contamine. J'ouvris le message, et tout de suite j'eus meilleur moral. Mère Benedette avait réussi à s'éclipser du couvent et souhaitait savoir si je pouvais aller la retrouver à Santa Maria della Salute.

L'abbesse était assise à sa place habituelle lorsque j'entrai dans l'église. Cette fois-ci, elle avait amené un petit panier de *torrone*, une confiserie à base de miel, de sucre, de blancs d'œuf et d'amandes, que j'acceptai avec joie mais à laquelle présentement je refusai de goûter, tout en lui promettant de le faire dès que mon estomac ne serait plus dérangé. Je ne pouvais rien avaler, après cette altercation avec Herrera.

— Est-ce que tu te sens bien ? s'enquit-elle, l'air préoccupé.

— Le mieux du monde. Simplement, j'ai examiné de la nourriture toute la journée et franchement, cela m'a coupé l'appétit.

Ma réponse parut la satisfaire, et rapidement nous nous mîmes à parler de ma mère.

— Adriana adorait chanter. Moi aussi, mais je n'ai jamais eu une belle voix comme elle.

Cela me rappela quelque chose. La voix d'une femme chantonnant doucement…

Luciole, luciole, brillant au firmament
Mets la bride à la jument,
Car la veut mon enfant, mon roi,
Luciole, luciole, viens avec moi.

— Encore, *mamma*. Chante encore.

Mais c'était impossible. Ma mère était morte à ma naissance. Combien de fois me l'avait-on dit ? Il était parfaitement vain de croire que je me souvenais de quoi que ce soit à son propos.

— Lui arrivait-il… de chanter une chanson où il était question d'une luciole ?

Mère Benedette fronça les sourcils.

— Une luciole ? Je ne me rappelle pas… Oh, si ! s'écria-t-elle soudain. Il y a cette vieille comptine. Allons, quelles sont les paroles, déjà… « Luciole, luciole, brillant au firmament » ? Oui, c'est ça ! « Mets la bride à la jument… » Je n'avais pas repensé à cette chanson depuis des années, mais ta mère l'adorait. Je me souviens qu'elle la chantait quand elle était enceinte de toi.

Qu'étais-je censée en conclure ? La part de moi qui était pragmatique, qui recherchait perpétuellement la lumière de la raison, savait que je ne pouvais tout simplement pas me souvenir de pareille chose. Et pourtant, j'aurais tout donné pour que ce soit le cas. Car l'alternative…

— Vous trouviez-vous avec ma mère le jour où elle est morte ?

Le temps était couvert ; l'église très peu éclairée. Je ne pouvais en être certaine, mais je crus bien voir l'abbesse pâlir. Elle se leva à la hâte.

— J'étais à Anzio. Pardonne-moi, mais je ne peux rester plus longtemps. On m'attend au couvent. J'espère que le *torrone* te plaira.

Elle fit une pause, puis :

— Est-il possible de se revoir demain ? Je devrais pouvoir m'échapper plus longtemps.

J'hésitai, surprise par ce départ soudain.

— Oui, bien sûr. Merci, ajoutai-je en faisant un signe de tête en direction du panier. Je suis certaine que je vais me régaler.

— Tu m'en vois ravie.

Et avec un fugace sourire, mère Benedette s'en fut.

Quelques instants après, je fis de même. Après cette journée passée à accumuler des rencontres toutes plus perturbantes les unes que les autres, j'étais heureuse de me retirer dans mes quartiers et de reprendre mes recherches sur la cantharidine, pour finir de préparer la phase de test avant le dîner.

Plus tard je me montrai à la salle des banquets, mais ne m'y attardai pas. Dès que la bienséance me le permit, je retournai à mes appartements pour prendre un peu de poudre. Juste avant de plonger dans le sommeil, je songeai à mon autre moi, la femme que j'aurais pu être si le sort en avait décidé autrement. Cette femme, affairée à vivre sa vie merveilleusement normale, tourna la tête pour me regarder par-dessus son épaule, et me sourit.

Je m'armai de courage, craignant que l'image se transforme en une vision d'horreur et de sang. Mais au lieu de cela, je me retrouvai à scruter dans une douce lumière tamisée le visage d'une femme, qui chantait doucement :

> *Luciole, luciole, brillant au firmament*
> *Mets la bride à la jument,*
> *Car la veut mon enfant, mon roi,*
> *Luciole, luciole, viens avec moi.*

Son enfant, son roi. Un enfant qui se sentait en sécurité, et aimé. Comment savoir ce que cela faisait, moi qui n'avais jamais été cet enfant ? Moi qui n'avais jamais connu la caresse de la main de ma mère, sa voix, le réconfort qu'aurait pu m'apporter sa présence ?

Pourtant – et envers et contre tout –, je me souvenais d'elle.

Au cœur de la nuit, je me levai, mis un châle sur mes épaules et allai m'asseoir auprès de la fenêtre. Entrebâillant le volet, je regardai au-dehors le jardin automnal drapé dans la pénombre. Il ne ferait pas jour avant plusieurs heures. Au loin, je vis les torches qui allaient brûler toute la nuit pour éclairer les gardes de patrouille. Ils étaient en plus grand nombre que d'habitude, et bientôt il y en aurait encore davantage, mais leur présence ne me rassura aucunement. Le jour où l'ennemi frapperait (comme cela ne faisait pas l'ombre d'un doute dans mon esprit), il jaillirait de l'obscurité et au dernier moment – de sorte que pour l'instant, j'échouais à anticiper son attaque. Je ne pouvais me permettre d'être distraite, en particulier par de vieilles plaies qui ne s'étaient pas refermées : elles n'avaient pas leur place dans mon présent rempli de danger.

Et pourtant, j'avais beau avoir les meilleures intentions du monde, je ne pouvais m'ôter cette question de l'esprit : comment – et quand – ma mère était-elle morte ?

13

Le lendemain matin en guise de petit-déjeuner, je savourai un bon cidre chaud avec un peu du *torrone* de mère Benedette. Sucrée et fondante en bouche, la confiserie était aussi délicieuse que ses *panetti*, mais mon appétit n'était pas vraiment revenu. Je le reposai dans le panier après quelques bouchées, et m'habillai prestement. La pluie s'était atténuée mais l'on entendait parler d'inondations au nord, et je caressais donc l'espoir que la route d'Assise ne rouvre pas avant d'avoir eu le temps d'apprendre tout ce que je voulais savoir de l'abbesse.

Renaldo m'attrapa au vol alors que je traversais la grande salle.

— Avez-vous entendu la nouvelle ?

Soudain, je ressentis une pointe de douleur derrière les yeux. Déterminée à passer outre, je répondis :

— Apparemment non. Racontez-moi tout.

— Sforza se fait renvoyer à Pesaro. Officiellement parce qu'on réclame sa présence là-bas, mais en réalité, César et lui en sont venus aux mains la nuit dernière. C'est cet Espagnol, Herrera, qui a dû les séparer.

— Pourquoi diable se battaient-ils ?

— Je ne devrais probablement pas le dire, mais… (Il se pencha tout près de mon oreille.) Cela a à voir avec Donna Lucrezia et…

Une expression de dégoût traversa le visage de l'intendant.

— Encore cette histoire, soupirai-je. Sforza est vraiment un sot.

— Personne ne l'a jamais accusé d'être autre chose. Mais quelles vont être les répercussions pour Sa Sainteté ? Son père le cardinal a tout de même joué un rôle conséquent dans l'élection de Borgia, et il l'aurait aidé à se maintenir sur le trône de Saint-Pierre. Mais maintenant…

— Ce départ soudain va l'isoler encore davantage, lui confirmai-je. Et il sera encore plus dépendant vis-à-vis des Espagnols.

— Alors même que l'assassin rôde quelque part, attendant le moment propice pour faire son mauvais coup.

Il resta silencieux un instant, puis demanda :

— Votre ami a-t-il découvert quoi que ce soit d'intéressant ?

— Pas que je sache. Je vais devoir aller lui parler.

Ma migraine empirait. Je fermai les yeux un instant, et quand je les rouvris la lumière me parut bizarrement éclatante, presque trop.

— S'est-il arrêté de pleuvoir ? demandai-je.

— Que dites-vous ? Non, et ça ne va jamais s'arrêter. Nous devrions tous nous mettre à fabriquer des arches.

Je tentai de rire, mais l'effort me parut insurmontable.

— Vittoro fait venir un autre contingent de condottieri, à ce que j'ai entendu dire, poursuivit Renaldo.

— Rien ne vous échappe, Maître d'Marco.

Ma remarque relevait certes de la flatterie, mais en partie seulement. L'homme avait un talent troublant pour dénicher les seules informations utiles dans le verbiage ambiant.

Pendant un instant l'intendant ne fut pas peu fier, mais il reprit promptement son sérieux.

— Je soupçonne Vittoro de s'inquiéter de la loyauté de la garnison de Viterbe. Si les hommes décidaient d'apporter leur soutien à l'un des rivaux de Borgia (au hasard, della Rovere), nous finirions tous égorgés dans nos lits.

À entendre son ton neutre, on aurait dit qu'il parlait de la pluie et du beau temps, mais la menace était pourtant bien réelle. Le moindre soupçon de faiblesse de la part de Borgia et ce serait la catastrophe.

J'acquiesçai d'un signe de tête, mais sa voix me parut soudain très lointaine. Des ombres se déplaçaient promptement le long des murs du palazzo. En les observant de plus près, je vis que les silhouettes étaient celles d'hommes armés arrivant à la dérobée.

J'avais l'intention d'avertir Renaldo de ce qu'il se passait, mais à peine m'étais-je tournée vers lui que la scène explosa. Tout à coup, sans autre forme d'avertissement, le palazzo était attaqué. Des hurlements fendaient l'air, le feu prenait partout, et tout n'était que chaos et dévastation.

Mais l'horreur ne s'arrêta pas là. Un brouillard épais et rouge surgit soudain devant mes yeux. À travers, je vis un monde ravagé et baignant dans le sang, où une infinité de corps se tortillaient, et au-dessus de ce spectacle désolant un ciel noir, déchiré par les éclairs, et d'énormes corneilles au bec luisant qui fondaient sur moi.

Je suffoquai, ou peut-être criai-je ; je ne saurais dire. La hideuse vision tourna soudain autour de moi, m'emportant avec elle. J'eus l'impression de tomber de très haut, avant de perdre connaissance.

Lorsque je retrouvai mes esprits, j'étais assise sur un banc un peu à l'écart de l'endroit où je m'étais trouvée quelques instants plus tôt. Renaldo rôdait autour de moi, cherchant à me cacher à la vue des autres. Je sentis l'odeur de laine mouillée qui imprégnait sa cape, et des saucisses qu'il avait dû manger au petit-déjeuner. Tous mes sens étaient en alerte (au point que c'en était inquiétant), mais au moins cette atroce migraine s'était calmée.

— Francesca, est-ce que tout va bien ?

Il chuchotait, presque, ce qui ne m'empêcha pas de ressentir la pointe de peur dans sa voix. C'était mon ami ; je ne devais pas l'oublier. Il m'avait déjà vue dans un état similaire, et ne s'était pas pour autant détourné de moi.

— Je…

C'est alors que je me rendis compte que je lui serrais très fort l'avant-bras, comme si seul cela pouvait m'ancrer au monde.

— Cela empire.

Ma plus grande crainte était en passe de devenir réalité, et je n'arrivais plus à la refouler. Depuis que j'avais quitté Rome, et de fait été séparée de mon environnement familier, la noirceur qui est en moi n'avait cessé de grossir et d'avoir de plus en plus une vie propre, au péril de mon âme. Malgré la poudre de Sofia, le cauchemar s'était fait plus intense et fréquent. Voilà que je voyais le danger partout, à présent, au point de ne pas écarter d'emblée l'idée que David puisse être un ennemi. David ! L'homme avec qui j'avais vécu mille dangers, et à qui j'avais toutes les raisons du monde de me fier, corps et âme. Comme si cela ne suffisait pas, cette rencontre avec l'abbesse et les cogitations qu'elle engendrait malgré elle ne faisaient qu'alimenter les démons qui me rongeaient.

Renaldo s'efforça bien de sourire pour me rassurer, mais le pauvre homme échoua lamentablement. Il tenta alors une autre approche.

— Votre… infirmité n'a pas l'air d'inquiéter notre maître. Sa confiance en vous n'est en rien ébranlée.

— Il voit ce qu'il a envie de voir, soupirai-je.

Se sentant peut-être enhardi par l'intimité des lieux, Renaldo me demanda :

— Est-ce vrai qu'il vous croit capable de voir l'avenir ?

Je fis la grimace. De tous les aspects de ma relation avec Borgia, c'était pour moi le plus troublant.

— Sa Sainteté a fait allusion à cette possibilité, répondis-je évasivement.

Car tout de même, Borgia s'était arrogé le droit de déterminer laquelle de mes visions était selon lui un véritable aperçu du futur, et laquelle n'était rien d'autre qu'une manifestation de mon esprit dérangé. Moi-même, je ne pouvais me permettre un tel luxe.

— Je vous assure, vous n'avez pas envie de savoir à quoi ressemble l'avenir selon moi.

Rien que d'y songer, j'en frissonnai.

Je voyais bien que Renaldo était tenté de me poser quand même la question, mais il se ravisa. De nouveau, il tenta de me rassurer :

— Quelles que ce soient les choses que vous voyez, cela ne veut pas forcément dire qu'elles vont arriver. Après tout, nous possédons tous notre libre arbitre, qui figure parmi les plus grands dons du Tout-Puissant – après la vie, bien entendu.

Son intérêt pour des sujets aussi variés que la théologie et la philosophie naturelle avait depuis longtemps cessé de m'étonner, mais il fallait tout de même avouer que c'était amusant.

— Qu'entendez-vous par là ? lui demandai-je pour lui faire plaisir.

— Si vous voyez réellement l'avenir, ne pensez-vous pas qu'il soit possible de modifier notre comportement, afin d'au moins limiter l'effet de ces terribles choses que vous voyez ?

Depuis la mort de mon père, j'avais bien été obligée d'envisager la possibilité que je sois damnée, ou possédée – voire les deux. Si tel était le cas, je pouvais escompter passer toute l'éternité à endurer le genre de tourments monstrueux décrits de façon si frappante par Dante dans sa *Divina Commedia*, une œuvre certes magistrale, mais qui exerçait depuis toujours une fascination malsaine sur moi. Inévitablement, je m'étais demandé si je ne méritais pas tout cela et pire encore, car même la crainte de ce qu'il adviendrait peut-être de moi dans l'autre monde ne suffisait pas à me convaincre de renoncer aux ténèbres. Toutefois, jamais je n'avais songé que mon « infirmité », ainsi que Renaldo l'avait si délicatement formulé, pourrait en fait avoir une utilité.

D'une voix hésitante, je répliquai :

— Ce que je… vois n'est pas très précis.

Mais il en fallait plus pour décourager l'intendant. En m'aidant à me relever, il déclara :

— Les affirmations de l'oracle de Delphes étaient ouvertes à une large interprétation, et pourtant elles étaient prises très au sérieux. Ou bien prenons un exemple plus récent : ce sont tout de même les visions de sainte Catherine de Sienne qui ont ramené la papauté à Rome. Sans oublier cette pauvre Française, Jeanne. Quel dommage qu'elle ait fini ainsi.

Quand on y songeait, c'était la même Église qui avait ordonné de brûler la pucelle d'Orléans sur le bûcher et, une fois ses cendres refroidies, avait décrété que c'était une martyre. On parlait même de la canoniser un jour ; mais je digresse.

— Vous n'entendez tout de même pas me comparer à de telles saintes ? rétorquai-je en feignant l'incrédulité.

Je commençais effectivement à me demander si depuis le départ, l'intention de Renaldo n'avait pas été de me distraire de mon humeur sombre. Dans tous les cas, cela fonctionnait.

— Je dis seulement qu'il y a peut-être quelque profit à tirer de ce que vous devez subir dans ces moments-là.

Je méditais encore sur ces sages paroles lorsque nous prîmes congé l'un de l'autre quelques instants après. Il était peu probable que Renaldo ait raison, mais l'envie de le croire était trop grande pour y résister totalement.

Toutefois je n'eus guère le loisir de m'appesantir là-dessus, car l'heure approchait pour moi de retourner voir mère Benedette. Je traversai la place en bravant un vent humide, ma cape bien serrée contre moi. L'église était quasiment vide lorsque j'entrai, et je pris place en face de l'autel dédié à sainte Claire. Je n'attendis probablement pas plus de quelques minutes, mais cela me parut interminable. J'étais sur le point de décréter que l'abbesse ne viendrait pas, et qu'il me faudrait aller la voir au couvent où elle m'avait dit loger à Viterbe, lorsque la lourde porte en bois s'ouvrit en grinçant et qu'elle fit son apparition. Pendant un instant, dans la faible luminosité de ce jour maussade, elle eut l'air sombre et préoccupé. Le bas de son habit en laine lui battait les jambes, tant elle se hâtait de me rejoindre. Quand nos regards se croisèrent, elle parut soulagée et j'eus même droit à un petit sourire.

— Je suis désolée de t'avoir fait attendre. J'espère que tu n'es pas là depuis trop longtemps ?

— Quelques minutes seulement. (Je me poussai pour lui faire de la place à côté de moi sur le banc.) Ce n'était pas la peine de vous dépêcher.

Elle s'assit, inspira profondément et croisa les mains sur ses genoux. Elles étaient fines, très pâles et bien proportionnées, et ses ongles étaient coupés court et légèrement polis. En comparaison, les miennes portaient les marques et autres cicatrices qui allaient de pair avec mon métier.

— Je suis tellement habituée à être occupée nuit et jour, à l'abbaye, commença-t-elle. Ici, je me sens si oisive que mon esprit se met à vagabonder à tout moment, sans crier gare. Si les cloches ne sonnaient pas pour nous appeler à la prière, je perdrais toute notion du temps.

J'avais dans l'idée de lui faire observer que c'était peut-être une bonne chose qu'elle puisse se reposer, pour une fois, mais elle reprit aussitôt la parole :

— La dernière fois je suis partie précipitamment, et c'était grossier de ma part. Je voudrais me racheter.

— Ce n'est pas nécessai…

— Je t'en prie. Sinon j'aurais l'impression de ne vraiment pas mériter ton amitié. (D'une bourse attachée à sa ceinture, l'abbesse sortit un petit livre et me le tendit.) Ceci appartenait à ta mère. Je voudrais que tu l'aies.

Cela me laissa sans voix. J'étais déjà surprise d'apprendre que ma mère ait pu posséder un livre ; mais c'était proprement étonnant d'avoir soudain l'objet devant moi.

Devant l'insistance de mère Benedette, je pris le volume relié en cuir marron foncé et l'examinai avec soin. Je vis bien le titre qui courait le long de la tranche en lettres dorées, mais un léger débordement lacrymal m'empêcha de le lire.

— Qu'est-ce ?

— Un psautier, qui contient le livre des Psaumes et divers cantiques tirés de l'Ancien et du Nouveau Testament. Ta mère l'a reçu en cadeau pour ses treize ans. C'était le bien qu'elle chérissait le plus.

— Elle était pieuse ?

Je n'avais jamais envisagé cette possibilité.

— Pas particulièrement, mais elle adorait lire, et tout ce qui avait trait au livre la fascinait.

J'avais moi-même un attrait certain pour l'écrit, mais dans ma bibliothèque il y avait davantage de traités sur l'alchimie et les poisons qu'autre chose. Je possédais quelques objets qui avaient appartenu à ma mère : son coffre de mariage, avec une scène de l'enlèvement des Sabines sculptée sur le couvercle ; un médaillon. Mais un livre qu'elle avait tenu dans ses mains et qui avait de la valeur à ses yeux, qui lui avait occupé l'esprit et nourri l'imagination… Ma main qui tenait l'ouvrage usé par le temps se mit à trembler.

Prenant courage, je demandai :

— Comment êtes-vous entrée en sa possession ?

J'espérais vaguement qu'elle me raconte une jolie histoire, que par exemple ma mère lui avait donné le psautier en souvenir de leur amitié le jour où elle était entrée au couvent. Mais elle eut soudain une grande tristesse dans le regard.

— C'est ton père qui me l'a donné, après.

Après. Tant de signification dans un si petit mot. Après que le monde eut volé en éclats, de sorte que plus rien ne saurait être comme avant. Après que le linceul du chagrin eut tout enseveli, piégeant les survivants dans un cruel simulacre de vie, dénué de tout espoir.

— Après la mort de ma mère ?

Mère Benedette fronça les sourcils.

— Je n'aurais peut-être pas dû l'amener. Crois-moi, la dernière chose que je veux est de te causer davantage de peine.

Je me cramponnai plus fort au livre, soudain prise d'une peur irrationnelle qu'elle tente de me le reprendre. De petites lumières se mirent à danser au coin de mes yeux. Des lucioles.

— Je veux connaître la vérité sur ce qui lui est arrivé.

Je sentis l'abbesse se raidir, et l'entendis prendre une profonde inspiration.

— Francesca…

— Je dois savoir !

Ma voix discordante me fit grincer des dents. L'espace d'un instant, je redevins une petite fille, allongée dans un lit, dans une maison dont je ne me souvenais pas, incapable de parler, de bouger, à la dérive dans une mer de silence dont je ne voulais jamais sortir.

— Une fois que tu auras croqué dans le fruit défendu, tu ne pourras plus revenir en arrière, m'avertit l'abbesse dans un souffle. Ève l'a appris à ses dépens.

Ma colère, qui était déjà en train de monter en prévision de ce que j'allais peut-être apprendre, se dirigea contre elle.

— Cela fait-il de vous le serpent ? sifflai-je.

Elle sursauta, et ses joues s'empourprèrent. Je regrettai aussitôt de m'être emportée, mais avant même que je puisse lui présenter mes excuses, elle me dit :

— Ton père t'aimait. Il pensait te protéger en taisant ce qui s'est réellement passé.

Les lucioles se firent plus brillantes, c'était une véritable nuée devant moi, maintenant. Je clignai des yeux, tentant de les chasser, mais en vain. Une soudaine (et inattendue) bouffée de haine envers mon père monta en moi. C'était tellement à l'opposé de mes sentiments habituels pour lui que cela m'ébranla au plus profond de mon âme. Toute ma vie j'avais essayé de lui faire plaisir, parce qu'il était bon et gentil avec moi, mais également parce que dans les sombres recoins de mon esprit, je me demandais s'il ne me tenait pas pour responsable de la mort de ma mère quand moi j'avais vécu. Je cherchais à me racheter pour cela, tout comme plus tard je voulus venger la mort de mon père, car pour moi c'était non seulement le dernier cadeau que je pouvais lui faire, mais aussi la preuve suprême que je méritais de vivre.

Or, s'il m'avait menti, si tout ce que je croyais savoir était faux… Dans ce cas, où était la vérité ? Dans quel obscur recoin des ténèbres se tapissait-elle ?

Je me cramponnai fort au petit livre, comme si je m'attendais à tout moment à le voir se désagréger en poussière, et moi avec. Aveuglée par l'éclat des lucioles, je m'exclamai :

— Si vous aimiez vraiment ma mère, dites-moi comment elle est morte.

14

— Je devrais en avoir pour trois jours, dit Giovanni. Quatre, tout au plus. Tu comprends pourquoi il faut que j'y aille ?

Cela fit rire Adriana, qui détourna un instant son visage du soleil, pour l'observer de ses yeux pétillants. Sa peau n'était pas sans rappeler la couleur de l'abricot ; quelques taches de rousseur lui étaient apparues sur le nez. Elle avait l'air si jeune, si pleine de vie, et – aussi incroyable que cela puisse paraître, se disait-il toujours – d'amour pour lui.

— C'est la meilleure proposition qu'on t'ait jamais faite, répliqua-t-elle. Apothicaire à la cour du duc, rien de moins. Tu le mérites amplement.

— Assistant de l'apothicaire, et un parmi tant d'autres. Le salaire serait quand même conséquent et cela voudrait dire une meilleure vie pour nous tous.

— Nous avons déjà une bonne vie. Mais je comprends. Cette ville a beau être charmante, elle est trop petite pour quelqu'un comme toi, qui a de telles aspirations. Alors va là-bas, et fais la meilleure impression qui soit sur celui qui te recevra. Je vais faire tes bagages.

Il éclata de rire et la prit par la taille, la faisant tournoyer encore et encore, si bien que sa jupe se gonfla comme une voile prête à les embarquer tous dans une merveilleuse aventure. Non loin de là, la petite fille les regardait, d'un air grave mais avec un sourire au coin des lèvres. En guise d'histoire du soir, elle n'avait pas droit aux contes traditionnels, comme tous les petits enfants. Son père préférait lui faire de merveilleux récits des grandes expéditions maritimes. *À ce qu'il avait entendu dire, les Portugais s'enfonçaient toujours plus loin le long des côtes de l'Afrique, affirmant même qu'ils allaient bientôt en atteindre la pointe méridionale, et ainsi découvrir une nouvelle route des épices, qui faisaient la richesse des Indes. Elle avait la chance d'être née dans une nouvelle ère, son père lui disait-il souvent, et il voulait lui faire partager son émerveillement. La petite fille était trop jeune pour tout comprendre, mais sa foi en lui était telle qu'elle le croyait sans réserve. Il sentait profondément la responsabilité qui lui incombait vis-à-vis d'elle, et savait que jamais il ne devrait trahir une confiance donnée aussi innocemment.*

Au moment de partir il hésita, une soudaine appréhension montant en lui. Il était né juif, et avait par conséquent pour habitude de toujours regarder par-dessus son épaule, dans cette contrée hostile. Mais il avait embrassé la foi chrétienne avec sincérité – même s'il en concevait également quelque regret, qu'il gardait enfoui au plus profond de son âme. S'éloignant sur la monture qu'il avait empruntée à un ami, il balaya ses craintes et se tourna pour regarder sa famille une dernière fois. La poussière qu'il avait soulevée les cachait un peu à son regard, mais il vit la femme qu'il aimait lui sourire de nouveau et lever la main en signe d'adieu.

Lorsqu'il fut parti, l'enfant s'assit devant la maison et se mit à dessiner avec un bâton dans la poussière : des formes simples, un cercle pas tout à fait rond, un carré biscornu, des lignes fuyantes. Le temps sec les jours suivants fit que les traces restèrent.

Le soir vint ; les bougies furent allumées, et sa mère versa la soupe dans un bol, avant de l'aider à manger. Elles en étaient au dessert lorsqu'un chien se mit à aboyer sur la route, non loin de l'échoppe. Ou bien un autre bruit attira leur attention. L'enfant trempa un petit bout de pain au fond du bol et suça la mie ainsi imprégnée. Sa mère alla à la fenêtre. Elle ouvrit un volet, scruta la pénombre.

Du moins, c'est ce que Giovanni allait imaginer lorsqu'il se retrouva dans la petite pièce après coup, à essayer de comprendre ce qui s'était passé. Il y avait quelques signes révélateurs : le morceau de pain laissé sur la table à côté du bol, le volet entrebâillé, le tabouret renversé là où l'enfant aurait été assise, juste avant que sa mère ne l'en déloge précipitamment.

Il tenta de se représenter tout cela en esprit alors même que le fantôme de sa femme poignardée se tenait auprès de lui, et le regardait d'un air immensément triste.

Les locataires suivants seraient obligés de poncer fort le parquet pour faire disparaître les taches de sang, et encore ce n'était pas certain qu'elles partent toutes. Il y en avait tant – c'était incroyable, quand on y songeait, que le corps d'une femme si menue ait pu en contenir autant.

Quant à l'enfant...

Elle n'avait pas parlé depuis, et peut-être ne parlerait-elle plus jamais. Dans sa tête quelque chose s'était cassé, et malgré tout son savoir, jamais il ne pourrait la guérir.

Qu'avait-elle vu ? Qu'avait-elle compris ? Ils devaient se trouver au nombre de trois, en avait-il déduit en observant le nombre de coups de couteau dans le corps de sa femme, ainsi que les empreintes qu'ils avaient laissées dans son sang. Elle les avait certainement reconnus au moment où elle avait regardé par la fenêtre. Elle s'était suffisamment inquiétée de leur présence à proximité pour cacher la petite fille, mais pas elle.

Peut-être avait-elle redouté, s'ils ne la trouvaient pas à l'intérieur, de les voir fouiller les lieux de fond en comble et finir par découvrir l'enfant.

Ou peut-être avait-elle simplement refusé d'envisager que des hommes qu'elle connaissait puissent agir de la sorte.

C'était de sa faute. Dans sa vanité, il avait cru que la missive le mandant au palais ducal était vraie. Il avait cru que lui, un juif converti d'origine modeste, venait de se voir proposer un poste que les hommes les plus capables, ceux qui avaient les meilleures relations, se disputaient âprement. À son arrivée là-bas, il s'était d'abord agacé de constater que personne ne savait qui il était. Ensuite, il avait perdu de précieuses heures à tenter de rectifier ce qui s'était avéré la faute de personne d'autre sinon de lui-même. Le temps qu'il se mette en route pour rentrer, il était trop tard.

Tant de sang… Glissant, tombant dedans même, il avait hurlé son nom et l'avait prise dans ses bras, car il refusait de croire la vérité que tous ses sens lui imposaient pourtant. La femme qui avait rempli son monde de lumière et d'amour n'était plus, et ne laissait derrière elle rien d'autre qu'une coquille vide.

Non, elle laissait aussi la petite fille. Se levant soudain comme si le diable venait de lui donner un coup de trident, il regarda autour de lui, terrifié à l'idée de retrouver un autre corps, plus petit celui-là.

— Francesca !

Rien, pas un bruit. Était-elle morte ? S'était-elle enfuie ? Se trouvait-elle quelque part, dehors, seule et apeurée ?

Ou bien…

Il arracha comme un forcené les planches en bois du faux mur qu'il avait érigé malgré les protestations amusées d'Adriana, car il savait en son for intérieur que la haine ne dort jamais.

— Francesca !

Était-ce un bruit qu'il entendait ? Comme un bruissement. Il retira la dernière planche et tomba à genoux, en prenant dans ses bras le petit corps immobile. Immobile, mais bien en vie. Bien en vie, mais… ailleurs.

— C'est le mot qu'il a employé en parlant de toi, expliqua mère Benedette en finissant son récit des événements que lui avait relatés, accablé de douleur, mon père. Tu étais là… et tu n'étais pas là. Comme si ton esprit se trouvait ailleurs, et qu'il n'avait aucune idée de la manière de s'y prendre pour t'atteindre.

Flottant à la dérive dans une mer de silence, pendant combien de temps ? Un an ? Deux ? J'étais tellement confuse que je ne me souvenais quasiment de rien avant le jour où nous étions arrivés au majestueux palazzo sur le Corso, là où résidait le célèbre prince de notre Mère la sainte Église, le cardinal Rodrigo Borgia. Il venait d'embaucher mon père pour exercer une profession dont la portée m'échappait, à l'époque. Au moment de passer les lourdes portes pour pénétrer dans son domaine, j'avais comme repris vie.

Mais contrairement à ce que mon père avait espéré, le passé n'avait jamais vraiment relâché son emprise sur moi. Ses griffes s'étaient enfoncées toujours plus profondément dans mon âme.

— Qui l'a tuée ?

Je m'entendis parler, comme de très loin. Le mur surgit devant moi, me forçant à reculer jusque dans un espace confiné qui n'avait jamais eu d'issue, je le savais à présent.

— Tout porte à croire que c'est la famille d'Adriana. Ils ne lui ont jamais pardonné d'épouser un juif.

— Sont-ils encore en vie ?

Pourquoi poser la question ? Car je ressentais soudain le violent besoin de les retrouver, et de les tuer un par un comme ils avaient tué ma mère ?

— Deux ans après, la peste a ravagé Milan. Ils n'y ont pas survécu.

L'idée de ces parents inconnus se tordant de douleur en enfer ne parvint pas à me contenter. Ma croyance en la force du châtiment divin laissait manifestement à désirer.

— Ton père s'en est voulu de ne pas avoir été là, d'avoir exposé ta mère à un tel risque en l'épousant – de tout. Tu étais tout ce qu'il lui restait, son unique raison de vivre. Il n'a pensé à rien d'autre qu'à te protéger.

Peut-être, mais le mensonge de mon père m'avait aussi laissée en proie à un terrible cauchemar qui me hante chaque nuit ou presque, depuis. Ma grande crainte, alors que j'étais assise sur ce banc en pierre, toujours cramponnée au recueil de psaumes de ma mère, était que la vérité soit arrivée trop tard pour me sauver. Pouvais-je devenir une autre personne que celle que je m'étais imaginé être pendant si longtemps ? Avais-je même envie d'essayer ? Mon infirmité, pour reprendre le terme de Renaldo, était le prix à payer pour me protéger du monde. Sans cette armure, comment arriverais-je à vivre ?

— Je dois m'en aller.

Je sentis le sol bouger sous moi quand je me levai, et tendis une main vers le dossier du banc pour reprendre mon équilibre. J'avais les jambes en coton, et la tête qui tournait. Au prix d'un immense effort, je parvins à me redresser.

— Tu ne vas visiblement pas bien, constata mère Benedette en se levant également. Laisse-moi t'aider.

J'eus du mal à l'entendre, tant la nuée de lucioles avait grossi autour de moi. Mais je parvins à secouer la tête.

— Je vais bien, vraiment, seulement j'ai beaucoup à faire. Cette histoire avec Herrera…

Je m'interrompis, me rendant compte un peu tard que je venais d'évoquer un problème de Sa Sainteté avec une étrangère, qui plus est pour une raison qui m'échappait. Mais l'expression de l'abbesse me fit songer qu'elle avait entendu parler de ce fameux incident avec l'épouse de l'officier.

— L'Espagnol, fit-elle. On ne l'aime pas beaucoup, par ici.

Visiblement, même les hauts murs du couvent n'empêchaient pas les ragots de passer.

— Toujours la populace a le cœur volage, répliquai-je d'un air absent. C'est Borgia qui m'avait dit cela une nuit où nous buvions ensemble, peu après son élection à la papauté. César était entré et nous avait trouvés quasiment à la fin d'une bonne bouteille de rouge de Lombardie. Il avait trouvé cela fort amusant.

— Je dois m'en aller, répétai-je, l'écho de mes paroles sonnant creux entre les murs saints.

L'abbesse me toucha le bras pour me retenir un instant.

— Lis le psautier de ta mère. Cela te réconfortera.

Je hochai la tête et glissai l'ouvrage dans la bourse que je portais cachée sous ma jupe – je préférais éviter toute spéculation quant à son contenu.

— Autre chose, me dit-elle. La route d'Assise est toujours fermée, mais j'ai l'intention de rester ici un petit peu, de toute façon. Si tu as besoin de moi…

Je lui précisai dans un murmure que je reprendrais contact avec elle dès que les circonstances me le permettraient. Il me semble l'avoir également remerciée pour le psautier, mais je n'en ai pas la certitude. Le monde était en train de se briser en mille morceaux, tels les petits carrés d'une mosaïque tout à coup libérés du mortier qui les avait maintenus jusque-là en place. Je craignais qu'il en aille de même pour moi si je ne partais pas de là au plus vite. Ayant pris congé de l'abbesse, je sortis de l'église et traversai la place à vive allure. Mon cœur battait la chamade, et chaque respiration était douloureuse. Je sentais à peine le sol sous mes pieds.

Les gardes de faction devant le palazzo se raidirent à mon approche. À leur décharge, je ne devais pas exactement être à mon avantage, fuyant d'une église comme si j'avais le diable à mes trousses. Ils me laissèrent passer sans piper mot, manquant même de tomber dans leur précipitation. Une fois arrivée dans mes quartiers, j'entrepris de déposer le psautier dans le double fond de mon coffre, pour découvrir que mes doigts s'étaient transformés en de maladroites excroissances incapables d'exécuter la complexe série de mouvements nécessaires avant de pouvoir l'ouvrir. Pire, la combinaison me sortit complètement de la tête au bout de quelques secondes.

Me rendant à peine compte de ce que je faisais, je m'affalai sur le sol auprès du coffre. Mon cœur cognait encore davantage dans ma poitrine si c'était possible, et ma respiration était complètement saccadée. J'avais désespérément besoin d'un sédatif, mais lorsque je vérifiai, je vis qu'il restait moins de poudre que je ne le croyais.

La panique s'empara alors de moi. Pour sûr, je devais me restreindre ou je n'en aurais bientôt plus. Mais j'en avais tellement besoin. Brusquement je me levai pour me rendre d'un pas chancelant aux caves, dans l'idée d'y trouver une solution de rechange. J'avais l'intention de me servir dans un baril d'eau-de-vie – non que j'en boive beaucoup, pas du tout. Juste assez pour calmer mes nerfs à vif. Assurément je pouvais bien me permettre cela, étant donné ce qui venait de m'être révélé.

Arrivée au bas des escaliers, je m'arrêtai. J'avais visité ces caves une fois, peu après notre arrivée à Viterbe, mais ayant scellé toutes les bouteilles, barils et autres tonneaux, je n'avais eu aucune raison d'y retourner depuis. C'est ainsi que pendant un instant je ne me souvins plus où, dans le labyrinthe de galeries en brique rouge, était entreposé le précieux liquide. Lorsque mes yeux se furent adaptés à la faible lumière qui filtrait par un soupirail, je commençai à me repérer, et me dirigeai vers ce qui me sembla être la bonne direction. J'arrivai bientôt dans une toute petite pièce au plafond en voûte, où des étagères en bois accueillaient les provisions destinées à la cour papale.

Soudain, je vis un mouvement sur le côté. Du coin de l'œil, il me sembla apercevoir une silhouette se mouvant dans l'allée principale. Je me raidis aussitôt, craignant que l'atroce vision ne revienne. En voyant que ce n'était pas le cas, je scrutai de nouveau la pénombre, mais la silhouette avait disparu. Avec un soupir de soulagement, je m'avançai vers les barils.

Et trébuchai aussitôt sur un obstacle qui me barrait le passage. Je faillis bien tomber, me retenant au dernier moment à un baril. Lentement, je me remis d'aplomb. À mes pieds, on aurait dit un immense sac jeté là à la va-vite. Mais pourquoi à cet endroit ? Je me mis à genoux, tendis le bras, et reconnus la forme caractéristique d'un corps.

En l'examinant de plus près, je vis que les yeux étaient ouverts ; la mort ne les avait même pas encore voilés. La peau, lorsque j'apposai deux doigts sur le côté du cou, était tiède. Le jeune homme qui me fixait sans me voir était en livrée rouge et or, les couleurs réservées exclusivement au personnel de Sa Sainteté.

D'un bond je me levai et regardai dans toutes les directions. Dans la pénombre, je repérai la silhouette mais je la distinguais à peine, et elle était trop loin pour que je la rattrape. Elle se déplaçait rapidement.

Je remontai quatre à quatre les escaliers par lesquels j'étais venue. Pour une fois, la chance me sourit. Vittoro se trouvait dans la grande salle, prêt à partir en patrouille. Dès qu'il me vit, il s'éloigna de ses hommes pour pouvoir me parler discrètement.

— Un page a été tué, lui annonçai-je sans préambule. Dans les caves. L'assassin s'y trouve peut-être encore.

Sans hésiter, il ordonna à un officier de venir.

— Cinquante hommes. *Sur-le-champ*. La moitié bloque tous les accès aux caves, le reste, avec moi.

S'ensuivirent des ordres criés, une frénésie de mouvements, le martèlement des bottes et, en marge, la stupéfaction qui se peignit sur tous les visages, seigneurs comme roturiers, lorsqu'ils comprirent que le danger rôdait à l'intérieur même des murs où ils croyaient être en sécurité.

Tout en talonnant Vittoro, je songeai que j'étais certaine de ce que j'avais vu… Mais l'étais-je réellement ? Rien que ce jour-là, mon esprit troublé avait fait apparaître un monde baigné de sang, des lucioles dansant sous le toit d'une église, une réalité transformée en une mosaïque brisée en mille morceaux. Comment même envisager de me fier à mes sens ?

Pourtant, je n'avais pas rêvé l'homme mort. Le page était bien là où je l'avais trouvé. Son visage, éclairé par les torches des gardes, paraissait serein. Comme les autres, il montrait tous les signes d'une mort soudaine et indolore. Les hommes de Vittoro se déployèrent dans tous les recoins, et je m'agenouillai auprès du corps. Les premières observations me confirmèrent l'absence de toute plaie ou trace de violence. J'étais en train de m'interroger sur la pertinence d'un examen plus approfondi lorsque Vittoro revint.

— Si tu as bien aperçu le meurtrier, en tout cas il s'est volatilisé. Comme les autres ? demanda-t-il en regardant le corps.

— Je pense que oui, rétorquai-je en me levant. Ces morts qui se succèdent ne sont assurément pas une coïncidence. L'assassin est bel et bien ici, à Viterbe.

— Si tu pouvais m'en donner une description…

Je secouai la tête.

— Il faisait trop sombre. J'ai simplement vu une silhouette qui se déplaçait. Rien de plus.

Vittoro hocha lentement la tête, avant de mettre une main sur mon épaule.

— Qu'est-ce qui t'amenait ici à cette heure de la journée ?

J'envisageai brièvement de lui dire la vérité, mais je ne supportais pas l'idée qu'il me prenne en pitié.

— Avec tous ces événements, je voulais tout revérifier une fois de plus.

— Aucune autre raison ?

— Quelle autre raison pourrait-il y avoir ?

Il hésita un instant.

— Ces derniers temps, tu es d'une grande piété.

— Que veux-tu dire ?

— Il y a quelques instants à peine, on t'a vue sortir une fois de plus de Santa Maria della Salute.

— Qu'es-tu en train de me dire ? On me surveille ?

Vittoro recula d'un pas. À la lumière des torches, il m'apparut soucieux.

— Quand l'empoisonneuse du pape ressent subitement le besoin d'aller à l'église régulièrement, tu penses bien que les langues se délient.

Je n'avais pas songé à cela. Il ne m'était même pas venu à l'idée que l'on puisse s'interroger sur mes récentes allées et venues, tant j'avais l'esprit dirigé vers mes problèmes. César en savait un peu sur mère Benedette, et Renaldo était au courant qu'une religieuse avait demandé à me voir, mais mieux valait que personne d'autre ne sache qui elle était, ou pourquoi j'étais allée m'entretenir à plusieurs reprises avec elle.

Cherchant à gagner du temps, j'ironisai :

— Et comment ces langues expliquent-elles mon comportement ?

Vittoro me gratifia d'un petit sourire.

— Tout le monde s'accorde à dire que Sa Sainteté a dû te charger de commettre un acte si terrible que tu te sens obligée d'implorer le pardon du Tout-Puissant à l'avance. En revanche, les avis divergent sur ce qui pourrait te faire un tel effet. Mais on s'amuse fort à essayer de le deviner.

— Eh bien, du moment qu'ils s'amusent…

— Sérieusement, Francesca, s'il y a quelque chose que je dois savoir, j'aimerais que tu me le dises. Maintenant.

— C'est une affaire personnelle, qui ne concerne en rien ma responsabilité envers Sa Sainteté.

J'avais parlé trop promptement : Vittoro avait dû voir à coup sûr que j'étais troublée. Mais il était aussi mon ami, et je comptais sur lui pour comprendre que je n'avais pas envie d'en discuter. Naturellement, il allait de ce pas faire sa propre enquête, mais je ne pouvais lui en tenir rigueur.

— Comme tu veux, répondit-il. Si quelque chose te revient en mémoire, pour le page…

— Je t'en informerai sur-le-champ. Je compte sur tes hommes pour garder les yeux grand ouverts.

— Bien entendu. Cet assassin prend beaucoup de risques. Il y a forcément une raison.

Je n'étais pas plus avancée, lorsque nous quittâmes les caves pour retourner au palazzo. Jusqu'au soir, mes pensées restèrent embrouillées. Quelque chose m'échappait, mais pire, dans mon état de confusion, j'avais peu d'espoir de démêler l'écheveau d'intrigues qui nous faisait courir chaque jour un plus grand danger.

15

Le seau d'eau se renversa par mégarde sur le sol. Les soubrettes étouffèrent un petit cri et tombèrent à genoux, tentant de réparer l'impair en frottant furieusement le plancher avec leur tablier. Je caressai l'idée de les rassurer en leur disant qu'il n'y avait là rien de grave, mais décidai finalement de faire comme si je n'avais pas remarqué. Le page n'était mort que depuis quelques heures mais la crainte que je suscitais habituellement avait déjà pris des proportions démesurées. Partout où j'allais, je croisais des regards peu amènes, voire franchement hostiles. Et à présent que je ne songeais plus qu'à une chose (en finir avec cette journée épouvantable), je ne supportais pas de voir une telle condamnation dans les yeux des deux jeunes filles venues m'apporter de l'eau pour mon bain.

Lorsqu'elles s'en allèrent, en courant presque, je me déshabillai promptement et m'immergeai dans l'eau. Posant ma tête sur le rebord de la baignoire, je fermai les yeux et essayai de me détendre. Des images du page mort s'immiscèrent dans mon esprit, mais je les en chassai bien vite. Si je voulais éviter que la liste des victimes vienne encore s'allonger, il me fallait démasquer l'assassin au plus tôt. Et pour commencer, je ne devais pas m'appesantir sur ce à quoi il était trop tard pour remédier. Pendant un moment, mes efforts semblèrent porter leurs fruits. La pointe de douleur derrière mes yeux s'atténua, tout comme la raideur lancinante au niveau du dos et des épaules. Mais à mesure que les tensions de mon corps se dénouèrent, d'autres pensées s'insinuèrent en catimini.

Mon père m'avait raconté un grand mensonge. En refusant de me dire la vérité sur la mort ma mère, il avait nié l'horreur de ce à quoi j'avais assisté. Peu importe que ses intentions aient été honorables, il m'avait laissée seule avec des souvenirs qu'un enfant ne devrait jamais avoir à porter. Car quand j'étais ressortie de cette mer de silence où rien ne pouvait m'atteindre, les souvenirs étaient là, qui m'attendaient. Et ils étaient devenus le cauchemar qui hantait mes nuits.

Rien n'entamerait jamais l'amour que j'avais pour lui, ou ma détermination à venger sa mort. Mais la colère menaçait de me submerger. Je ne saurais dire pourquoi, mais soudain je me retrouvai à me demander ce que Rocco penserait de tout cela. Mon père et lui avaient été amis ; en d'autres circonstances, ils auraient pu devenir beau-père et gendre. Que penserait-il d'une telle tromperie ? En tant que père, il serait sans doute davantage à même de comprendre que moi. Et en tant qu'ancien moine dominicain, plus enclin au pardon.

Rocco me manquait. Quoi qu'il ait pu se passer entre nous, il restait l'un de mes plus chers amis, celui vers qui je m'étais tournée par le passé quand j'avais des ennuis, et qui avait toujours été là pour moi. Du moins c'était le cas, avant. Pour sûr, je me berçais d'illusions si je croyais que cela continuerait lorsque Carlotta et lui auraient convolé. Je pouvais difficilement escompter qu'elle m'accueille à bras ouverts à l'échoppe et me laisse sans mot dire le distraire de son travail, ou pire, lui faire prendre des risques. Elle veillerait à ce qu'il soit bien trop occupé pour cela.

Mon Dieu, qu'allais-je faire sans lui ? Il y avait César, bien sûr, mais ma relation avec lui était totalement différente et par ailleurs, il allait être de plus en plus accaparé par les affaires de son père. J'avais bien d'autres amis (Sofia, Vittoro, quelques autres), mais aucun n'était aussi proche de moi que Rocco. S'il était ici présentement, je…

Je quoi ? Je n'étais pas une de ces petites sottes qui languissent après quelque chose qui n'adviendra jamais. La douleur était de retour derrière mes yeux. Je m'assis dans la baignoire et regardai fixement l'eau, tentant péniblement de retrouver mon calme.

Mais à la place, c'est le visage de ma mère que je vis, me fixant droit dans les yeux. Je ressentis un tel élan de tendresse pour elle qu'il me fallait croire à la véracité de mes souvenirs. Et donc, que je me rappelai aussi de l'éclat du couteau lorsqu'il plongea dans sa chair, anéantissant l'espoir et les rêves, tout ce qui était bon – et n'engendrant plus que le sang.

Quand je revins à moi l'instant d'après, je me tenais à côté de la baignoire, nue et tremblante. Manquant de m'étrangler tant je pleurais à chaudes larmes, j'allai en titubant jusqu'au lit et m'y effondrai. Serrant les genoux tout contre moi, je parvins à rabattre les couvertures, mais les convulsions qui m'assaillaient étaient devenues incontrôlables. Je tendis le bras pour prendre la petite boîte où je dissimulais la poudre de Sofia, mais ne réussis qu'à la faire tomber par terre. Le couvercle s'ouvrit, et son précieux contenu se répandit. Telle une démente, je me précipitai pour en récupérer le plus possible. Mais avec mes doigts gourds, je ne fis que l'éparpiller davantage et au bout de compte, l'essentiel de la fine poudre alla se perdre dans les fils de l'épais tapis. Il ne restait plus rien, à part de vagues traces sur mes doigts, que je léchai en sentant le désespoir monter en moi. Le goût amer de la poudre se mêla à celui, salé, des larmes qui ruisselaient sur mes joues.

Épuisée, tout endolorie, je finis par accepter que c'en était fini de la poudre. Ne restait plus à présent que l'envie dévorante. Me coucher étant hors de question, je me forçai à passer une chemise de nuit d'une main tremblante et à refaire le lit. Ce n'était pas grand-chose, mais ce semblant d'ordre m'apaisa un peu. Toutefois, il allait m'en falloir bien davantage pour revenir à mon état normal. Cherchant autour de moi une source de réconfort, je vis le psautier posé à côté du coffre, là où je l'avais négligemment laissé.

Je retournai au lit avec, et prenant l'ouvrage dans la paume d'une main, je le laissai s'ouvrir au hasard. Mes yeux se posèrent alors sur ces mots délicatement inscrits :

L'Éternel garde les simples ; j'étais malheureux, et Il m'a sauvé.
Mon âme, retourne à ton repos, car l'Éternel t'a fait du bien.
Oui, Tu as délivré mon âme de la mort,
Mes yeux des larmes,
Mes pieds de la chute.
Je marcherai devant l'Éternel, sur la terre des vivants.

Je refermai l'ouvrage d'un geste brusque, sans songer une seule seconde que je pourrais l'abîmer. Quelle cruauté dans ces paroles, et ce qu'elles promettaient ! J'étais malheureuse, et Il ne m'avait pas sauvée. Je continuais encore à chuter, si loin de la terre des vivants. Je n'avais rien à quoi me raccrocher.

J'avais la gorge serrée et les yeux qui brûlaient lorsque je rouvris le psautier. Le regard voilé de larmes, je me mis à tourner page après page, lentement, mes doigts s'attardant là où elle avait dû poser les siens, comme si elle pouvait me communiquer son courage, sa joie… son amour.

Je ne me souviens pas de m'être endormie, mais c'est pourtant ce qui dut arriver car le cauchemar vint. J'étais derrière le mur, regardant par le petit trou. *C'est un jeu, il n'y a aucune raison d'avoir peur*, avait dit ma mère. Telles avaient été ses paroles, mot pour mot.

— Ne bouge pas, mon cœur, avait-elle ajouté. Et ne fais pas un bruit jusqu'à ce que je vienne te chercher.

Trois hommes étaient entrés dans la maison. Ils avaient tous l'air immenses, bien plus grands et forts que ma mère. L'un d'eux portait un chapeau de feutre marron qui lui cachait partiellement les yeux. Elle l'appela « frère ».

— Pourquoi es-tu ici ? demanda-t-elle.

— Tu le sais bien. (Il serra son poing droit dans sa paume gauche et fit craquer les jointures.) Où est l'enfant ?

— Chez des amis. Aldo, écoute-moi. Tout ce qu'on demande, c'est qu'on nous laisse en paix.

Il grogna et cracha par terre, ratant de peu les pieds de sa sœur.

— Tu aurais dû y penser avant de te marier à l'un d'eux.

— Mon mari est chrétien !

— Ton mari est un sale juif ! Tu nous as déshonorés ! Père boit à longueur de journée. Et mère… Elle ne fait que pleurer, et pleurer encore. Ça ne peut plus continuer comme ça.

— Dans ce cas, acceptez-le ! Nous pourrions former de nouveau une famille !

Elle tendit les mains, implorante. Les deux autres se placèrent de part et d'autre d'elle. Ils avaient l'air de s'ennuyer ferme.

— Une famille ? Tu n'es qu'une pauvre idiote, doublée d'une putain !

Oh, ça c'était un gros mot ! J'avais beau être petite, je le savais. Effrayée, j'en oubliai ce qu'elle m'avait dit et ouvris la bouche.

— *Mamma !*

Mon cri fut étouffé par le sien quand elle vit le couteau. Elle tomba à genoux, les mains serrées devant la poitrine. Le couteau se leva puis s'abattit, encore et encore. Les deux autres sortirent leur arme blanche et s'y mirent également. Le frère de ma mère criait, mais je n'entendais plus rien. L'incrédulité et l'horreur me consumaient tout entière.

Il fallait que je sorte d'ici ! Il le *fallait*. Que j'échappe au mur, à la peur et, surtout, à la certitude que ce que je voyais n'était pas le produit d'un esprit dérangé mais bien réel. J'avais assisté au meurtre de ma mère, et j'étais restée pendant trois jours piégée derrière le mur, à quelques mètres de son corps mutilé. Et tout cela était ensuite resté en moi, à couver telle une plaie purulente qui m'avait empoisonnée de l'intérieur. En un sens, la vérité était tout aussi terrifiante que le souvenir lui-même. Car cette fois-ci, je ne pouvais fuir – quand bien même chaque fibre de mon être me pousserait à le faire.

Je vis un puits noir et y plongeai, sans hésitation, pour échapper à la scène monstrueuse. Je me mis à courir de toutes mes forces. J'étais hors d'haleine, j'avais le cœur qui battait à tout rompre, mais je ne m'arrêtai pas, malgré les pierres anguleuses qui me blessaient les pieds, malgré le froid et l'humidité, malgré la nuit sans fin qui menaçait de m'engloutir. Je continuai à courir jusqu'à ne plus pouvoir avancer du tout. Alors, je m'effondrai et restai là, immobile, les bras serrés autour de mes genoux, tentant de me faire aussi petite que possible pour peut-être, enfin, disparaître à jamais.

— Francesca ?

Une voix d'homme : grave, familière.

— Francesca, tu m'entends ?

Curieux, comme question. Pourquoi ne l'entendrais-je pas ?

J'ouvris les yeux, lentement, et la première chose que je vis, ce furent des brins d'herbe – visiblement illuminés par une torche. Ils étaient si près de mon visage que je distinguais chaque goutte de rosée qui s'y était accrochée. J'observai le phénomène, fascinée. Si j'avais la capacité de me mouvoir, je n'en avais pas l'envie.

Je sentis des bras forts me soulever. Puis on m'enveloppa dans une cape, on me serra fort, contre un torse puissant, et on me porta.

— César ? fis-je d'une voix rauque.

Je ressentis comme une pointe de peur en moi. Que s'était-il passé ?

— Chut, me dit-il, et il continua sa marche, montant des escaliers, descendant un couloir, passant devant des gardes au visage de marbre, et arrivant enfin dans une chambre que je reconnus comme étant la sienne.

Je grimaçai quand il me posa sur le lit. Mes pieds m'élançaient, et le reste de mon corps était tout endolori. Je levai les yeux, et le vis qui se tenait debout près de moi. Son Éminence, qui Dieu merci ne portait pas sa tenue d'ecclésiastique, m'observa en retour. Elle avait l'air tout à la fois mécontent et inquiet.

Confuse comme je l'étais, je lui demandai en toute honnêteté :

— Que s'est-il passé ?

— Ça, il va falloir que tu me le dises, car je n'en ai aucune idée.

Sans attendre de réponse, il fit signe à son valet de chambre de venir. Le malheureux, qui faisait de son mieux pour se fondre dans le décor, s'approcha avec un plateau d'argent. César me mit d'office une coupe dans la main et referma mes doigts autour.

— Bois, me somma-t-il.

Vaguement, je me souvins avoir voulu prendre un verre. Ou plusieurs. Peut-être m'étais-je enivrée. J'avais mal à la tête, mais elle ne m'élançait pas comme après un excès de boisson.

Je trempai mes lèvres dans l'eau-de-vie, puis changeai d'avis et en pris une grande gorgée. Le liquide me brûla la gorge, mais me ranima également quelque peu. Soudain, je me rendis compte que j'étais en chemise de nuit sous la cape de César. Et pieds nus. Des pieds sales, et aussi ensanglantés.

— Je ne comprends pas, fis-je dans un souffle. Qu'est-il arrivé ?

— Je suis venu te voir dans tes quartiers il y a une heure de cela. Je pensais que tu serais endormie, mais il n'y avait pas trace de toi. Heureusement, plusieurs gardes t'avaient aperçue. Ils m'ont orienté dans la bonne direction.

— Qui était ?

Apparemment, tu courais « comme si tu avais le diable au corps ». Mais ne t'inquiète pas, ajouta-t-il avant que je puisse dire quoi que ce soit. Ils ne parleront pas.

Ce n'était pas à cela que je pensais : la mémoire venait brusquement de me revenir. Le cauchemar… Comment j'avais lutté pour fuir…

— Ils auraient dû te stopper, poursuivit César. Pour la peine, je les ai postés ailleurs.

Je ne lui demandai pas où, tant il y avait de possibilités, toutes plus désagréables les unes que les autres. Présentement, ma priorité était de rassurer César sur ma santé mentale. Ce qui n'était pas chose aisée car moi-même, je n'étais pas sûre de ne pas avoir irrémédiablement basculé dans la folie.

— Tu dois trouver tout ça très étrange, tentai-je.

— Laisse-moi voir tes pieds.

— Je peux m'occuper de…

— Bon sang, Francesca, fais ce que je te dis !

Réticente à l'idée de le mettre en colère, j'obéis. César les prit délicatement dans ses mains, et les observa avec soin.

— Ce n'est pas possible que tu te sois fait aussi mal en allant simplement au jardin.

— Est-ce là que tu m'as trouvée ?

Il acquiesça d'un signe de tête.

— Te souviens-tu d'un autre endroit où tu serais allée ?

Je secouai la tête.

— Tout ce dont je me souviens, c'est que le cauchemar est venu et que j'ai dû courir. Ça n'était jamais arrivé, avant.

Je tremblais tellement que j'eus le plus grand mal à lever le bras pour finir ma coupe.

— J'ai déjà entendu parler de gens qui marchent en dormant, proposa César.

— Mais je ne marchais pas : je courais.

— Pour aller où ?

— Je n'en ai aucune idée.

Il prit un air consterné – ou bien était-ce du dégoût ? – et me lâcha les pieds. À son valet, il lança :

— Amène-moi de l'eau, du savon et des bandages. Ensuite, rends-toi dans les quartiers de Donna Francesca, et prends des vêtements propres. (L'homme était sur le point de lui obéir lorsque César leva la main pour l'arrêter.) Où est ton couteau ? m'interrogea-t-il, en me regardant avec insistance.

— Mon couteau ?

J'en restais bouche bée. Pour sûr, les circonstances avaient de quoi le préoccuper, mais César me paraissait plus inquiet que de raison – sans compter que ses pensées prenaient une tournure passablement curieuse.

— Le couteau que je t'ai offert, s'exclama-t-il. Celui dont tu t'es servie à plusieurs reprises. Où est-il ?

Je ne savais pas, mais je pouvais toujours deviner.

— Sous mon oreiller.

Là où je le mettais toujours la nuit, comme il devait le savoir.

— Ramène-le aussi, ordonna César à son valet, qui avait bien du mal à cacher son affolement.

Il sortit prestement.

— Pourquoi ce soudain intérêt pour mon couteau ? demandai-je lorsque nous fûmes seuls.

Tout en parlant, j'allongeai mes jambes sur le lit, cherchant vainement une position confortable. L'alcool avait aidé, mais plus je reprenais mes esprits, plus j'avais l'impression d'avoir mal dans chaque parcelle de mon corps.

César soupira, et se laissa tomber dans le fauteuil le plus proche. En me regardant droit dans les yeux, il m'annonça :

— L'un des Espagnols a été assassiné.

Je retins mon souffle.

— Pas Herrera, tout de même ?

Non, Dieu merci. Il s'agit d'un domestique qui avait reçu l'ordre d'aller en ville pour ramener quelques catins au palazzo. En ne le voyant pas revenir, ils ont envoyé un garde le chercher. Il s'avère qu'il avait été poignardé.

J'étais choquée, et eus du mal à trouver mes mots.

— Pourquoi ? Qui ?

— C'est ce que tout le monde va chercher à savoir. Malheureusement, ajouta-t-il en soupirant de nouveau, tu n'as pas choisi le bon moment pour faire ce que tu as fait.

Je sentis les ténèbres descendre sur mon esprit, tel un brouillard maléfique. César partageait ma couche à l'occasion, mais (et bien plus important, de mon point de vue) nous partagions aussi une expérience, et une certaine vision de la vie. Il était quasiment le seul au monde à me connaître vraiment. Du moins, c'est ce que je croyais.

— Tu penses que je… ?

Il écarta cette possibilité d'un geste de la main.

— Étant donné la haine qu'ont réussi à s'attirer les Espagnols ici, et l'animosité grandissante envers Il Papa, n'importe qui aurait pu tuer cet homme. Mais tu peux être certaine qu'ils ont tous un alibi, vrai ou faux. Tous, sauf toi. Si ta petite escapade vient à se savoir, tu seras à coup sûr soupçonnée. Ils seront même un certain nombre à sauter sur l'occasion pour te faire porter le chapeau, à commencer par Herrera.

Je soupirai, et lui tendis ma coupe vide. César avait raison, à l'évidence. J'étais sur la sellette, et le resterais tant que je n'aurais pas découvert qui avait vraiment tué le domestique espagnol.

— Y a-t-il le moindre indice qui puisse nous orienter vers le coupable ?

— Tu penses bien qu'aucun témoin ne s'est fait connaître, répliqua-t-il en remplissant nos coupes. Et au vu de l'humeur de la populace, nous ne saurons peut-être jamais ce qui s'est vraiment passé.

Il s'assit à côté de moi sur le lit, vida sa coupe et me dit :

— Francesca, nous avons besoin de toi – mon père, Lucrèce et moi. La Famiglia a besoin de toi. Si quelque chose ne va pas…

Peut-être était-ce à mettre sur le compte de l'eau-de-vie, mais je ne pus m'empêcher d'éclater de rire. Vraiment, ne me voyait-il pas telle que j'étais ? Sale, échevelée, les pieds en sang, embarquée dans un véritable délire à la suite d'un simple cauchemar ? Comment pouvait-il s'imaginer qu'il y ait quoi que ce soit qui puisse *aller*, chez moi ? Ou peut-être refusait-il tout simplement d'admettre ce qui semblait pourtant de plus en plus évident, à savoir que je m'enfonçais dans la démence, peut-être de manière irrévocable ?

— Tu veux dire davantage que d'habitude ? ironisai-je. Sois

honnête, César. Ni toi ni moi n'avons jamais feint de croire que j'étais comme les autres.

Dans une indifférence suprême (et qui paraissait totalement sincère), il haussa les épaules.

— Si c'était le cas, tu ne serais d'aucune utilité à ma famille, sans compter que tu m'intéresserais beaucoup moins.

Comme tous les Borgia, César regardait le monde dans le miroir de ses propres désirs. Si quelque chose lui allait, c'était parfait, et peu importe que cela cause du désagrément aux autres.

— Oh, dans ce cas, ça en valait la peine.

Il me regarda d'un air de reproche.

— Francesca… Tu sais bien que je me soucie de ce qui t'arrive. Simplement, il faut être réaliste. Si tu ne te sens pas apte à protéger mon père…

— Tu feras quoi ? Tu trouveras un autre empoisonneur, plus capable ? C'est trop tard. L'assassin est déjà à Viterbe. Du reste, tu sais fort bien que ce genre de menace ne marche pas avec moi. Tout ce que cela m'incite à faire, c'est songer à toutes les choses que j'entreprendrais si vous, les Borgia, vous ne faisiez pas partie de ma vie.

Ce n'était pas la première fois que je pensais cela, ni même que je le disais. Plusieurs mois auparavant, après avoir laissé passer l'occasion de tuer le meurtrier de mon père au motif que la protection de la Famiglia passait avant tout, j'avais menacé de quitter ma charge d'empoisonneuse à la cour de Borgia. Au final, j'étais restée car je n'avais d'autre moyen d'accéder au pouvoir (dont j'avais besoin pour mener à bien la vengeance), et à la connaissance (dont j'avais une soif inextinguible).

Or, visiblement, César avait lui aussi réfléchi à ce que serait ma vie sans eux – et en était arrivé à une conclusion qui n'engageait que lui.

— Pour commencer, tu serais mariée à ce Pocco, fit-il.

Je recrachai l'eau-de-vie que j'étais en train de boire, et faillis bien m'étrangler.

— Quoi ?

— Tu sais, le verrier, Pocco.

— Rocco.

J'étais stupéfaite que César se souvienne même de lui, mais peut-être n'était-ce pas si étonnant que cela. Son Éminence avait beau être attachée aux choses matérielles, elle n'en avait pas moins un don pour voir au plus profond des âmes – de toutes les âmes.

— Tu l'aurais épousé, répéta-t-il.

— Je ne suis pas faite pour le mariage.

J'avais dans l'idée de mettre rapidement un terme à cette conversation, mais César ne l'entendait pas de cette oreille.

— Mais tu le serais, si tu étais différente. C'est ce que tu es en train de me dire, n'est-ce pas ? Tu aurais pu avoir une vie radicalement différente.

— Ton père et toi n'êtes aucunement responsables de cela.

Au contraire, grâce à mère Benedette, je savais à présent quelles forces malfaisantes m'avaient façonnée. Et aussi que je n'avais pas le choix : si je voulais les terrasser, j'allais devoir les affronter sans faillir.

Il reposa son verre, s'approcha de moi et me caressa les jambes, jusqu'à mes pauvres pieds tout abîmés.

— Tu ferais mieux de t'accepter telle que tu es. Et d'oublier tout le reste.

Oublier. Existe-t-il possibilité plus tentante… ou plus effrayante ? Pas de conséquence de nos actes, ni des actes des autres. Pas de souffrance, présente ou passée. Mais aussi, pas de promesse d'avenir, et pas besoin non plus de feindre quoi que ce soit au-delà de l'instant présent.

— Ce n'est pas aussi simple.

— C'est vrai ? (Sa main chaude remonta le long de ma cuisse.) Tu as déjà vu quelqu'un se faire torturer, n'est-ce pas ?

Une image me revint à l'esprit : une cellule dans les entrailles du palazzo de Borgia, sur le Corso. Cela se passait quelques jours avant que de simple cardinal, il passe au statut suprême de pape. L'un des hommes responsables de la mort de mon père avait été arrêté par ses hommes. Un exécutant, tout au plus ; certainement pas celui qui avait donné les ordres. Le reflet d'un couteau… Non celui que je possédais maintenant, mais celui que Borgia lui-même m'avait mis dans la main.

Tue-le, avait-il exigé.

J'avais obtempéré, autant par compassion que par haine pour cet homme qui avait laissé mon père agoniser dans le caniveau. Les deux aspects de la nature humaine, si contradictoires, et tellement liés.

— Alors, pourquoi te torturer ? poursuivit César. À quoi bon ?

— Je…

Que répondre à cela ? Comment lui expliquer ce qui me poussait à agir ?

— Tout ceci doit bien avoir un but, balbutiai-je.

Il éclata de rire. Le prince de l'Église, le futur pape, s'amusait de me voir m'essayer à la foi.

— Que crois-tu, que quelque part tu peux redonner leur équilibre aux balances ? La mort de ton père contre la mort de celui qui l'a tué ? Que tout peut être remis à plat dans le cosmos, et ainsi l'ordre être maintenu ?

Sur ces entrefaites le valet revint avec une bassine d'eau, m'épargnant la peine de répondre. Du reste, qu'aurais-je dit ? César avait mis des mots sur un désir que je ne savais même pas éprouver, mais que je ne pouvais non plus nier. Le cosmos en équilibre : sans surprise. Sans danger.

J'avais beau avoir l'esprit troublé, je savais reconnaître une chose inaccessible quand j'en voyais une.

César prit mes pieds dans ses mains chaudes et calleuses. Je protestai (faiblement), mais il insista pour nettoyer lui-même le sang et la poussière que j'avais accumulés lors de ma folle équipée nocturne. Ce faisant, il me dit :

— Je me soucie sincèrement de toi. Je sais que tu es convaincue du contraire, sous prétexte que je serais incapable de m'intéresser à quelqu'un d'autre que moi. Tout serait tellement plus facile si c'était le cas, mais ça ne l'est pas.

— César…

— Fais-moi confiance, dit-il d'un air fort sérieux.

Mon Dieu, comme j'aurais voulu. De toute mon âme, j'avais envie de m'abandonner à lui, de mettre mon destin entre ses mains et de ne plus me soucier de ce qui allait advenir. Mais c'était impossible. Le souvenir de ma mère, elle qui avait écouté son cœur, m'en empêchait. En guise de réponse, je lui ouvris mes bras.

Le valet fit de nouveau son apparition, mais nous voyant occupés, il se retira prestement après avoir laissé sur une table ce que son maître l'avait chargé de récupérer dans mes quartiers.

Plus tard, dans la lumière grise de l'aube naissante, Son Éminence le cardinal César Borgia s'arracha à mon étreinte et, dans le plus simple appareil, examina mon couteau dans tous les sens.

— Propre, affirma-t-il.

Je souris pour mieux cacher mon soulagement, mais certaines questions restaient en suspens : où étais-je allée, dans mon délire ? Et surtout, qu'avais-je fait ?

— En doutais-tu ? le raillai-je.

Il se pencha pour me caresser la joue.

— Bien sûr que non.

Je savais qu'il mentait, mais c'était sans importance. César m'avait conseillé de m'accepter et il avait raison, je n'avais pas d'autre choix. J'étais comme j'étais, et que Dieu me vienne en aide. Mon seul espoir résidait dans le fait d'affronter ce qui m'avait faite ainsi – et de l'anéantir.

16

— L'heure est grave, si un bouffon avec quantité de blagues juives dans son chapeau n'arrive même pas à arracher un sourire à des Espagnols ivres, s'exclama David d'un air las.

— C'est bien vrai, renchéris-je.

Nous nous trouvions dans les cuisines, où je m'étais rendue par sens du devoir, mais aussi parce que je savais qu'il me fallait absolument avaler quelque chose, sinon j'allais être malade. L'état de fragilité extrême dans lequel je me trouvais m'alarmait grandement. Pour la première fois, je comprenais combien l'instinct de se cacher pouvait être fort, et pourquoi, dans mon enfance, j'avais été incapable d'y résister.

David se tenait devant la marmite, et nous servait une généreuse jatte de bouillie d'avoine. Les préparations pour le déjeuner avaient beau battre leur plein, tout le monde – du plus grand des *maestri* au plus modeste des tournebroches – s'était découvert un besoin urgent d'être ailleurs au moment précis où j'avais fait mon apparition. Pour désagréable que ce fût, cela me donnait l'occasion de m'entretenir seule à seul avec David.

— Herrera réclame ta tête, m'annonça-t-il dès que nous nous fûmes installés à l'une des longues tables en bois. Il est convaincu que tu as tué son domestique.

Je fis la grimace. Si tout portait à croire que je n'avais rien à me reprocher, le fait de n'avoir aucun souvenir de mes allées et venues la nuit passée était extrêmement perturbant.

— Et à son avis, pourquoi aurais-je fait une chose pareille ?

— Une rumeur circule, répondit-il après quelque hésitation, selon laquelle tu aurais été possédée par des démons.

Et César qui croyait avoir banni tous les témoins avant qu'ils ne puissent parler.

— Je vois.

— Est-ce que tu vas bien ?

— Oui. (Cela commençait à devenir une habitude de mentir à mes amis, mais je ne voyais pas l'intérêt de l'inquiéter.) À ton avis, qui a vraiment tué ce domestique ?

— Je n'en ai aucune idée. Vu comme les braves citoyens de Viterbe tiennent les Espagnols dans leur cœur, cela pourrait être n'importe qui.

Sans le quitter des yeux, j'attaquai ma bouillie.

— Est-ce toi ?

Il y avait un temps pour tout, et donc aussi pour la discrétion ; mais il était déjà révolu. Nous en arrivions au point critique, et je devais savoir où j'en étais.

David posa sa cuillère, et me dévisagea d'un air incrédule.

— Tu n'es pas sérieuse, tout de même ?

— César a une théorie. Selon lui, tu te serais mis en tête que la papauté de Borgia aurait davantage de chance de survivre à la crise qu'elle traverse s'il faisait la paix avec ses ennemis. Mais Il Papa ne se lancera jamais là-dedans tant qu'il aura le soutien de l'Espagne. Herrera étant le neveu de Leurs Majestés très catholiques, le tuer détruirait non seulement l'alliance mais ferait aussi, en quelque sorte, office de revanche pour les souffrances que ces souverains ont fait subir à ton peuple.

— Et il a trouvé ça tout seul ? Il explique toujours les événements de façon aussi alambiquée, ton César ?

— C'est un grand amateur d'intrigues, je te l'accorde. Mais ça ne veut pas dire qu'il a tort.

David se laissa aller quelque peu en arrière et me regarda, un vague sourire au coin des lèvres.

— D'accord… Admettons que je sois l'assassin. Pourquoi aurais-je tué le domestique ?

— Peut-être a-t-il découvert quelque chose à ton propos qu'il n'aurait pas dû ?

— D'accord, mais pourquoi n'aurais-je pas déjà éliminé Herrera ?

— Parce que tu n'en as pas encore eu l'occasion ? Tu as dit toi-même que ses hommes étaient bien entraînés et on ne peut plus capables.

— Quand ils n'écoutent pas leur maître fulminer contre toi, ils me trouvent plutôt amusant. J'arriverais probablement à trancher la gorge du neveu chéri et de plusieurs autres avant qu'ils ne se rendent compte de quoi que ce soit.

— Dans ce cas, c'est que tu attends quelque chose.

Son sourire s'élargit.

— Je commence à y prendre plaisir, à ton petit jeu. Dis-moi, qu'est-ce que j'attends ?

Je connaissais trop bien David pour m'offusquer de son apparente réticence à me prendre au sérieux. Il n'aurait pas survécu si longtemps au combat pour son peuple s'il n'avait eu la capacité de dissimuler ses véritables pensées, même face à quelqu'un de résolument déterminé à les lui faire avouer.

— Tu as dit toi-même que si l'alliance était rompue, les ennemis de Borgia s'emploieraient sans tarder à provoquer sa chute. Il n'aurait donc pas le temps de se réconcilier avec eux… à moins que le mouvement ne soit déjà enclenché.

— Est-ce le cas ?

— Pas que je sache, mais cela ne m'étonnerait pas d'Il Papa. Il pourrait fort bien feindre d'être intéressé par une réconciliation pour pousser les Espagnols à relâcher Juan. Mais si les circonstances changeaient…

— S'il se trouvait quelqu'un pour éliminer Herrera ?

J'acquiesçai d'un signe de tête.

— Cela lui forcerait la main. Cela l'obligerait à faire de cette réconciliation une réalité.

— Continue. Tu m'as quasiment convaincu que c'était moi, le coupable.

J'admets avoir été un peu vexée, vu le peu de sérieux avec lequel il prenait mon problème.

— Il n'y a pas de quoi plaisanter, David. Toi comme moi savons que si Herrera vient à être tué, je serai probablement la première à être soupçonnée.

Son sourire s'évanouit brusquement.

— Tu fais référence au fait que plusieurs dizaines de personnes t'ont vue lui mettre un couteau sous la gorge ?

— Entre autres choses. Inutile de dire, si cela devait arriver, que Sa Sainteté n'aurait plus besoin de mes services.

Cela me coûtait, mais il fallait bien reconnaître que le sort d'Herrera et le mien étaient inextricablement liés. S'il mourait, en toute probabilité je mourrais aussi.

David hocha la tête lentement.

— L'alliance détruite *et* Borgia dépouillé de la protection que tu lui fournis. Tu as raison : il n'y a pas de quoi rire.

— Je suis contente de voir qu'on se comprend. Si c'est toi l'assassin, j'espère aussi que tu te rends compte de la faille dans ton plan. À la minute où l'on m'aura balayée de l'échiquier, les ennemis de Borgia frapperont. Et si cela arrive, on peut dire adieu à tout espoir d'éviter la guerre.

Je me levai, tout à coup pressée de partir.

— Et si au contraire tu n'es pas l'assassin, je compte sur toi pour m'aider à le confondre.

David soupira.

— Je vais me creuser la tête pour trouver d'autres blagues juives, et retenter ma chance. Mais Francesca, ajouta-t-il d'un ton plus sérieux, tu dois comprendre ce qui est peut-être vraiment en train de se passer ici. César a toutes les raisons de haïr Juan. Je suis bien persuadé qu'il n'aimerait rien tant que de le voir croupir dans une geôle en Espagne. Et si l'alliance est détruite, Sa Sainteté aura besoin d'une armée au plus vite. À ton avis, à qui en confiera-t-elle le commandement ?

Dans mon ventre, je sentis comme un nœud se former. Il avait raison, bien sûr, mais le plus grave était que j'aurais dû y songer moi-même. Et c'est ce qui serait arrivé si je n'avais pas été si confuse, ces derniers temps.

César ou David ? David ou César ? Deux hommes à qui j'étais profondément attachée, et l'un des deux s'était peut-être embarqué dans une partie d'échecs qui pourrait m'être fatale.

— Sois prudent, toi aussi, repris-je. Quelle que soit la véritable raison de ta présence ici, les prochains jours pourraient s'avérer fort dangereux pour nous tous.

Je le laissai méditer cela et entrepris de traverser les cuisines vides, puis la cour. En priorité, je devais trouver qui avait tué ce domestique. Mais comment accomplir cela quand quasiment personne au palazzo n'osait me regarder dans les yeux, et encore moins me confier quoi que ce soit d'utile ?

Un cri viril se fit entendre sur le terrain d'entraînement, derrière le palazzo. Par les arches de la loggia, j'aperçus Vittoro qui faisait faire l'exercice à ses hommes. En me voyant, il appela un lieutenant pour le remplacer et vint me rejoindre.

— Est-ce que tu vas bien ? me demanda-t-il tout de go.

Je me retins de soupirer.

— C'était un cauchemar, rien de plus.

— Tu conviendras avec moi que le moment était mal choisi.

— En effet. (N'ayant guère envie de m'étendre là-dessus, je changeai de sujet.) J'ai un service à te demander. Les gens en ville vont à coup sûr évoquer la mort de ce domestique, mais ils seront réticents à l'idée de me parler. Si je pouvais les y encourager d'une autre manière…

— Qu'as-tu en tête ?

— Peut-être Donna Felicia apprécierait-elle un peu de compagnie pour faire son marché ?

L'épouse de Vittoro, une matrone au corps généreux et d'humeur toujours gaie, mère de trois filles et grand-mère d'une horde toujours plus grande de *bambini*, avait insisté pour accompagner son mari à Viterbe, en arguant du fait qu'ils avaient suffisamment été séparés comme cela durant sa carrière.

Elle n'était pas venue seule, de surcroît. La famille entière (gendres inclus) était en résidence, et tout ce beau monde s'entassait joyeusement dans une petite maison non loin du palazzo. Pour moi, c'était la preuve que Vittoro s'inquiétait des conditions d'hygiène à Rome – mais aussi de sécurité, si d'aventure il y avait une catastrophe.

— Tu penses que les braves citoyens de Viterbe seront plus enclins à lui parler à elle qu'à toi ? en conclut-il.

Je haussai les épaules, tant c'était évident.

— Nous savons tous deux que les gens se sentent mal à l'aise avec moi, parfois, même quand ils ne savent pas qui je suis.

Comme s'ils avaient un don pour déceler ce qui est en dehors de la norme, et par conséquent dangereux.

Vittoro ne chercha pas à le nier, et se contenta de me prévenir :

— Tu comprends que je ne saurais accepter de la voir impliquée dans quoi que ce soit de dangereux ?

— Je veux simplement faire le marché avec elle, promis-je. Rien de plus. Du reste, il est aussi dans son intérêt que j'arrive à mes fins.

— Dans ce cas, d'accord. Mais une dernière chose.

J'attendis, sachant fort bien que je serais obligée d'accepter ce qu'il allait me demander. Vittoro avait déjà exprimé son inquiétude quant à mes visites à Santa Maria della Salute. S'il insistait pour que je lui dise ce que j'allais faire là-bas…

— Essaie de nous trouver des jarrets de veau, tu veux ? Cela fait des semaines que Felicia n'a pas fait sa recette avec les os à moelle, et j'en ai une soudaine envie.

En le gratifiant d'un petit sourire destiné à dissimuler mon soulagement, je lui promis qu'il en aurait bientôt dans son assiette.

Comme je l'espérais au vu de l'heure matinale, Felicia s'apprêtait à sortir lorsque j'arrivai. Mais auparavant elle dut débarbouiller l'un de ses petits-enfants, en aider un autre à faire ses lacets, et prendre le temps d'admirer la poupée qu'une troisième venait de lui mettre dans la main. Ses filles avaient manifestement prévu de sortir avec elle, mais en me voyant, Felicia leur fit signe de rentrer.

— Il y a du linge à laver, et de la couture à faire, sans compter les dalles de la cuisine à récurer, annonça-t-elle.

Plus ou moins dépitées, les filles obéirent en silence et nous fûmes rapidement seules. Une telle autorité, cela forçait le respect, songeai-je.

— Je veux bien t'aider, me répondit-elle lorsque j'eus expliqué la raison de ma venue. Mais je ne veux pas que ma famille soit impliquée là-dedans, compris ?

— Bien sûr, bien sûr. Il n'y a pas de quoi s'inquiéter, vraiment. Je cherche simplement à me mettre au courant des dernières rumeurs, c'est tout.

Elle me jeta un coup d'œil franchement sceptique, et me fourra un panier dans la main. Une fois en chemin, elle me dit :

— C'est affreux, ce meurtre. À ton avis, qui l'a commis ?

— C'est bien là le problème : je n'en ai aucune idée. J'espère glaner deux ou trois informations ici et là, pour m'orienter dans la bonne direction.

— Oh, mais tu en entendras bien davantage. Tout le monde va vouloir partager son opinion, pertinente ou pas.

— Dans ce cas, comment procède-t-on ?

Felicia fronça les sourcils sous son fichu noué avec soin, d'où sortaient quelques mèches rebelles émaillées de gris. Elle avait été jolie dans sa jeunesse, mais à présent elle était… autre chose, d'encore mieux. À la fois sage et pleine de vie. Je comprenais que Vittoro lui soit si dévoué.

— Le malheureux s'est fait tuer dans une venelle à l'arrière de la boucherie, dit-t-elle. Nous devrions commencer par là.

Nous nous y rendîmes, pour découvrir une fois arrivées que les lieux étaient remplis de curieux – et que le boucher était bien décidé à tirer profit de cette soudaine célébrité. Au final, nous n'y trouvâmes rien d'utile, que ce soit en termes d'informations comme de jarrets de veau. Heureusement, Viterbe était une ville suffisamment grande et prospère pour faire vivre plus d'un boucher. L'établissement rival, juste en face, était quasiment vide. En entrant, nous fûmes accueillies par un homme au visage rougeaud qui se tenait devant son billot, l'air morose.

D'une main experte, il s'appliqua à découper la quantité de rouelles spécifiée par Donna Felicia, tandis que celle-ci le complimentait sur la fraîcheur des carcasses suspendues à des crochets au-dessus de nos têtes. Je notai à cette occasion que son accent romain avait disparu au profit de sonorités moins marquées, plus douces à l'oreille.

— Mon mari vous en saura gré. Il n'aime rien tant qu'un bon plat de veau. Moi aussi, d'habitude, ajouta-t-elle avec un soupir, mais j'avoue qu'aujourd'hui l'appétit me manque. (Elle se pencha un peu, comme pour lui faire une confidence.) Je crois bien que les terribles événements d'en face m'ont davantage ébranlée que je ne l'aurais cru. Mais comment ces gens peuvent-ils continuer à acheter leur viande là où un homme a été assassiné…

— Oh, mais ils n'achètent pas, la coupai-je. Ils se contentent de rester là, bouche bée. Si vous voulez mon avis, la marchandise de ce malheureux doit se gâter à vue d'œil, et ce soir, il n'aura plus qu'à tout jeter.

Cette idée rendit le sourire à son rival, qui s'exclama :

— Quel dommage, pas vrai ? *Vlan.* Mais la victime était un Espagnol, après tout. Normal que les gens soient plus curieux que bouleversés. *Vlan.*

— J'imagine, oui, répliqua Felicia, vu la manière dont ils se sont comportés. Mais tout de même, je me demande bien qui irait jusqu'à en poignarder un.

— Je saurais pas vous dire. *Vlan*.

— Vous ne pensez tout de même pas que cela pourrait être quelqu'un d'ici ? m'enquis-je, le plus naturellement du monde.

— Possible. *Vlan*. Quelqu'un de la garnison, peut-être. Mais plus probablement, c'est l'un des leurs qui aura voulu faire un mauvais coup. *Vlan*.

Je ne pouvais écarter cette possibilité, mais je n'arrivais pas non plus à comprendre pourquoi Herrera et ses comparses chercheraient davantage d'ennuis qu'ils n'en avaient déjà. Lorsque nous eûmes quitté la boucherie avec le butin de Felicia dans son panier, je lui demandai :

— Eh bien, qu'en pensez-vous ?

— Un bon rapport qualité-prix, rétorqua-t-elle, mais il ne sait visiblement rien de ce qui est arrivé. Ne t'inquiète pas, il y a quantité d'autres échoppes. Quelqu'un saura forcément quelque chose.

En la voyant si confiante, je repris courage. Tour à tour, nous nous arrêtâmes chez un négociant en vins, qui nous affirma que c'était sûrement de la faute des Français car c'était bien connu, ces tricheurs produisaient un vin de qualité inférieure ; chez un fromager, pour qui le tueur était probablement turc, étant donné que (comme tout le monde le savait) ces gens-là excellent au combat rapproché au couteau ; et enfin, à l'étal d'une jeune marchande des quatre saisons qui espérait seulement voir partir les Espagnols et leurs démons au plus vite, car la calamité s'était suffisamment abattue comme cela sur Viterbe.

Nous finîmes par nous asseoir sur un muret en pierre pour reposer nos pieds fatigués, et en profiter pour déguster une poire tardive.

— C'est comme si personne ne voulait vraiment savoir ce qui s'est passé, commenta Felicia tout en s'essuyant le menton.

C'était exactement la réflexion que je venais de me faire, et je pensais en connaître la raison.

— Ils ont peur.

De Borgia et de ses possibles revers de fortune, car qui pouvait dire les conséquences que cela aurait sur leurs vies ? Et là où il y avait la peur, il y avait aussi souvent la colère… et la violence.

Felicia jeta son trognon de poire dans les buissons, et se tourna vers moi.

— Ils ne sont pas les seuls. Vittoro a insisté pour que nous venions tous ici car nous n'étions pas en sécurité à Rome, et pas seulement à cause des inondations et de la peste. Mais je dois dire que Viterbe s'avère être un refuge pour le moins hasardeux. S'il devait y avoir la guerre…

— Il faut espérer que non.

Elle leva un sourcil à la fois interrogateur et narquois.

— Espérer ? Est-ce que c'est ce que je suis censée dire à mes filles, quand elles s'inquiètent pour leurs enfants ? Qu'elles devraient *espérer* voir le pape l'emporter sur ses ennemis, toujours plus nombreux, toujours plus puissants ? Et que se passera-t-il s'il n'y parvient pas ?

Dans ce cas, ce serait la catastrophe pour nous tous, et Donna Felicia le savait aussi bien que moi. Il y avait peu de chances que même les plus innocents d'entre nous y réchappent. Je songeai à sa petite-fille et à sa poupée, et soupirai.

— Cela aiderait grandement, lui dis-je, si je trouvais qui a tué ce domestique espagnol.

— Pourquoi ? Quel rôle joue-t-il dans tout cela ?

— Je ne sais pas exactement, admis-je. Mais si j'arrive à le découvrir, je serai en mesure de mieux protéger Borgia et, par voie de conséquence, nous tous.

Elle plongea la main dans sa bourse et en retira une poignée de graines de tournesol, qu'elle me proposa. J'en pris plusieurs et les coinçai entre mes dents pour en ôter l'enveloppe. Nous crachâmes de concert.

— Dans ce cas, remettons-nous au travail, trancha-t-elle.

Nous retournâmes au marché. À mesure que la journée avança, nous fîmes d'innombrables arrêts, à des échoppes comme des étals (c'était tout de même incroyable que Viterbe en possède autant), et pourtant nous n'en apprîmes pas davantage. Mon panier s'était considérablement alourdi, une fois achetés figues, dattes, grenades, huile d'olive, bouquets d'herbes aromatiques, sachets d'orge perlé et de grains de poivre, chou frisé et chou romanesco, ainsi que quantité d'autres articles jugés essentiels par Felicia au bien-être de sa famille. Mes pieds déjà meurtris me faisaient mal, mon dos aussi, et quant à ma patience… Elle était à peu près à bout quand soudain, ma compagne se rappela que nous avions oublié le poisson.

— On va prendre un peu de morue, m'informa-t-elle, en donnant tous les signes d'être aussi fraîche et pleine d'énergie que lorsque nous nous étions mises en route. J'étais en admiration devant tant d'endurance, tout autant que je désespérais d'en posséder ne serait-ce que le quart.

— Et peut-être quelques anchois, ajouta-t-elle.

Je hochai la tête d'un air las. Nous nous postâmes devant l'étal de la poissonnière, et patientâmes pendant que deux ménagères débattaient du prix d'un hareng, tout en caquetant à propos du meurtre du domestique. Une fois qu'elles furent parties, Felicia lança d'une voix forte :

— Quelles bécasses. Elles n'ont aucune idée de ce qui s'est vraiment passé, vous ne croyez pas ?

La poissonnière, une vieille femme qui avait la cataracte à un œil et le nez constellé de veines éclatées, se contenta de hausser les épaules – ce qui ne l'empêchait pas d'avoir l'air ravie qu'on lui demande son opinion.

— Brutal, ce meurtre, fit-elle en ponctuant sa remarque d'un claquement de langue. Vraiment brutal. Le pauvre a reçu des coups de couteau sur tout le corps, et il y avait du sang partout. À ce qu'on m'a dit.

Felicia secoua la tête d'un air consterné.

— Mais qui aurait pu vouloir commettre un acte aussi atroce ?

— Si l'on en croit la rumeur, une catin du Prieuré.

Comme tout le monde le sait, il est très courant de trouver des bordels sur des terres appartenant à l'Église – là où ils sont le plus à même de fournir une coquette source de revenus aux fidèles serviteurs de la sainte Église. Ce nom d'enseigne était donc certes insolite, mais plausible – tout comme cette version des faits. D'après César, le domestique avait été envoyé chercher des catins pour les Espagnols. C'était peut-être donc réellement ce qui s'était passé.

— Mais pour quelle raison une catin l'aurait tué ? Vous avez une idée, vous ? demandai-je.

La vieille femme hésita, et Felicia s'empressa de renchérir :

— Allons, mon amie et moi ne sommes pas deux jouvencelles promptes à s'offusquer de ce que vous pourriez nous dire.

— Eh bien… il se pourrait qu'elle n'ait pas aimé la façon dont les Espagnols l'ont traitée. Étranges créatures que ces filles de petite vertu, n'est-ce pas ? On ne sait jamais ce qu'elles vont inventer.

— En effet, murmurai-je.

La femme s'approcha, me remplissant les narines d'une odeur de morue, de saumure et d'entrailles en décomposition.

— Ils ne devraient même pas à être ici, ces étrangers, cracha-t-elle. Et d'ailleurs ils n'y seraient pas, sans un certain Espagnol.

Je mis quelques secondes à comprendre qu'elle parlait de Borgia, qui était lui-même originaire de Valence. Ce rappel impromptu de l'antipathie suscitée par Sa Sainteté chez les habitants de Viterbe ne me disait rien qui vaille.

— Une catin, répéta Felicia d'un air songeur lorsque nous eûmes quitté la poissonnière avec suffisamment de morue pour festoyer les quatre vendredis à venir, sans parler du déluge d'anchois qui était tombé dans mon panier. J'imagine que c'est possible.

— Ce n'est pas si facile que cela pour une femme de tuer un homme, fis-je observer. Hormis avec du poison, naturellement. Dans tous les cas, la manipulation d'un couteau requiert de l'entraînement.

Comme celui que j'avais si judicieusement reçu de César. Mais il fallait bien avouer que j'avais un don naturel pour les armes blanches, aussi.

— Peut-être l'a-t-elle pris par surprise, suggéra Felicia, ou bien elle aura simplement été chanceuse.

— Peut-être…

— On peut continuer à chercher, si tu veux, proposa-t-elle.

C'était exactement ce que j'avais l'intention de faire, mais je ne voulais pas l'importuner davantage. Elle avait déjà été plus que généreuse de son temps.

— Je suis sûre que vos filles doivent se demander où vous êtes passée. Du reste, croyez-vous vraiment pouvoir porter autre chose ?

Dans un éclat de rire, elle admit volontiers que j'avais raison. Ensemble, nous remontâmes d'un pas lourd et traînant vers sa maison. Une fois devant sa porte, Felicia me salua, mais pas avant de m'inviter à dîner.

— Viens donc goûter mon plat, ce soir ; la recette que j'ai est véritablement succulente. Nous soupons plus tôt que Sa Sainteté, tu pourras être à l'heure à la salle des banquets.

Pendant un instant, je ne sus que faire. Je passais tellement peu de temps en compagnie de gens normaux que je n'étais pas certaine de savoir comment me comporter. Mais la gentillesse de Felicia et mon amitié pour Vittoro m'interdisaient de refuser.

— J'apporterai le vin, répondis-je. Sa Sainteté a un faible pour un bon chianti, quand elle mange du veau.

— Dans ce cas, nous boirons à sa santé, répliqua Felicia.

Je savais qu'elle en verserait également un peu par terre, en offrande… non aux anciens dieux, car seuls les véritables puissants peuvent se permettre une telle hérésie. Mais à un saint de son choix, qui en retour nous accorderait peut-être quelque faveur. Tout au moins, cela lui apporterait un certain réconfort d'y croire.

Et de cela on pouvait vraiment dire qu'il y avait pénurie à Viterbe, car à chaque moment qui passait l'ambiance semblait se dégrader. Ou peut-être était-ce ma propre mélancolie qui s'aggravait. J'écartai bien vite cette pensée, car avant de pouvoir m'attabler en compagnie de la famille Romano, il restait beaucoup à faire.

Je retournai dans mes quartiers et pris le temps d'appliquer un baume de ma composition sur les pieds. Ce n'étaient que des écorchures, mais à les voir ainsi, je ne pus m'empêcher de m'interroger de nouveau : où diable étais-je allée dans mon accès de délire ? Les sols du palazzo, pour variés qu'ils soient, étaient bien trop lisses pour provoquer ce genre de lésion. Au demeurant, si j'étais restée à l'intérieur, je n'aurais pas été aperçue par une poignée de gardes seulement.

J'étais donc manifestement sortie, mais pour aller où ? De retour dans le couloir, je regardai dans les deux directions. L'aile du palazzo où je logeais contenait quantité d'appartements destinés aux invités, mais le mien se trouvait un peu à l'écart des autres, dans un recoin. Juste à côté, une porte menait à un escalier en colimaçon qui donnait sur une ruelle perpendiculaire à la place.

Si j'avais pris ces escaliers la nuit précédente, ils ne me paraissaient en aucun cas familiers. Et la scène qui m'accucillit lorsque je débouchai dans la ruelle, pas davantage. Un chat somnolait dans la lumière de l'après-midi ; il leva la tête, et cligna des yeux dans ma direction en remuant la queue. Les pigeons qui roucoulaient au-dessus de moi se firent silencieux. Quant au sol, il était fait de petits pavés ronds et parfaitement lisses, sur lesquels il était tout bonnement impossible de se blesser.

Au bout de la ruelle, le sol devenait plus irrégulier et certains pavés étaient même cassés par endroits, laissant apparaître des arêtes coupantes. Avais-je traversé la place dans l'intention de me rendre à l'église où je voyais mère Benedette, dans ma détresse ?

De nouveau, rien ne me revint en mémoire.

Je fis un tour complet sur moi-même, regardant dans toutes les directions possibles et imaginables, mais aucun détail ne me frappa en particulier. J'avais quitté le palazzo, cela ne faisait plus de doute, et ma course effrénée s'était arrêtée dans le jardin. Celui-ci se trouvait à l'opposé de la place, non loin de la cour du palazzo et, au-delà, de la loggia ouverte qui surplombait la vallée du Faul.

M'étais-je rendue à l'arène où j'avais regardé César se battre en duel avec Herrera ? Le sol, là-bas, était sablonneux — et n'expliquait donc pas non plus l'état de mes pieds. Je m'y rendis tout de même par précaution, et en montant dans les gradins, je remarquai au bout une épaisse couche d'aiguilles de pin par terre, d'où partait la pente raide qui descendait dans la vallée. Les buissons qui la parsemaient, bas et plein de ronces, constituaient un abri idéal pour de petits animaux. Mais si par malheur quelqu'un venait à marcher là pieds nus…

Le souvenir de milliers d'aiguilles s'enfonçant dans mes plantes de pied s'imposa soudain à moi. Était-ce la douleur qui m'avait empêchée de plonger dans l'abîme, et poussée à retourner plutôt vers la sécurité du jardin ? Dans ce cas, c'était une bénédiction.

Une parcelle de terrain aplani attira alors mon attention. En m'approchant, je me rendis compte qu'un étroit sentier coupait à travers les épineux et longeait la pente jusqu'au palazzo. Cela expliquait certainement comment je m'étais retrouvée ici, mais pourquoi ? Où diable avais-je cru me rendre ?

Nulle part. Je ne courais pas vers une destination, non : j'étais en fuite. Une mystérieuse silhouette m'avait poursuivie. Un être vêtu d'une robe et aussi terrifiant que la Mort elle-même, rien de moins. J'en eus le souffle coupé, lorsque la mémoire me revint. J'avais fui le long de ce sentier, et m'en étais écartée suffisamment pour me prendre les pieds dans les ronces. Ensuite, je m'étais cachée. Là, dans une sorte de crevasse que je me souvenais à présent avoir aperçue cette première fois où j'étais venue chercher César à l'arène, le jour de notre arrivée à Viterbe — et que j'avais complètement oubliée jusqu'au moment où je m'étais retrouvée à chercher un refuge désespérément. Comme la grande majorité des collines dans les parages, les flancs de celle-ci étaient troués de quantité de minuscules grottes qui, pour la plupart, ne pouvaient loger qu'une seule personne. Dans l'une d'elles, j'avais cherché à me dissimuler. Le sol, lorsque je l'examinai, était encore tassé là où un corps (le mien) s'était allongé. Au moment propice, j'avais repris ma course vers le jardin, où César m'avait découverte. Mais non sans laisser quelque chose derrière moi.

Je m'enfonçai plus avant dans la petite grotte, pour suivre l'unique rayon de soleil, qui réfléchissait la lueur… du métal. Un couteau. Assez semblable au mien, bien que légèrement plus petit. Et parsemé de taches sombres.

Je pris l'arme, la levai vers la faible lumière, et inspirai profondément.

L'odeur de cuivre du sang (que je détestais tant) me prit à la gorge. *Brutal, vraiment brutal. Le pauvre a reçu des coups de couteau sur tout le corps, et il y avait du sang partout.*

L'état du couteau concordait avec ce que la poissonnière avait entendu dire. Il s'était enfoncé profondément et de façon répétée dans les chairs de l'Espagnol, jusqu'à ce que le malheureux succombe dans la froide nuit automnale.

Je ressortis d'un pas vacillant, le couteau toujours fermement en main, et après avoir jeté un rapide coup d'œil en direction du palazzo, je le fourrai dans la bourse dissimulée sous mes jupons. Si ce couteau venait à être trouvé… Si l'on se mettait en tête qu'il m'appartenait…

Je me mis en marche aussi calmement que possible en direction du palazzo, traversai la loggia, puis la grande salle, et ressortis par l'entrée principale. Une fois sur la place, je m'autorisai enfin à réfléchir. Je devais retrouver la fameuse catin. S'il vous plaît mon Dieu, faites qu'elle existe vraiment, auquel cas j'étais tout à fait disposée à croire qu'elle avait de très bonnes raisons d'agir comme elle l'avait fait, et qu'on devrait lui remettre la médaille de la ville en récompense — tout, du moment que j'acquérais la certitude de ne rien à voir dans cette affaire.

Il était hors de question que je remette ma visite à plus tard, et je me dirigeai sur-le-champ vers la grand-rue. À quelques pas des portes de la ville, je tombai sur le Prieuré, un solide bâtiment en bois et torchis de deux étages, doté de barreaux en fer aux fenêtres. Sa vocation était joliment résumée par une sirène dessinée sur l'enseigne au-dessus de la porte.

Un grand gaillard au visage rubicond, aux sourcils épais et à l'air résolument stoïque, se tenait à l'entrée. Il leva les yeux à mon arrivée, me détailla de la tête aux pieds, et s'exclama :

— On est jeudi.

— Effectivement. Quel fin observateur vous faites.

— On n'embauche pas le jeudi. Revenez samedi matin.

À y réfléchir, être prise pour une prostituée au chômage était bien moins insultant que de se faire traiter de sorcière possédée par des démons. Ainsi, ne tenant aucunement rigueur à ce rustre, je répondis :

— Je vous remercie, mais je ne suis pas venue vous demander du travail.

L'homme me scruta de nouveau, révisant visiblement à la hausse son estimation de mon rang — mais aussi, apparemment, de mes goûts.

— Oh, ça alors, excusez-moi. Dans ce cas, c'est à La Belle Pouliche que vous devriez aller, juste au coin. Ils ont davantage… de souplesse, au niveau de la clientèle. (Je devais avoir l'air perplexe, car il se sentit obligé de m'expliquer.) Ici, on se contente des choses habituelles. Entre un homme et une femme, quoi. Vous voyez ?

J'avais bien une petite idée, mais je voulais en être certaine.

— Rassurez-moi, il n'y a quand même pas de vrais chevaux, à La Belle Pouliche ?

— Grand Dieu, non. Si c'est ce que vous cherchez, c'est au Pigeonnier qu'il faut aller. Sur la route, à l'ouest de la ville. Un gros établissement : vous ne pouvez pas le rater.

Et moi qui croyais avoir atterri dans un trou perdu ! En définitive, Viterbe rivalisait aisément avec Rome en termes de divertissement.

— À la vérité, je suis ici pour parler au propriétaire.

L'homme fronça ses épais sourcils.

— À quel sujet ?

— Je travaille pour Sa Sainteté.

Aussitôt, le visage de l'homme s'éclaira. Borgia n'était peut-être pas populaire en ville, mais dans certains quartiers il parvenait encore à susciter de l'enthousiasme.

— On se demandait quand est-ce que le pape allait se manifester. Par ici, s'il vous plaît.

Je passai la porte du bordel et entrai dans une immense pièce ornée de tentures plutôt correctes, et meublée de plusieurs bancs de style romain où les clients devaient s'allonger pour, je présume, apprécier la marchandise. À cette heure-ci, l'endroit était désert. J'étais en train d'observer des grains de poussière danser dans le pâle rayon de soleil filtrant à travers les volets entrebâillés lorsqu'un mouvement dans les escaliers attira mon attention.

La personne qui descendait les marches n'avait l'air d'être ni homme ni femme, à moins qu'elle ne fût les deux en même temps. Elle faisait la taille d'un enfant de dix ans, mais avait la tête de quelqu'un de très vieux ; elle portait une longue robe en velours rouge qui dessinait ses formes généreuses, et dans les mains un tout petit chien sans aucun poil, aux immenses oreilles et aux yeux saillants. Je scrutai l'animal, fascinée. Pour sûr, c'était l'une des choses les plus laides que j'avais vues de ma vie, et pourtant, il était curieusement attachant.

Un toussotement poli me ramena à la réalité.

— Je m'appelle Érato. Et vous êtes… ?

— Francesca Giordano.

J'attendis, mais ce ne fut pas long. Pas long du tout, même.

Érato se raidit. Il… elle… descendit les dernières marches, s'arrêta juste devant moi, et s'obligea à sourire.

— J'ai entendu parler de vous.

— Très bien ; cela me facilite la tâche. Vous êtes la propriétaire des lieux ?

— Oui. Nous serions, bien entendu, ravis de servir Sa Sainteté.

— C'est exactement ce que j'attends de vous. Présentement, il a besoin d'informations, pas davantage, et rien qui ne vous portera préjudice. Tout ce que j'apprendrai ici, je le garderai pour moi.

Le chien retroussa ses lèvres pour révéler des dents pointues. Il émit soudain un long grognement féroce.

— Certes, répliqua Érato, mais je doute…

— Un Espagnol est mort en ville la nuit dernière. À ce qu'il paraît, c'est l'une de vos filles qui l'a tué.

— Une rumeur éhontée ! Lancée par mes concurrents.

Le chien aboya. De l'écume lui coulait sur le menton.

— Comme c'est mesquin, fis-je. Assurément, il doit vous tarder de clarifier les choses.

Érato soupira. Elle (j'avais décidé que c'était une femme, par simple commodité) tapota la tête du chien pour l'apaiser, et m'invita à la suivre.

— Ai-je vraiment le choix ? soupira-t-elle.

À sa suite, j'entrai dans une petite pièce douillette, et pris place dans le fauteuil qu'elle m'indiquait, face à un petit bureau. Après avoir posé le chien sur un coussin orné de pompons, elle m'affirma :

— Aucune de mes filles n'est impliquée dans cette affaire. J'en suis absolument certaine.

— Oui, renchéris-je, je vous crois volontiers. J'ai vu les barreaux aux fenêtres.

— Des grilles, corrigea Érato. Elles sont là pour décorer.

— Au temps pour moi. Je pensais qu'elles servaient à s'assurer que personne ne quitterait les lieux à votre insu.

Érato se pencha en arrière dans son fauteuil, et me dévisagea longuement.

— Puis-je vous offrir un verre de liqueur ? J'en ai une très bonne au citron, qui vient juste d'arriver de Sorrente.

En général, j'essayais d'éviter de boire en travaillant, mais vu les circonstances, il me semblait peu judicieux de refuser.

— Avec plaisir.

Elle fit tinter une petite clochette et un valet apparut presque aussitôt, ce qui me fit songer qu'il devait être posté derrière la porte. Une fois mon verre en main, je humai le liquide jaune d'un air approbateur. La présence des citrons était très forte, bien entendu, mais en dessous, je discernai une note de poivre, et… de laurier ?

— Excellent, rétorqua Érato quand je lui fis part de mes constatations. Vous avez le palais très fin.

— C'est plutôt recommandé, dans mon métier. Ainsi donc… vos filles étaient toutes ici, la nuit dernière ? Aucune d'elles n'a été appelée ailleurs ?

— Avec les inondations sur les routes au nord, il y a beaucoup de monde, en ville. Nous avons davantage d'affluence que d'habitude. Même avec une bonne raison, je n'en aurais pas laissé une partir.

— Les Espagnols n'ont pas demandé que quelqu'un d'ici soit envoyé au palazzo ?

— Pas la nuit dernière, et c'était tout aussi bien.

Je bus une gorgée de liqueur, et songeai aux vergers de citronniers situés au sud de Rome. Quand le vent souffle dans la bonne direction, leur parfum envahit la ville. Les Romains disent toujours qu'ils apprécient ces soudaines invasions d'odeurs de la campagne, mais c'est faux. Tout le monde est grandement soulagé, lorsque le vent s'apaise, de retrouver dans ses narines la puanteur familière (et tant aimée) du Tibre.

— Vous ne tenez pas à faire affaire avec eux ? m'enquis-je.

— Leur argent vaut bien celui des autres.

— Mais…

Érato haussa les épaules. Elle prit une gaufrette sur un petit plateau en argent et la donna à son chien, qui croqua dedans bruyamment.

— Ils boivent trop. La moitié du temps, les filles restent assises à ne rien faire.

— Et ?

— Et ensuite, elles se plaignent quand d'autres clients leur en demandent davantage.

Je hochai la tête en prenant une autre gorgée de liqueur.

— Cela ne doit pas vous faciliter la tâche.

Le chien se mit à lécher les doigts d'Érato avec le plus grand soin. Elle le laissa faire pendant quelques instants, puis ôta sa main.

— Comme chaque métier, celui-ci relève parfois de la gageure, expliqua-t-elle. Nos clients paient pour avoir une certaine qualité de service, mais les filles ne se montrent pas toujours à la hauteur.

— Et que se passe-t-il, dans ce cas ? Quand une fille décide de quitter votre établissement, où va-t-elle ?

Le gloussement émis par Érato de sa voix chaude et grave résonna dans toute la pièce.

— Voyons donc, elle épouse son client préféré, évidemment, celui qui vient la voir depuis des mois, lui offre des cadeaux et bien souvent paie uniquement pour faire la conversation avec elle. Elle s'enfuit avec lui dans une autre ville où personne ne la connaît, et commence une nouvelle vie en tant qu'épouse respectable.

Ainsi, voilà à quoi aspiraient les prostituées. En toute probabilité, pour certaines, le rêve avait vraiment dû s'accomplir. Mais pour la grande majorité…

— Non, sérieusement, où va-t-elle ?

— Ah, je vois que vous ne goûtez pas mon humour ; mais passons. En général, je leur recommande d'aller à Ostie. Le port est en plein essor, et une putain que l'on considère comme usée ici arrivera toujours à gagner sa vie là-bas. Sinon, elle finit dans la rue, et exerce son métier dans les venelles sombres.

— Comme celle où l'Espagnol a été tué ?

— Que voulez-vous dire par là ?

— Vous savez comment sont les rumeurs. Au départ, elles ne sont rien d'autre qu'une petite graine plantée dans l'esprit de quelqu'un. Une fille qui travaille dans la rue a vu quelque chose la nuit dernière. Elle l'a dit à quelqu'un. Cette personne l'a dit à une d'autre, et ainsi de suite. À un moment donné, quelqu'un s'est souvenu qu'avant cette fille travaillait ici, au Prieuré. L'histoire sonne mieux si elle y travaille encore. Et encore mieux si ce qu'elle a vu devient ce qu'elle a fait. Et c'est comme ça que vous vous retrouvez avec un problème sur les bras.

— Que je peux résoudre en…

— Donnez-moi son nom et dites moi où je peux la trouver.

Érato secoua la tête en soupirant.

— Il y a trop de passage ici, et quantité de filles…

— Une qui n'a pas suivi votre conseil et a préféré rester ici, à Viterbe. Peut-être avait-elle une raison d'agir ainsi. Un enfant ?

J'avais dit cela au hasard, mais pour une fois la chance était avec moi. Érato me regarda soudain d'un air exaspéré.

— Il aurait mieux valu pour elle qu'elle parte. L'enfant a fini par mourir, de toute façon. C'est ce qui arrive la plupart du temps.

— Mais elle est tout de même restée ?

— J'imagine qu'elle ne voyait pas trop l'intérêt de s'en aller, après ça.

— Et elle s'appelle ?

— Marie-Madeleine. Ce n'est pas son vrai nom, évidemment. Je la trouvais très prometteuse, et elle m'a beaucoup déçue. Aux dernières nouvelles, elle travaillait effectivement dans la rue, du moins quand elle n'était pas trop ivre pour se lever.

— Où puis-je la trouver ?

Érato en fronça le nez de dégoût.

— Dans un taudis, non loin de la rue des Tanneurs. Le dernier refuge de ceux qui sont dans le dénuement le plus complet. Je vous conseille de vous armer de courage, si vous comptez aller y faire un tour.

Idéalement, le tannage des peaux devrait être exécuté loin de toute habitation. Seulement, l'opération nécessite notamment de l'urine, qu'il est plus facile de recueillir chez les humains. Viterbe était suffisamment grande pour fournir cette matière en grande quantité, et donc posséder une petite mais visiblement prospère communauté de tanneurs. Je la dénichai, perchée au-delà des murailles, juste à côté d'un petit ruisseau à l'odeur nauséabonde et obstrué par des déchets de toutes sortes.

Tout être sensé serait retourné au palazzo pour solliciter une escorte auprès de Vittoro. Mais le bon sens n'avait jamais figuré bien haut sur la liste de mes vertus. Sans compter que ma conviction de jouer contre la montre s'intensifiait d'heure en heure.

Je n'eus aucun mal à trouver la via dei Conciatori : il suffisait de humer l'air. En respirant autant que possible par la bouche, je m'approchai d'une grande baraque en bois toute délabrée et de guingois. Une bonne bourrasque l'aurait fait dégringoler. Quelques femmes, l'air sur le retour mais probablement pas beaucoup plus âgées que moi, étaient assises dehors. Toutes tentaient de dissimuler tant bien que mal leur corps émacié sous des haillons, et la plupart regardaient fixement dans le vide. Toutefois, en me voyant, l'une d'elles tendit un bras efflanqué pour mendier.

— À votre bon cœur, Donna ? Vous auriez pas une petite pièce pour une pauvre fille qu'a pas eu de chance ? Vous serez bénie par tous les saints.

Je savais qu'elle songeait seulement à une piécette en cuivre, mais celle que je sortis de ma bourse était en argent pur – comme elle le détermina prestement en la frottant entre ses doigts. Quand elle vit que ceux-ci ne ressortaient pas noirs, elle m'observa avec méfiance.

— Que voulez-vous, Donna ?

— Je cherche Marie-Madeleine.

Elle étira sa bouche, se forçant à sourire. Elle avait des plaies aux commissures ; le mouvement les fit se fendiller, et elles se mirent à saigner.

— On est toutes des Marie-Madeleine ici, Donna. Vous ne le saviez pas ?

— Je cherche une fille qui travaillait autrefois au Prieuré. Elle a eu un enfant, qui n'a pas survécu. Si vous m'aidez à la retrouver, je vous donnerai un autre florin.

La tentation était irrésistible, et elle imaginait déjà pouvoir se sustenter, s'abriter, et rendre sa vie un peu plus tolérable – pourtant, elle hésitait encore.

— Quel genre de dame vient en un lieu comme celui-ci ?

— Le genre qu'il vaut mieux ne pas mettre en colère.

C'était cruel de dire cela, un peu comme de donner un coup à un chien malade ; mais cela eut l'effet escompté. La fille se mit debout précipitamment et, cramponnée à son florin d'argent, me fit entrer dans la baraque. Aussitôt, la nausée me guetta. Pour intense que la puanteur fût dehors, c'était encore pire dedans. Sous un plafond si bas que je dus presque me baisser, des dizaines de compartiments s'étalaient dans la pénombre. Certains étaient équipés d'un rideau en lambeaux destiné à donner un semblant d'intimité, mais la plupart étaient ouverts à tous les regards. En lieu et place d'une couche, de la paille crasseuse recouvrait le sol. Toutes les fenêtres avaient été condamnées, plongeant les lieux dans une perpétuelle obscurité et concentrant l'odeur fétide des corps sales, des excréments et du désespoir. Des hommes et des femmes au teint hâve nous scrutaient d'un air hébété ou regardaient simplement dans le vague, comme s'ils n'étaient plus tout à fait de ce monde. Certains étaient assaillis par des quintes de toux, mais d'autres paraissaient trop faibles pour faire quoi que ce soit à part gémir. D'autres encore étaient assis, le dos voûté, et se balançaient d'avant en arrière en fredonnant doucement, sans se soucier de rien.

Je ne pouvais imaginer des êtres humains vivre dans pire

déchéance. L'Église était censée s'occuper de ces misérables créatures, mais à Viterbe, qui était pourtant le fief des papes, on ne pourvoyait visiblement pas à leurs besoins : on les laissait plutôt vivre (et surtout mourir) sans aucun respect pour leur dignité la plus élémentaire, ni d'ailleurs pour leur âme.

En mon for intérieur, je me sermonnai en me disant que l'apitoiement n'était pas une option, que la situation était trop grave pour me laisser distraire. Mais comment nier le désarroi qui s'empara de moi en plongeant plus avant dans ce qui m'avait tout l'air d'être l'un des neuf cercles de l'Enfer décrits par Dante ? Assurément, le poète avait dû s'inspirer d'un endroit semblable à celui-ci.

Enfin, mon guide s'arrêta, puis pointa du doigt. Scrutant la pénombre, je distinguai vaguement une forme blottie contre un mur.

— Attendez-moi ici, précisai-je, car je doutais de pouvoir retrouver la sortie toute seule. Elle hocha la tête et recula de quelques pas, avant de s'accroupir.

Je me pliai en deux, et entrai.

— Marie-Madeleine ?

N'entendant aucune réponse, je m'approchai davantage. Ses cheveux étaient si sales et emmêlés que je n'aurais su en nommer la couleur. Elle avait les joues creuses et je vis, chez elle aussi, ces plaies révélatrices aux commissures des lèvres. Moins de six mois plus tôt, le grand Christophe Colomb était rentré de son expédition vers ce qu'il affirmait encore être les Indes, mais que des plus sages que lui avaient reconnu comme étant une *Novi Orbis*, un Nouveau Monde. Il avait ramené dans ses bagages plusieurs autochtones d'une beauté saisissante, une (très) petite quantité d'or, une étrange plante désignée sous le nom de tabac, et une maladie. L'un de ses sous-capitaines, Pinzón, avait débarqué de *La Pinta* avec d'étranges pustules sur tout le corps et une fièvre dévorante. Et il n'était pas le seul à en souffrir ; plusieurs de ceux qui avaient navigué avec le grand explorateur étaient frappés du même mal. En peu de temps, ces symptômes étaient apparus chez des prostituées de Barcelone, où un certain nombre de membres de l'équipage s'était ensuite rendu. Depuis, la maladie s'était propagée à une vitesse effrayante, répandue de ville en ville par les marins, les marchands, les pèlerins. Certaines de ses victimes y survivaient, mais les pauvres et les affamés payaient un lourd tribut. Manifestement, elle était arrivée à Viterbe.

— Je veux t'aider, fis-je en m'approchant encore.

C'était vrai, même si mon aide avait un prix. J'avais besoin qu'elle me dise ce qui s'était passé dans cette fameuse venelle à l'arrière de la boucherie. Mais je commençais à me demander si elle en serait capable.

Elle avait bien les yeux ouverts, mais ils étaient vitreux et elle ne cillait même plus. Elle puait le tord-boyaux, qui sert de refuge à ceux qui sont trop miséreux pour s'offrir ne serait-ce que de l'alcool de grain, et a bien souvent un effet délétère car il induit des absences, lors desquelles la personne semble être complètement hors du monde. Naturellement, c'est pour cette raison que ces pauvres âmes en boivent. Toutefois, alors que je me demandais comment j'allais bien pouvoir procéder, la malheureuse se mit à bouger. Se rendant soudain compte de ma présence, elle tressaillit et tenta de s'écarter.

— Là, tout va bien, dis-je prestement. Je ne vais pas te faire de mal. Je veux juste te parler.

Un immense soulagement m'envahit en constatant que, jusqu'ici du moins, elle n'avait absolument pas l'air de me reconnaître. Soudain, une sorte de gargouillis monta de sa gorge. Ses lèvres bougèrent, mais avec une certaine raideur. Je m'en approchai, dans l'espoir d'entendre ce qu'elle marmonnait :

— … priez pour nous, pauvres pécheurs. (Elle déglutit avec difficulté, et continua.) Je vous salue Marie, pleine de grâce, le Seigneur…

Sa voix s'éteignit, et elle eut l'air soudain désorientée.

La pitié s'empara alors de moi. Prise d'une impulsion soudaine, je tins ses deux mains dans les miennes et récitai, en la regardant dans les yeux :

— Je vous salue Marie, pleine de grâce, le Seigneur est avec vous. Vous êtes bénie entre toutes les femmes et Jésus, le fruit de vos entrailles, est béni. Sainte Marie, mère de Dieu, priez pour nous, pauvres pécheurs, maintenant et à l'heure de notre mort. Amen.

C'est l'un de mes nombreux secrets : malgré mon manque d'aptitude pour la prière, j'aime quand même de temps à autre m'adresser à Marie. Alors que le Tout-Puissant m'est totalement incompréhensible, la Vierge est pour moi plus concrète, et nettement plus accessible. Je me sentais particulièrement attirée par elle depuis que j'avais tué cet homme dans la basilique Santa Maria, plusieurs mois auparavant. La nef y est bordée de colonnes aux chapiteaux richement sculptés sur lesquels on devine, paraît-il, le visage d'une autre reine du paradis, Isis, car ils auraient été pris au temple qui lui est consacré sur le Janicule. Je ne sais comment, mais je m'étais mis en tête que la déesse comprenait l'acte que j'avais été obligée de commettre, et l'approuvait peut-être même.

Marie-Madeleine laissa échapper un profond soupir.

— Oui, murmura-t-elle. Oh oui.

Elle garda le silence un instant, puis :

— J'avais un bébé, avant. C'était le plus doux et le plus gentil de tous les petits garçons.

Je vis une larme couler sur sa joue livide. Pour ma part, j'avais la gorge serrée, sans aucun doute à cause de cet air vicié que je respirais. Je me reculai un peu mais gardai ses mains dans les miennes.

— Je peux t'aider, mais tu dois me dire ce que tu as vu dans la venelle.

Elle me regarda, comme si elle n'était pas sûre que je sois bien réelle.

— La venelle ?

— Celle qui se situe à l'arrière de la boucherie. Y étais-tu la nuit dernière ?

Lentement, elle hocha la tête. Puis quasiment aussitôt, je vis son visage se déformer par la peur.

— Ce n'est pas moi qui l'ai fait ! Je le jure, par tous les saints !

— Je te crois, répliquai-je promptement. Mais j'ai besoin de savoir ce que tu as vu.

— Rien… juste un homme. Il était avec une fille… Je ne l'ai pas bien vue, il faisait noir…

— Qu'as-tu vu, exactement ?

— Elle… lui a enfoncé quelque chose dans les côtes. Il est tombé. Le temps que je comprenne qu'il était mort, elle avait disparu depuis longtemps.

— Son visage était-il découvert ?

— Non… je l'ai à peine distinguée, je le jure.

— Un couteau ?

— Non, pas de couteau, juste du sang, qui coulait lentement. Jusque dans la rigole.

Il avait donc en fait été tué d'un seul coup de poignard ; peut-être asséné entre les côtes ? Pour qui savait y faire, le sang n'aurait pas giclé, il se serait simplement écoulé régulièrement comme la fille venait de le décrire. Et pas d'arme sur les lieux du crime, ce qui corroborait mes craintes : c'était le couteau que j'avais ensuite trouvé dans la grotte.

— Tu es absolument certaine que c'était une femme ?

— C'est ce que j'ai pensé parce qu'ils étaient en train de… vous savez quoi. Mais tous les goûts sont dans la nature, comme on dit. Sauf qu'il y avait quelque chose dans sa façon de bouger…

Une femme, donc, ou bien quelqu'un se faisant passer pour telle ? Dans tous les cas, je n'étais pas plus avancée ; ni disculpée, d'ailleurs. J'hésitai, ne sachant comment procéder. La rumeur comme quoi une fille du Prieuré avait tué l'Espagnol allait se répandre comme une traînée de poudre, et d'autres que moi allaient tenter de retrouver Marie-Madeleine. Si quelqu'un comme Herrera y parvenait, il n'aurait guère de mal à lui faire avouer tout ce qu'il aurait envie d'entendre. Elle pourrait même être encouragée à croire que la femme qu'elle avait vue dans cette venelle n'était nulle autre que moi.

Le plus simple pour moi aurait été de résoudre le problème sur-le-champ. J'avais toujours sur moi certaines substances qui auraient agi rapidement, et plus ou moins sans douleur. Mais je ne pouvais me résoudre à tuer une créature aussi innocente, en dépit du danger qu'elle représentait.

Lentement, je desserrai mon étreinte et me levai. Rome n'était peut-être pas l'endroit idéal où séjourner présentement, mais si je parvenais à la confier aux mains de Sofia, elle aurait peut-être une chance de s'en sortir. Il fallait agir vite ; avec un peu de chance, j'arriverais à la faire sortir de Viterbe avant la nuit tombée.

Ma guide se leva à son tour en me voyant émerger du compartiment. Promptement, je lui tendis un autre florin, puis en posai deux de plus dans sa main. Je profitai alors qu'elle les observait d'un air ébahi pour lui demander :

— Y a-t-il un endroit près d'ici où la transporter temporairement ?

— Je ne sais pas…

— Peu importe, juste un endroit où personne ne songera à aller regarder… un appentis, peut-être ?

La femme hocha lentement la tête.

— Peut-être, mais…

— Nous n'avons pas de temps à perdre… Aidez-moi.

Ensemble, nous relevâmes Marie-Madeleine et la fîmes sortir dans le couloir. Le cheminement fut lent et difficile (nous dûmes faire plusieurs arrêts pour laisser les deux femmes se reposer), mais nous retrouvâmes bientôt la lumière du jour. L'appentis n'était qu'à quelques mètres de ce taudis de malheur.

— Vous est-il possible de lui amener à manger sans qu'on vous voie ? m'enquis-je auprès de la femme quand nous eûmes porté Marie-Madeleine à l'intérieur.

Elle acquiesça d'un signe de tête, mais sans grande conviction.

— Je peux essayer. Combien de temps…

— Quelques heures, tout au plus. Si on la trouve, elle sera en danger, et tous ceux qui se trouvent autour d'elle aussi. Vous comprenez ?

— Oui. Je m'en charge, Donna.

J'étais bien obligée de me contenter de cela, mais pour faire bonne mesure, j'ajoutai :

— Quand tout ceci sera fini, vous serez récompensée.

Elle esquissa un pâle sourire, mais je me demandais si elle comprenait réellement ce qui se passait. C'était sans importance, de toute façon : je n'avais pas d'autre choix. Je pris congé, mais pas avant d'ôter ma cape et d'en recouvrir Marie-Madeleine. Ce n'était pas grand-chose, mais j'espérais que cela la réconforterait quelque peu. Aussi rapidement que mes pieds endoloris me le permirent, je retournai une fois de plus au palazzo.

18

C'était le milieu de l'après-midi. J'avais promis de souper ce soir-là avec Vittoro et toute sa famille. Si je demandais à être excusée, j'allais éveiller la curiosité du capitaine. La dernière chose dont j'avais besoin, c'était que Vittoro s'intéresse d'un peu trop près à mes activités. C'est ainsi que je me mis en quête de César, et le trouvai (à ma surprise, je l'avoue) dans la chapelle désertée.

Son Éminence était étalée de tout son long sur les marches de marbre menant à l'autel doré, au-dessus duquel trônait un retable en pierre finement sculptée. Il avait une bouteille de vin dans une main et un livre de Boèce (sa *Consolation de la philosophie*) dans l'autre. En me voyant entrer, César leva les yeux.

— Ne me dis pas que tu rentres seulement du marché ?

Je pris place à côté de lui, et répliquai :

— Je me demande bien pourquoi je me suis embêtée à aller glaner des commérages en ville, quand j'avais amplement de quoi faire ici.

— L'ennui suscite un intérêt malsain pour la vie des autres. À ce propos…, fit-il en indiquant d'un geste l'ouvrage. À ton avis, est-ce vraiment possible de se détacher de son malheur et de simplement accepter les épreuves en leur opposant l'indifférence ?

— Seulement si tu écris en prison en attendant ton exécution. Quelle autre attitude Boèce aurait-il pu adopter, selon toi ?

— Je suppose que tu as raison. Herrera ne cesse de me demander que tu sois soumise à la question pour la mort de son domestique. Il me rend fou.

— Ce qui explique ta présence ici, tu te caches de lui ?

César ne nia point, bien au contraire.

— S'il y a bien un endroit où je suis certain que le neveu préféré de Leurs Majestés très catholiques ne mettra pas les pieds, c'est celui-ci. Mais parlons d'autre chose. Ta petite expédition a-t-elle été couronnée de succès ?

— J'ai trouvé un témoin potentiellement fiable, mais je n'ai pas de certitude. Dis-moi, combien de fois l'Espagnol a-t-il été poignardé ?

— Une seule. Un coup rapide, entre les côtes.

Ainsi, Marie-Madeleine s'était vraiment trouvée là. Ce qui posait peut-être problème.

— Ton témoin est une femme ?

J'acquiesçai d'un signe de tête.

— Elle pense que l'assassin est une prostituée, comme elle. Mais j'ai bien peur que si elle tombe entre les mains des mauvaises personnes, elle n'avoue autre chose.

— À savoir, qu'elle te dénonce, toi ?

— C'est bien possible. Elle est malade, affamée, et souffre d'un accès de mélancolie. Tout cela la rend fort vulnérable.

Il me passa sa bouteille de vin. Je bus à même le goulot, puis l'entendis me demander :

— Où comptes-tu l'emmener ?

— À Rome, répliquai-je en lui rendant la bouteille. Tu te souviens de Sofia Montefiore ?

Ce n'était pas exactement d'un grand tact, étant donné que Sofia avait été mêlée à un plan (conçu par moi) visant à faire croire à ma mort, qui avait davantage bouleversé César que je ne l'avais prévu. D'ailleurs, il ne m'avait pas encore totalement pardonné.

— L'apothicaire juive ? Bien sûr que je me souviens d'elle. Tu penses qu'elle devrait recueillir cette fille ?

— Sofia a bon cœur.

Je m'abstins de préciser qu'en femme sensée qu'elle était, elle apprécierait également de pouvoir en apprendre le plus possible sur le mal qui rongeait Marie-Madeleine.

— Qu'a vu cette fille, exactement ?

— Juste assez pour affirmer que l'assassin est une femme.

— Et tu la crois ?

— Oui.

— Francesca… (Il hésita, et je savais ce qui allait venir ensuite ; pire, je ne pouvais même pas le lui reprocher.) Tu n'as toujours aucune idée de l'endroit où tu te trouvais pendant tout ce temps où tu as disparu ?

J'étais terrée non loin de l'arène, avec peut-être en main un couteau taché de sang. Mais avant cela…

— J'ai très peu de souvenirs, rétorquai-je. Toutefois, la fille, Marie-Madeleine, n'a pas du tout eu l'air de me reconnaître.

— Tu viens de dire qu'elle n'avait pas vu grand-chose.

C'était très désagréable de se faire rabrouer ainsi. S'il n'était plus aussi sûr que cela de mon innocence, je ne le dérangerais pas plus longtemps. Mais je n'abandonnerais pas pour autant la partie aussi facilement. C'était suffisamment dur pour moi de craindre pour ma santé mentale ; jamais je n'accepterais que César en fasse de même.

— Quelle raison aurais-je eue de tuer l'Espagnol ? ripostai-je. Et si l'on va par là, d'aller jusqu'en ville, pieds nus ? Je te rappelle que j'étais aux prises avec un cauchemar. Je me suis blessée dans les ronces derrière l'amphithéâtre, de cela je suis sûre. Mais rien ne prouve que je sois allée au-delà de la place.

— Ce n'est pas que je ne te croie pas, répondit César, un peu trop prestement. Tu as raison, le meurtre du domestique n'est peut-être vraiment rien d'autre que l'œuvre d'une catin prise d'un accès de colère. Quand veux-tu faire partir cette fille ?

— Avant la nuit. Plus vite elle aura pris la route, mieux ce sera. Malheureusement, j'ai promis à Vittoro et Felicia de dîner chez eux.

Il me lança un regard étonné : nous savions tous deux que je n'avais pas exactement une vie mondaine très active.

— Tu veux que je m'en charge à ta place ?

L'idée paraissait l'amuser, ce que je pouvais concevoir. Les empoisonneurs, quel que soit leur degré de talent, n'ont pas pour habitude de confier des missions aux princes de l'Église. Ce serait plutôt le contraire. J'étais prête à en passer par des cajoleries si nécessaire, mais je tentai d'abord la diplomatie.

— Si tu voulais bien te laisser persuader. Je n'ai personne d'autre vers qui me tourner.

Il prit ma flatterie pour ce qu'elle était (la simple vérité), et accepta de bonne grâce.

— Soit. Où se trouve-t-elle ?

Quand je le lui dis, il hocha la tête.

— J'ai entendu parler de cet endroit, mais je ne suis pas encore allé voir par moi-même.

— Eh bien si tu étais Dante, tu reprendrais aussitôt ta plume. C'est une honte d'invoquer la charité chrétienne, quand on tolère l'existence de telles horreurs.

C'était la première fois que je me permettais de critiquer aussi vertement le Vicaire du Christ sur Terre. Mais n'était-ce pas aussi son rôle de mettre en œuvre les enseignements du Christ ? Borgia aurait toujours des choses plus importantes en tête, malheureusement.

César ignora toutefois ma remarque avec panache.

— Va. Passe le bonjour à Vittoro, à sa charmante épouse, à ses ravissantes filles, à ses heureux gendres, et à sa collection grandissante de petits-enfants. Je m'occupe de ta Marie-Madeleine.

Je le remerciai sincèrement, mais en me relevant, je ne pus m'empêcher de lui préciser :

— Sois doux avec elle, s'il te plaît. Elle est… extrêmement fragile.

Inquiète à l'idée de sentir mauvais, vu ma récente expédition, je retournai ensuite dans mes quartiers pour me laver et me changer. Ma garde-robe s'était considérablement agrandie depuis mon entrée au service de Borgia, principalement sur l'insistance de Lucrèce, mais j'en avais laissé la plus grande partie à Rome – et à mon grand plaisir. Les tenues que j'avais emportées étaient simples et pratiques à porter ; plus important (de mon point de vue), elles ne nécessitaient pas l'assistance d'une servante. Mon jupon en laine vert sapin et ce corset en velours marron feraient très bien l'affaire.

Je refusais de porter mes jupons plus longs que nécessaire, comme cela semblait être la mode présentement, car je trouvais cela ridicule de devoir les coincer dans une ceinture pour arriver à marcher sans se prendre les pieds dedans. J'avais cédé devant l'obstination de Lucrèce, qui voulait voir mes corsages et autres corsets épouser mes formes afin de mettre en valeur la taille, que j'avais fine. J'étais d'avis que tout cela était pure bêtise, mais il ne m'avait pas échappé que lorsque je faisais un petit effort pour me conformer au style en vogue, on semblait légèrement plus à l'aise avec moi. J'arrangeai mes cheveux comme à l'accoutumée, enroulés en natte autour de ma tête, mais pour l'occasion j'y ajoutai une coiffe en velours noir, ourlée de soie et décorée de petites perles en ambre.

Comme toujours, je glissai mon couteau dans son fourreau, puis sous mon corset, mais se posa ensuite le problème de la bourse. J'allais l'emporter, bien entendu ; je ne pouvais m'imaginer sans. Mais le couteau ensanglanté que j'avais ramassé l'alourdissait, et la bourse cognait contre ma jambe quand je marchais. J'hésitai un instant, puis décidai de l'en retirer pour le cacher dans le double fond de mon coffre.

Lorsque je fus enfin prête, je me rendis en cuisine et m'appropriai plusieurs bouteilles de chianti au passage, puis me mis en marche vers la jolie petite maison que Vittoro louait à Viterbe. Le divin fumet qui en émanait me fit gargouiller l'estomac, venant me rappeler à point nommé que je n'avais pas mangé de la journée.

Vittoro vint m'accueillir à la porte. En lieu et place du condottiere à l'air solennel que je côtoyais habituellement, je saluai un homme à la mise froissée et quelque peu distrait par ses tentatives pour calmer l'enfant qu'il tenait dans ses bras.

— Les dents, m'informa-t-il en me faisant signe d'entrer. Il redonna le bambin à sa mère, une jolie blonde qui m'adressa un petit sourire avant de s'éloigner prestement. Derrière Vittoro, plusieurs hommes (les gendres, assurément) étaient occupés à assembler une table à partir de planches de bois et de tréteaux qu'ils entreposaient contre un mur en dehors des heures de repas. Vittoro servit le vin que j'avais apporté ; nous bûmes à la santé de Borgia et, comme je l'avais prédit, Felicia en versa un peu au sol en hommage, nous expliqua-t-elle, à Vesta, la sainte patronne du foyer – mais pour sûr elle voulait dire *déesse*, et non sainte.

La viande se révéla aussi savoureuse que les effluves l'avaient laissé entrevoir. Après la rude journée que je venais de passer, je sentis que je m'égayais lentement. Rien de tel qu'un repas pris en bonne compagnie pour chasser la plupart des démons, tout au moins pendant un temps. Nous terminâmes ce festin par une tarte aux poires faite par l'une des filles de Vittoro. Moi qui me cramponnais à ma solitude pour me protéger du monde extérieur, je savourai pleinement ce moment-là. Quand une petite fille rampa jusqu'à moi et monta sur mes genoux, je me figeai quelques secondes. Mais elle fourra son pouce dans la bouche et me sourit, ne me demandant visiblement rien d'autre que d'être là. Au bout d'un moment, elle s'endormit contre moi. Lorsque Felicia la prit, le plus délicatement possible, pour la mettre au lit, je fus étonnée de ressentir un tel vide.

Bien trop vite, le devoir m'appela. Après les avoir chaleureusement remerciés et leur avoir promis de revenir souper avec eux, je m'en retournai au palazzo pour être présente au dîner plus tardif (c'était la nouvelle mode) de Sa Sainteté. Il me tardait également de voir si César était revenu. Je ne fus pas déçue : il avait fière allure, dans sa tenue de velours noir et de soie pourpre, mais lorsque nos regards se croisèrent, il détourna les yeux.

Je fus obligée de patienter jusqu'à la fin de l'interminable repas, et de supporter les âneries habituelles des Espagnols, Herrera braillant par-dessus les autres que cette ville était abjecte, comme le prouvait bien l'ignoble meurtre de son domestique. J'étais prête à parier qu'il ne connaissait même pas le nom de ce malheureux, car jamais il ne le prononça, mais cela ne l'empêcha pas de nous rebattre les oreilles à son propos comme s'ils étaient inséparables.

De temps à autre, je le surpris à regarder furtivement dans ma direction. Je n'avais pas le don de Méduse, malheureusement, et échouai totalement à le changer en pierre. J'étais en train de songer combien ce serait pratique, de posséder un tel pouvoir, lorsque Borgia se leva enfin, indiquant par là que le dîner était fini.

En sortant de la salle des banquets, je tentai à nouveau d'attirer l'attention de César. À l'évidence, il m'évitait ; mais pourquoi ? Les préparatifs pour le périple de Marie-Madeleine s'étaient-ils avérés plus compliqués que prévu ? Avait-il changé d'avis ? Dans un cas comme dans l'autre, il aurait pu me prévenir. Je ne serais pas restée oisive pendant des heures, à festoyer, puis à subir le regard courroucé d'Herrera, si j'avais su qu'elle dépérissait encore dans l'appentis où je l'avais laissée.

Je n'étais pas loin de fulminer lorsque César réussit enfin à se dépêtrer des Espagnols. Pénétrant discrètement dans une alcôve, il me fit signe de le rejoindre.

Quand je fus nez à nez avec lui, je ne perdis pas de temps :

— Que s'est-il passé ? L'as-tu trouvée ? Est-elle…

Je voulais lui demander si elle était en route pour Rome, mais n'en eus pas le loisir.

— Ta Marie-Madeleine est morte, m'annonça César sans ambages. Je l'ai trouvée là où tu me l'avais dit. Elle ne portait aucune trace de violence sur le corps. C'était comme si elle avait simplement… succombé.

Une onde de choc m'envahit. Je savais bien que c'était une meurt-de-faim, malade de surcroît. Mais décéder aussi subitement, au moment même où elle allait être sauvée…

— Est-ce que quelqu'un a su te dire quelque chose ?

— Ils se sont tous éclipsés dès qu'ils nous ont vus, bien sûr. Je veillerai à ce qu'elle ait un enterrement décent, ne t'inquiète pas. Mais tu serais bien avisée de te taire à propos de cette femme.

Je mis un instant à comprendre ce qu'il me disait. Lorsque ce fut le cas, j'en eus la nausée.

— Tu crois que je l'ai tuée ?

— J'avoue que l'idée m'a traversé l'esprit, rétorqua-t-il, ses yeux noirs brillant dans la lumière des torches.

D'instinct, je sus que cela ne servirait à rien d'en appeler aux sentiments que César pouvait avoir pour moi. Tout, dans sa façon d'être, me disait que je faisais face non à un ami et un amant, mais à un prince implacable qui ne croyait pas davantage en la moralité qu'en l'immoralité, seulement aux opportunités.

Soit c'était cela, soit David avait raison et César tirait réellement les ficelles du complot visant à pousser son père à la réconciliation avec ses ennemis. Si c'était le cas, j'avais en toute probabilité servi Marie-Madeleine sur un plateau à son assassin.

Aussi calmement que possible, je répliquai :

— Je ne l'ai pas tuée.

Certes, j'y avais songé, mais un court instant.

— Il est possible qu'elle soit morte de causes naturelles, admit César. Mais ce n'est certainement pas le cas du domestique espagnol, et elle a été témoin de sa mort.

— Elle n'a pas vu le visage de l'assassin.

— C'est toi qui le dis.

Tel était le cœur du problème. Pouvait-on se fier à ma parole ? Dans mon accès de démence, m'en étais-je pris à l'Espagnol, avant de traquer puis d'assassiner la femme dont le témoignage aurait pu m'envoyer au bûcher ?

Lorsque je tuais, c'était en général par nécessité et avec le plus strict professionnalisme – hormis ces instances où les ténèbres s'étaient emparées de moi et où le passage à l'acte m'avait procuré un plaisir non feint. Cependant je n'avais jamais tué un innocent, ni même songé que je pourrais le faire un jour.

Mais qu'en était-il de César ?

— Tu n'as plus qu'à trouver l'assassin qui, aux dires de David, se cache à Viterbe, s'exclama-t-il en s'éloignant, dos tourné. Fais ça, et tout le reste sera oublié.

Et si je n'y arrivais pas, parce que David avait tort, ou simplement parce que je n'étais pas de taille à lutter ? Que se passerait-il, à ce moment-là ?

J'ai entendu dire qu'aux Indes, les fous sont considérés comme sacrés, et vénérés comme des demi-dieux. Ici, où le dieu d'Abraham nous tient sous son emprise, c'est bien différent. Les aliénés dépérissent dans un état de délire constant, quand ils ne sont pas condamnés comme des suppôts de Satan qui ne sauraient être purifiés que par le feu.

Seule dans cette alcôve, sentant l'obscurité de la nuit resserrer son étreinte sur moi, je n'étais plus sûre que d'une chose : j'avalerais une dose de mon poison plutôt que de me laisser rattraper par l'un de ces deux destins.

19

Cette nuit-là, je ne dormis pas. Comme si la méfiance de César vis-à-vis de moi et mes propres craintes à son égard ne suffisaient pas à me tenir éveillée, je découvris en revenant dans mes quartiers que ceux-ci avaient été fouillés. Les signes étaient subtils, mais impossible de s'y tromper : je n'avais pas amené suffisamment d'effets à Viterbe pour ne pas m'apercevoir qu'on les avait touchés. Mes soupçons furent éveillés quand je remarquai que le tiroir de la petite table à côté de mon lit n'avait pas été refermé complètement. Ma brosse à cheveux et mes peignes se trouvaient là où je les avais laissés, mais ils avaient été repoussés sur un côté. En examinant la chambre plus avant, je découvris que mes vêtements soigneusement pliés dans l'armoire étaient tous légèrement de travers, comme si des mains étaient passées à la hâte entre et dessous. Mes précieux livres, que je conservais dans un petit coffre en bois sur une table, s'y trouvaient toujours, mais dans un ordre différent de celui où je les avais disposés.

Pire, mon coffre à double fond avait été tourné couvercle contre le mur, chose que je n'aurais jamais faite. Je me précipitai dessus, en quête de signes indiquant qu'il aurait été forcé, mais à mon grand soulagement n'en trouvai aucun. Ce coffre (dont mon père m'avait raconté qu'il avait été fabriqué par un marin venu d'Orient) était lourd, en ébène massif. Son seul poids découragerait quiconque aurait pour mission de le crocheter rapidement.

J'en conclus que celui ou celle qui était venu ici avait dû procéder à la hâte, en profitant sans aucun doute de mon absence du palazzo. J'avais désespérément envie de croire que César n'était pas responsable de cet outrage, mais l'ombre du soupçon entre nous me faisait craindre exactement le contraire.

Je ressentis soudain une pointe d'envie pour la poudre de Sofia. Pour tenter de me changer les idées, je pris mon exemplaire de *La Cité des dames*, de Christine de Pisan, une étonnante Vénitienne, qui avait osé affirmer en son temps que la femme est l'égale de l'homme et mérite à ce titre le respect. Pour une telle hérésie on l'avait calomniée ; mais elle avait persévéré, ne renonçant jamais à défendre les vertus de notre sexe. Cette nuit-là, ses mots réconfortèrent mon esprit meurtri, et me donnèrent de la force pour affronter les peurs profondes et ancestrales qui menaçaient de m'engloutir.

À l'aube naissante, je finis par m'assoupir, assise dans un fauteuil. Mais bien trop vite, des coups frappés à la porte me ramenèrent à la réalité. Toute courbatue, je me levai pour aller ouvrir. Espérais-je, même fugacement, que César viendrait faire la paix et dissiper mes soupçons ? Je lui confierais que ma chambre avait été fouillée ; il me fournirait d'emblée une explication, ou mieux, il dirait n'en rien savoir mais me proposerait son aide pour trouver le coupable.

Renaldo laissa prestement retomber sa main quand j'ouvris la porte et passai la tête. Il avait l'air égal à lui-même (tendu, inquiet, anxieux), et pourtant il me fit un sourire qui paraissait vraiment sincère. Je ne savais pas exactement ce qu'on lui avait dit à mon propos (je ne l'ai jamais su), mais assurément, il le garderait pour lui.

— Vous êtes debout, dit-il. Bien. La pluie a cessé ; le soleil semble vouloir sortir. On pourrait se hasarder à dire que c'est une belle journée. Pour information, notre maître a annoncé son intention d'inspecter les fortifications entre ici et Orvieto. Nous sommes censés l'accompagner.

Un peu tardivement, je me rappelai que c'était la raison première de l'expédition de Borgia à Viterbe. Le fait que sa maîtresse du moment, l'exquise (et très jeune) Giulia Farnese, séjournât en ce moment dans son domaine familial non loin de là y était assurément aussi pour quelque chose.

— Quand partons-nous ? m'enquis-je.

— Prêtez l'oreille et vous entendrez notre maître rugir, répliqua Renaldo. Apparemment, nous aurions dû nous mettre en route aux aurores, et d'ailleurs c'est ce que nous aurions fait, s'il avait pensé à nous prévenir de ce départ imminent.

— Je dois faire mes bagages, et…

Mais Renaldo secouait déjà la tête.

— On voyage léger, ou on ne voyage pas. Prenez ce qui vous tombe sous la main, et tenez-vous prête. (Il lança deux sacoches de selle sur le lit.) D'accord pour ça, mais pas davantage, conclut-il en repartant précipitamment.

Maudissant Borgia et son éternel besoin d'activité frénétique, je m'empressai de fourrer sans ménagement des vêtements dans l'une des sacoches, en ignorant tout ce que Lucrèce avait consacré tant de temps à essayer de m'inculquer (à savoir l'art d'assortir les tenues), et priai simplement pour être correctement habillée le temps que durerait notre petite escapade. Dans l'autre sacoche, je glissai les accessoires essentiels à l'exercice de mon métier – y compris quelques substances qui, si on les administre à temps, peuvent servir d'antidote à un poison.

Au dernier moment, je me posai la question de quoi faire avec le coffre à double fond. Cette fois-ci, je ne serais pas absente pendant quelques heures mais au moins une nuit, et certainement la majeure partie de la journée suivante. Quiconque de suffisamment déterminé aurait tout le temps de trouver la combinaison, pour ardue que soit la tâche. Naturellement, il serait impossible ensuite de dissimuler le méfait, mais ce serait le cadet de mes soucis si l'on venait à trouver la preuve de ma soi-disant culpabilité. Je pris donc le temps de l'ouvrir et d'en retirer l'arme du crime, avant de la glisser dans ma bourse. J'hésitai un instant en voyant les divers poisons qui s'y trouvaient également, ainsi que la poudre de diamant destinée à tuer della Rovere. Mais je ne pourrais tout porter ; et par ailleurs, je doutais d'avoir affaire à un simple malandrin.

Ayant bien refermé le coffre, je balançai les deux sacoches sur une épaule et me rendis aussi vite que je pouvais à l'entrée du palazzo. En sortant sur la place, j'entendis effectivement Borgia gronder :

— Je m'en vais ! César, avec moi ! Vous autres feignants, restez couchés si ça vous chante, puisque vous ne savez rien faire d'autre.

En me retournant, je vis qu'aux fenêtres à l'étage s'était agglutiné un certain nombre de prélats, visiblement pris de court par la dernière lubie de Sa Sainteté. Exactement comme elle l'avait prévu, à l'évidence.

Il Papa n'était toutefois pas seul. Vittoro se trouvait là, en compagnie d'une centaine d'hommes d'armes, si ce n'était davantage. César avait déjà enfourché sa monture, tout comme Herrera et sa bande. Je regardai désespérément autour de moi pour trouver Renaldo, et fus soulagée de le repérer sur un grand et beau destrier gris, son écritoire portative sanglée à la poitrine. D'une main il maîtrisait son cheval, de l'autre il tenait les rênes du mien. En allant à l'écurie pour moi, l'intendant n'avait manifestement pas pris en considération mon aversion pour les équidés, et encore moins mon sérieux manque de talent en la matière. La jument alezane piaffait tant qu'elle pouvait, et s'ébrouait en roulant des yeux dans ma direction.

— Allons ! cria Borgia, avant de donner de l'éperon. N'ayant d'autre choix que de suivre, je lançai les sacoches sur la jument et grimpai dessus. Elle décocha une ruade ; mais la force du désespoir me fit tenir bon, et bien trop vite je me retrouvai à galoper le long de ces mêmes rues tortueuses où j'avais failli être piétinée par César et les Espagnols quelques jours plus tôt. Nous passâmes dans un grand tumulte, entre les aboiements des chiens et les sonneries des trompettes, et obligeâmes de nouveau les habitants à plonger sur les côtés pour ne pas se faire écraser. En un clin d'œil (du moins c'est ce qu'il me parut), nous avions traversé le marché et passé les portes de la ville. Les bannières rouge et or de la maison des Borgia flottaient au vent quand nous prîmes la via Cassia, en direction du nord et d'Orvieto.

À un moment donné, je parvins enfin à respirer normalement. Mais aussi à ajuster ma position sur la selle, tout au moins pour ne plus avoir l'impression de risquer à tout moment de me faire désarçonner. La jument se croyait à une course, qu'elle avait bien l'intention de gagner. Tous mes efforts pour l'en dissuader furent consciencieusement ignorés. Il ne me restait plus qu'à tenir, et à prier pour que Borgia ne tarde pas trop à ralentir l'allure.

Le temps qu'il réalise mon souhait, Viterbe était depuis longtemps derrière nous. Renaldo vint se poster à ma hauteur. L'intendant avait les joues toutes rouges et l'œil brillant – de toute évidence, cette petite aventure impromptue le rendait euphorique.

— Notre maître ne fait jamais les choses à moitié, n'est-ce pas ? s'exclama-t-il avec un grand sourire aux lèvres.

Eu égard au fait que mon postérieur me faisait l'impression d'être martelé contre une enclume et que les secousses remontaient tout le long de ma colonne, jusqu'à la mâchoire, il me semble avoir répondu avec un calme admirable.

— Un brin de modération ne serait pas nécessairement une mauvaise chose. Quelle mouche l'a piqué pour partir aussi précipitamment, le savez-vous ?

— M'est avis que c'est en lien avec une nouvelle apportée par les messagers. Ils avaient à peine mis pied à terre qu'il a annoncé notre départ.

— Mais vous n'avez aucune idée de ce que cela peut être ?

— Est-ce ce que j'ai dit ? Il s'avère que Sa Sainteté aurait gardé, depuis tout ce temps, un atout dans sa manche. Un atout qui surpasse même son ingéniosité habituelle.

Nous chevauchions suffisamment près l'un de l'autre pour que Renaldo puisse parler à voix basse. J'en fis de même.

— Qu'est-il encore en train de comploter ?

— Je n'ose le répéter ici, tant c'est audacieux. Mais si cela se précise, on comprendra mieux pourquoi il a quitté Rome au départ, et pourquoi il vient juste d'abandonner à leur sort tous ces prélats qui l'avaient accompagné à Viterbe.

— Renaldo…

J'étais partagée entre l'envie de lui faire des remontrances pour ses cachotteries et celle de l'implorer de satisfaire ma curiosité. Mais l'intendant ne s'en laissa pas conter.

— Contentez-vous de tenir les Espagnols à l'œil, me conseilla-t-il. Si ce que je soupçonne est vrai, ils vont avoir une bien mauvaise surprise.

Cela me réconforta suffisamment pour que je tienne ma langue. Les kilomètres défilèrent dans une sorte de brouillard, et à mesure que la matinée passa, l'air se réchauffa. Devant moi j'apercevais Borgia, qui paraissait de fort bonne humeur. Ce n'était pas vraiment le cas de César, qui arborait un air bien sombre. Je me demandais s'il était au courant de ce que tramait son père ou bien s'il avait été laissé dans l'ignorance, comme nous autres simples mortels.

Nous arrivâmes au lac de Bolsena, dont j'avais entendu parler mais que je n'avais encore jamais vu – du moins, pas que je sache. Car il était possible que je sois passée par ces rives avec mon père, en chemin pour Rome ; mais comme cette partie de mon enfance est à jamais plongée dans les ténèbres, je n'avais aucun souvenir des lieux. Toutefois, j'avais suffisamment de bon sens pour apprécier la beauté des paysages qui s'étendaient sous mes yeux. De verdoyantes collines descendaient jusqu'au bord de l'immense lac en forme d'ovale, au milieu duquel se dressaient deux îles minuscules. Il y avait une jolie petite ville à la pointe sud, d'où s'écoulait un fleuve qui allait ensuite se jeter dans la mer Tyrrhénienne. À quelque distance de la ville, on apercevait une villa. Visiblement, c'était notre destination.

—Allons-nous stationner là ? me demandai-je tout haut, au

cas où cela inciterait Renaldo à se laisser fléchir et à me révéler pourquoi il avait l'air si content de lui. Pour ma part, je me réjouissais d'avance à l'idée de pouvoir mettre une certaine distance entre mon postérieur et cette monture, ne serait-ce que temporairement. En revanche, je ne voyais aucun signe des fortifications que Borgia était soi-disant venu inspecter.

L'intendant m'indiqua le fleuve d'un geste.

— Voici le Marta. Joli nom, vous ne trouvez pas ? Un fleuve très commode, en tout cas. Il coule depuis le lac jusqu'au port de Corneto. L'intrépide voyageur qui voudrait éviter de passer par Rome (pour une raison qui n'appartient qu'à lui) pourrait y mouiller, puis emprunter l'un des nombreux esquifs qui sillonnent le fleuve dans les deux directions. Oh, regardez, il y en a justement un qui est amarré à côté de cette villa.

J'observai l'embarcation plate équipée de rames, et m'exclamai :

— Pour l'amour du ciel, assez ! De quel voyageur voulez-vous parler ?

Soudain, une lumière se fit dans mon esprit. Assurément, il n'avait tout de même pas…

— Borgia est venu ici pour rencontrer quelqu'un ? demandai-je d'un ton péremptoire.

À ma stupéfaction, Renaldo me décocha un sourire visiblement destiné à moquer mon ignorance et, dans un français chantant, récita :

— *Il vaut mieux être marteau qu'enclume.*

Moi-même je parle très peu français (et très mal), et je ne compris donc pas vraiment ce qu'il disait – hormis le fait qu'il faisait référence à un marteau. Mais tout cela n'avait guère d'importance. C'était le français qui comptait.

Les Français.

Les grands ennemis des Espagnols, dont le jeune roi belliqueux avait des vues sur Naples et comptait parmi ses alliés le cardinal della Rovere, le plus dangereux rival de la papauté de Borgia.

Vraisemblablement, cela voulait dire que nous entrions dans la fin de partie. Les joueurs allaient bientôt abattre leurs cartes, et je n'avais toujours aucune idée d'où le danger viendrait.

Je plantai mes éperons dans les flancs de la jument et partis au galop pour tenter de rattraper Borgia, qui se dirigeait vers la villa à toute allure. Les Espagnols se retrouvèrent derrière moi avec César, et à ce que j'en vis en les dépassant, ils n'avaient aucune idée de ce qui était en train de se tramer.

Je mis pied à terre devant la villa quelques instants seulement après Borgia. Une femme se tenait sur la terrasse en pierre qui surplombait le fleuve. Elle était jeune, d'une beauté exquise, et manifestement enceinte. Je la reconnus aussitôt, comme tous ceux qui arrivèrent derrière moi. Giulia Farnese, plus connue sous le nom de La Bella, avait la réputation d'être la plus belle femme d'Italie. À dix-neuf ans, avec ses longs cheveux dorés, sa peau veloutée et sa silhouette mince mais aux rondeurs féminines, elle était capable de rendre fou d'amour le plus droit des hommes.

Borgia ne faisait pas exception à la règle : il l'adorait et la choyait à l'excès. Sa décision, un mois plus tôt, de l'envoyer se reposer dans son domaine familial non loin d'Orvieto, avait été interprétée comme le signe que Sa Sainteté ne jugeait pas la ville totalement sûre pour sa maîtresse et leur enfant à naître. Et voilà à présent qu'elle venait l'accueillir dans cette villa sur les rives du Marta, visiblement enchantée de voir son amant.

De son côté, Borgia monta les escaliers quatre à quatre, avec la vigueur d'un homme bien plus jeune. Prenant ses deux mains dans les siennes, il les embrassa passionnément avant d'étreindre La Bella. Ils étaient en train de se dire des mots tendres à l'oreille lorsqu'un homme que je ne connaissais pas sortit de la villa, et alla se poster sur la terrasse.

Comme s'il était pris au dépourvu, Borgia tressaillit. Plongeant ses yeux dans ceux, si beaux, de sa maîtresse, il s'exclama suffisamment fort pour que tout le monde entende :

— Qui est-ce ?

Elle le gratifia d'un charmant petit rire, avant de répondre :

— Un éminent invité qui nous arrive de la cour du roi de France. Quand il a su que vous alliez arriver, il a demandé à rester pour vous saluer. J'espère ne pas avoir commis d'impair en acceptant ?

L'espace d'un instant, Borgia la regarda d'un air sévère ; puis, comme tout homme l'aurait fait à sa place, il capitula. Relâchant l'étreinte de sa bien-aimée, il se tourna pour saluer le Français, puis ils passèrent à l'intérieur. La Bella, dont le sourire avait commencé à vaciller, prit une profonde inspiration et s'affaissa quelque peu.

J'allai aussitôt la voir. Je me devais d'être solidaire avec elle, eu égard au fait que nous étions les deux seules femmes présentes ; mais j'avais également une autre raison de me préoccuper de son bien-être. Malgré tous mes efforts, La Bella avait perdu un bébé l'année précédente, à la suite d'un empoisonnement. Et voilà qu'à présent on l'arrachait du confort de sa maison d'Orvieto pour servir de couverture à un rendez-vous confidentiel entre Borgia et un Français. À sa place, je me serais sentie frustrée.

— Puis-je vous assister d'une quelconque manière ? m'enquis-je lorsque je fus auprès d'elle.

Quand elle me reconnut, il me fit un sourire et secoua la tête.

— Non, je suis juste un peu fatiguée, et soucieuse, vous… vous comprenez.

Je comprenais même fort bien. Servir un homme aussi puissant et entêté que Borgia n'est jamais aisé, en quelque qualité que ce soit.

Je la pris par le bras et nous entrâmes dans la villa. Derrière moi, j'entendis Herrera lancer un grognement rageur, et me retournai à temps pour voir César hausser les épaules d'un air impuissant. Apparemment, l'Espagnol venait d'apprendre l'identité de l'homme avec qui Sa Sainteté avait cet entretien inopiné.

L'idée selon laquelle un émissaire du roi français se serait trouvé, par le plus grand des hasards, dans les environs du lac de Bolsena au moment même où Borgia venait y voir sa maîtresse, ne dupait personne – d'ailleurs, c'était toute l'idée. Il Papa avait emmené le neveu chéri de Leurs Majestés très catholiques précisément pour qu'Herrera assiste à ce rendez-vous, et le rapporte ensuite à Ferdinand et Isabelle.

— Qui est l'émissaire ? demandai-je à Giulia en l'accompagnant dans ses beaux appartements dans les tons de blanc et doré, qui donnaient sur le lac. Prise d'un long soupir, elle s'assit dans un fauteuil. Je pris place sur le tabouret à côté.

— Le comte François de Rochanaud, ministre du roi, répondit-elle enfin. Un homme charmant, au demeurant.

Pour sûr il devait l'être avec La Bella, mais j'avais dans l'idée qu'Herrera ne serait pas de cet avis-là. L'incroyable manœuvre de Borgia me stupéfiait. Alors que tous les yeux étaient braqués sur l'alliance avec les Espagnols et les menaces qui l'assaillaient de toutes parts, Borgia était parti dans une direction totalement inattendue. Cet entretien avec un émissaire français (de haut rang, qui plus est) démontrait aux Espagnols qu'il était bien moins tributaire de leur soutien qu'ils ne le croyaient. Il restait Borgia le Taureau, un dirigeant sans égal. Ses ennemis lui seraient toujours inférieurs, et n'avaient aucune chance de le battre. Une fois cet épisode clos, il serait encore sur le trône de Saint-Pierre, et eux à ses pieds.

C'était pure audace, bien entendu. Borgia était lui-même espagnol ; jamais il ne préférerait les Français à ses compatriotes, pour pénibles que ceux-ci fussent avec lui. À moins que, bien sûr, les circonstances ne l'y obligent.

— Je ne savais pas qu'il venait avec les Espagnols, poursuivit Giulia d'un ton las. Pensez-vous que ce soit un sage calcul ?

— Apparemment, il veut s'assurer que le roi Ferdinand et la reine Isabelle comprennent qu'il a d'autres options, hormis l'alliance avec eux, expliquai-je.

— J'imagine, concéda La Bella. (Elle fit glisser ses chaussures au sol et remua ses petits orteils enflés.) Je pense que je vais dîner ici, ce soir. Vous êtes la bienvenue, si vous voulez vous joindre à moi.

Je la remerciai de sa prévenance, mais déclinai l'invitation. C'était fort mesquin de ma part, mais je voulais voir la réaction d'Herrera par moi-même, pour mieux la savourer.

Je laissai par conséquent La Bella se reposer, et me mis en quête d'une chambre que je pourrais investir pour la nuit. Tout à coup Renaldo se matérialisa devant moi. Le pauvre homme était à l'évidence dans tous ses états.

— Ils menacent de partir ! s'écria-t-il. Herrera est hors de lui, et hurle à qui veut l'entendre qu'il ne restera pas une minute de plus ici. Il dit que l'insulte qu'on lui a faite est intolérable, et qu'il retourne à la cour d'Espagne séance tenante.

Pour alléchante que l'idée fût, elle me paraissait hautement improbable.

— Pour leur dire quoi, exactement ? Que l'alliance est caduque parce que le neveu bien-aimé a trouvé meilleur stratège que lui ?

Cela redonna le sourire à l'intendant.

— J'ai entendu César lui dire de partir si tel était son souhait, mais qu'en agissant ainsi il cédait du terrain aux Français.

Curieuse de voir ce qu'Herrera allait faire, je suivis Renaldo jusque sur la terrasse. En chemin, je pris le temps de lui poser la question qui me turlupinait depuis un moment :

— Comment avez-vous compris ce qui se passait ?

Il s'assura qu'aucune oreille ne traînait dans les parages, puis m'expliqua :

— Sa Sainteté m'a confié personnellement la mission d'envoyer des vivres à la villa. Je me demandais bien pourquoi. S'il s'était agi d'Orvieto, j'aurais pensé qu'Il Papa prévoyait de faire une petite visite à La Bella, mais ici ? Alors, j'ai cherché quel était l'intérêt d'un endroit comme celui-ci : le fleuve, bien sûr. Un visiteur souhaitant rencontrer Borgia en toute discrétion ne pouvait venir à Rome, ni à Viterbe d'ailleurs. Les prélats auraient tous crié au scandale, et chacun aurait voulu avoir voix au chapitre. Mais ici, c'était parfait, car le temps que la nouvelle se sache, il serait trop tard pour faire quoi que ce soit.

— Borgia gaspille vos dons, à vous employer comme intendant, répliquai-je, admirative. Vous devriez plutôt être son comploteur attitré.

Renaldo gloussa.

— Cinq contre trois que les Espagnols restent. Qu'en dites-vous ?

Je secouai la tête.

— Je ne joue pas. Mais allons voir ce qu'il en est quand même.

Nous arrivâmes sur la terrasse juste à temps pour voir César passer un bras sur l'épaule d'Herrera et sourire, comme s'il était vraiment de bonne humeur. Autour d'eux, les chiens sautaient et glapissaient, et les écuyers se hâtaient de préparer les chevaux. Le neveu chéri n'avait pas l'air du tout apaisé, mais au moins il s'était laissé persuader de retourner à la chasse plutôt qu'en Espagne.

J'aurais dû me sentir soulagée – et sans doute l'aurais-je été, si je n'avais été pleinement consciente du fait qu'en restant, Herrera continuait à être une cible de choix. Peut-être même de l'homme qui, présentement, faisait tous les efforts du monde pour apparaître comme son ami le plus cher.

20

L'émissaire français et Sa Sainteté restèrent cloîtrés tout l'après-midi. Quant à ce qu'ils avaient à se raconter, personne ne le sut car aucun valet, secrétaire, ni même membre de la suite ne fut autorisé à entrer dans le cabinet privé. Les deux hommes maîtrisant fort bien le latin, rien ne pouvait entraver leur conversation ; en revanche, il y avait fort à parier que l'intimité de ce tête-à-tête allait vexer les Espagnols encore davantage.

Borgia étant occupé et César absent, je me mis en quête d'une chambre pour moi ; au bout d'un moment, j'en dénichai une, petite mais agréable. Songeant aux intrus qui avaient visité mes quartiers à Viterbe, je pris mes précautions en laissant quelques affaires éparpillées ici et là, afin de donner une apparence de désordre qui en réalité m'alerterait tout de suite si quelqu'un venait en mon absence. Je veillai également à mettre le coffret en bois contenant mes réserves à l'abri. J'ai souvent constaté dans les maisons qu'il y a une ou deux lames de parquet faciles à soulever, avec suffisamment d'espace en dessous pour y dissimuler de petits objets. La villa ne faisait pas exception.

Exténuée comme je l'étais par cette folle chevauchée matinale, je dus résister à l'envie de m'allonger, et décidai de me changer les idées en allant inspecter les cuisines de la villa. Le personnel, envoyé du domaine familial de La Bella, me connaissait de nom et de réputation. Comme il se doit, je fus accueillie par des messes basses et des regards anxieux – que j'ignorai superbement.

Ce soir-là au dîner, Sa Sainteté allait festoyer d'alose truffée aux huîtres dans une sauce au basilic, puis de canard du lac de Bolsena passé au gril et accompagné de cerises à la liqueur, et pour finir d'une succulente crème aux œufs, au citron et au gingembre. Je mis un point d'honneur à goûter chacun de ces plats, mais en très petite quantité. Je n'arrivais pas à faire abstraction de la nausée qui, je le sentais, recommençait à me gagner. Cela me coûtait de l'admettre, mais ces problèmes d'estomac et la fragilité de mes nerfs étaient certainement dus à l'état de manque dans lequel je me trouvais après avoir été privée de poudre autant de temps. Les avertissements de Sofia ne me paraissaient plus si excessifs, à présent.

Le soir venu, quand tout le monde vint s'attabler dans la petite mais élégante salle à manger de la villa, Borgia paraissait de bien meilleure humeur que précédemment. Il arriva directement de ses consultations en compagnie du comte de Rochanaud, et à les voir on aurait cru qu'ils étaient amis depuis toujours.

Herrera, par contraste, avait l'air d'être d'une humeur de chien.

— La chasse ne s'est pas bien passée, me confirma Renaldo, après m'avoir rejointe près du mur où je me tenais de manière à observer ce qui se passait sans pour autant y être mêlée. Soit les cerfs par ici sont trop rapides, soit Herrera a été trop lent, mais toujours est-il qu'ils sont revenus les mains vides.

— Peu importe, fis-je, de toute façon les cuisiniers se sont surpassés.

Borgia et le comte avaient l'air du même avis, car ils attaquèrent avec bon appétit. Herrera, en revanche, ignora complètement l'assiette qu'on avait posée devant lui et se mit à boire. À plusieurs reprises, je le surpris à m'observer. Je feignis de ne pas le remarquer, mais à la vérité j'aurais été bien sotte de ne pas sentir son animosité, ou de ne pas me demander jusqu'où il serait capable d'aller pour m'anéantir.

L'émissaire français, qui s'avérait être un fin diplomate, s'efforça de lui être agréable – et se fit grossièrement rabrouer. Il fit mine de ne pas relever et, avec le sourire de l'homme d'expérience, se tourna vers César.

À mesure que la soirée avança, il me fut de plus en plus difficile de lutter contre la fatigue qui m'accablait. Je n'osai même m'appuyer contre le mur, de crainte de m'assoupir. En me voyant dans un tel état, Renaldo m'enjoignit de me retirer.

— Hormis Herrera qui va continuer à s'enivrer et à bouder, renchérit-il, il ne va rien se passer. Nous repartons demain pour Viterbe. Vous devriez vous reposer un peu tant que vous le pouvez.

Savoir que j'allais me retrouver sur un cheval dans quelques heures finit de me décider. Je hochai la tête en guise de remerciement, et pris congé de Renaldo.

La villa avait beau ne pas être grande, j'étais si lasse que je me trompai de couloir, et perdis un temps considérable à retrouver la chambre que je m'étais arrogée. Ne songeant plus qu'à m'écrouler sur mon lit, j'ouvris enfin la porte.

Et trouvai une scène de désolation.

La pièce était sens dessus dessous. Le matelas avait été jeté contre l'armoire. Les rideaux de lit arrachés, et mis en boule par terre. Mes vêtements étalés partout et les sacoches de Renaldo éventrées. Les tables, le fauteuil et les deux tabourets lancés contre les murs, avec une telle violence que la plupart seraient irréparables.

Mais ce n'était pas le pire. Deux hommes étaient en train d'arracher les lames de parquet qui me servaient de cachette quand ils me virent. Soudain, l'un des deux se leva et en un bond fut sur moi.

J'étais en état de choc, mais Dieu merci, mon instinct entra en action. En une seconde, j'avais sorti le couteau de son fourreau et le pointais dans sa direction.

— N'approche plus ou tu meurs, déclarai-je calmement.

Il hésita, mais seulement le temps d'appeler son comparse au secours. Que croyaient-ils ? Que malgré ma redoutable réputation, je n'étais qu'une femme, donc impuissante ? Ou alors que le châtiment promis par leur maître s'ils échouaient dans leur mission serait bien pire que ce que je pourrais leur faire ? Il est même possible qu'ils aient vraiment cru s'attirer ses faveurs en se débarrassant de moi séance tenante. Ou peut-être n'ont-ils pas pensé du tout. D'après mon expérience, c'est bien souvent une erreur de mésestimer un adversaire.

J'étais certes une experte en combat rapproché au couteau, mais je n'avais jamais affronté deux hommes en même temps. Par ailleurs, il ne fallait pas oublier que la lame n'était pas empoisonnée, cette fois-ci. Les tuer (ou simplement me défendre) n'allait pas être une mince affaire.

Pour me compliquer encore la tâche, ces satanés jupons entravaient mes mouvements. D'une main je les relevai, de l'autre je brandis le couteau bien haut. Je me souviens clairement leur avoir dit :

— Je ne souhaite pas vous faire de mal.

Mais après, tout devient flou. Ou quasiment tout. Car s'il est plus aisé, à l'évidence, de faire comme si je ne me rappelais de rien (ce n'est pas dire un grand mensonge non plus), j'ai tout de même quelques bribes de souvenirs. La face pleine de hargne de l'un quand il se rua sur moi, son propre couteau dégainé et pointé vers mon cœur. Le ruban de sang qui apparut sur sa gorge, là où je l'entaillai. La force que je puisai dans ma noirceur intérieure, chaque seconde davantage. L'autre dégaina à son tour puis m'attaqua, sa bouche grande ouverte dans un cri de terreur tout autant que de rage. Je pivotai sur un pied, mis mon bras en position et plantai la lame dans son ventre jusqu'à mon poignet. Nous nous cramponnâmes l'un à l'autre dans une étreinte macabre, jusqu'à ce qu'enfin je retire mon arme de sa chair. Il s'effondra à genoux, en se vidant de son sang.

Je crois bien être retournée en titubant à la porte, mais de nouveau, je n'en ai pas la certitude. Ce dont je suis sûre, c'est que j'étais couverte de sang. J'en avais dans les cheveux, sur le visage, dans les habits. Mes narines en étaient bouchées, et quand je voulus respirer par la bouche, l'écœurante odeur de cuivre me donna envie de vomir. La terreur m'envahit, et quelque chose se cassa alors en moi. Je me mis à arracher mes vêtements comme une forcenée, puis à me tirer les cheveux, à m'écorcher le visage – tout cela dans un effort futile pour échapper aux conséquences de mes actes. Mais il n'y avait pas d'issue possible : j'étais trempée de sang, je me noyais dedans. Je vacillais au bord de l'abîme, et ma tête menaçait d'éclater.

Dans ces ténèbres dévorantes, un unique rai de lumière apparut. Je m'y accrochai désespérément, car je savais que c'était tout ce qui me séparait du vide et de la nuit perpétuelle.

J'aimerais croire que c'étaient mes sentiments pour Rocco et le rêve d'une vie meilleure qui me donnèrent la force de tenir. Ou bien l'amour de mes amis – David, Sofia, Portia et les autres. Ou encore que je songeais à César et à l'intimité qui était la nôtre, en remontant par la seule force de ma volonté vers la lumière et le monde de la raison. Mais rien de tout cela ne serait la vérité.

Car en cet instant-là je songeai à moi-même, à l'enfant que j'avais été, si impuissante, si terrifiée, se cachant d'abord derrière un mur qui avait échoué à me protéger, puis derrière celui que j'avais érigé dans ma tête. Contre toute attente, cette enfant avait survécu. Elle était encore là, quelque part en moi. Si je capitulais maintenant, ce serait la fin de tout – et aussi de l'innocence et de la bonté qui avaient subsisté, envers et contre tout, dans mon âme.

Et ceux qui avaient fait toutes ces terribles choses, qui avaient infligé tant de peine, s'en tireraient sans dommage.

Jamais plus je ne fuirais devant les souffrances de ce monde. Je les affronterais au contraire de toutes mes forces, en commençant par le carnage que je venais de commettre. Deux hommes étaient morts poignardés. Et moi… je devais avoir l'air d'une créature sortie tout droit de l'enfer, où ils étaient si nombreux à vouloir m'expédier.

Mais, songeai-je, c'était un cas de légitime défense. La plupart des femmes auraient été incapables de faire ce que j'avais fait, ainsi que ces hommes l'avaient manifestement escompté. Ils avaient payé de leur vie cette présomption, mais assurément on ne saurait me blâmer d'avoir réagi ainsi ?

Je tentais encore de me convaincre d'avoir agi à bon droit lorsque j'entendis le martèlement de bottes qui approchaient. C'est alors que je me souvins du cri que l'un des hommes avait poussé en m'attaquant. Et peut-être même en mourant. Le fracas de notre lutte avait été entendu bien au-delà de cette pièce, alertant tout le monde.

Vite, je me repris et tentai de me rendre présentable – mais c'était trop tard. Arrivés au pas de course, deux condottieri s'immobilisèrent brusquement en me voyant.

— Donna ? parvint à articuler l'un d'eux, devenu blanc comme un linge.

— Allez trouver le cardinal César Borgia et dites-lui que j'ai impérativement besoin de lui, le sommai-je.

Ma voix me parut étrangement monocorde. Un calme singulier était descendu sur moi, comme si je faisais partie du monde tout en en restant à l'écart. Le Dieu de miséricorde existait peut-être réellement, songeai-je.

Je n'avais qu'un bien maigre espoir de voir les condottieri tenir leur langue, et ne fus donc pas vraiment surprise de constater que César n'arrivait pas seul. Ils étaient toute une bande à sa suite, ses gardes personnels, Vittoro avec des renforts, Renaldo et, constatai-je la mort dans l'âme, Herrera et ses compères espagnols. David fermait la marche. Point de Sainteté, en revanche, ni d'émissaire français – les deux hommes étaient bien trop futés pour se mêler à pareil imbroglio.

— J'ai été attaquée, proclamai-je avant que quiconque ait même l'idée d'ouvrir la bouche. Ces hommes étaient en train de fouiller ma chambre. Quand je les ai pris sur le fait, ils ont sorti des couteaux et m'ont sauté dessus. Je les ai prévenus de ne pas faire ça, mais ils n'ont pas écouté.

— Diablesse ! hurla alors Herrera, avant de repasser au castillan sous le coup de l'émotion. *¡ Puta ! ¡ Engendro de Satanás !*

¡ Destructor a todo lo que es bueno e puro !

Je saisis « putain » et quelque chose à propos de Satan avant d'arrêter de l'écouter. Quand ce sauvage s'avança brusquement vers moi, David en fit de même, pour le stopper. Je me raidis, prête à me défendre de nouveau si nécessaire.

Finalement, c'est César qui se mit entre nous deux. Empoignant l'Espagnol par les épaules, il lui demanda impérieusement :

— Est-ce que ce sont tes hommes ?

Au départ, je crus qu'Herrera n'allait pas lui répondre. Il écumait littéralement de rage et semblait n'avoir plus qu'une idée en tête, m'attraper – pour me faire Dieu sait quoi.

— Réponds, ordonna César en le secouant vigoureusement.

Tout à coup, Herrera se rendit compte que l'homme qu'il pensait être son ami lui parlait. Il respira une fois, deux fois, puis se lança :

— Bien sûr que ce sont mes hommes. Il faut bien que quelqu'un vous protège d'elle.

En entendant cette confession, je fus prise d'un profond dégoût. Je me détournai, les jambes flageolantes, et me serais écroulée si ce brave Renaldo n'avait trouvé le courage de s'avancer pour me retenir – à bout de bras, toutefois, pour ne pas salir ses beaux habits.

César observa autour de lui, la pièce, les morts. Suffisamment fort pour que tous ceux présents l'entendent, il en conclut :

— L'état de cette chambre et le fait que ces hommes soient armés indiquent manifestement que Donna Francesca dit la vérité. Elle a agi en légitime défense.

— Vous ne pouvez pas croire ça ! s'écria Herrera, l'air horrifié rien que d'y penser. Aucune femme normale n'aurait été capable de faire ce qu'elle a fait ! C'est la fille du Diable ! Vous mettez votre âme en danger en frayant avec elle ! Vous devez la rejeter, elle et tout ce qu'elle représente !

— Miguel…, commença César, comme s'il était prêt à faire un effort sincère pour expliquer à cet énergumène pourquoi il avait tout compris de travers, pourquoi envoyer des hommes fouiller un appartement privé et attaquer une femme était mal, même si pour eux, c'était une servante du diable. Mais si c'est bien ce qu'il avait en tête, il se ravisa. Gardant le silence, il scruta l'Espagnol un long moment avant de se tourner vers Vittoro.

— Escorte Don Miguel et sa garde jusqu'à leurs quartiers, et assure-toi qu'ils y restent. Que personne n'en sorte d'ici demain matin, c'est compris ?

Herrera protesta avec véhémence, mais César fit mine de ne pas l'entendre. Les Espagnols furent rapidement encerclés par ses hommes d'armes et emmenés hors de la pièce – et surtout, hors de ma vue.

Aussitôt j'en soupirai de soulagement, mais m'aperçus alors que le problème était loin d'être réglé. Les lieux étaient méconnaissables, et ces deux cadavres, et tout ce sang…

— Renaldo, commanda César, trouve-moi un prêtre et va réveiller les domestiques. Fais en sorte que ces gredins soient enterrés au plus vite, et la chambre nettoyée du sol au plafond. Peu importe si ça doit prendre la nuit, je veux que demain matin il n'y ait plus une trace de ce qui s'est passé ici.

— Certainement, Votre Éminence, répondit Renaldo aimablement, comme s'il avait reçu ce genre d'ordre toute sa vie.

César se tourna alors vers moi. Me prenant le bras, il me secoua et s'exclama d'un ton péremptoire :

— Regarde-moi, Francesca.

Je m'exécutai, lisant dans ses yeux la question que je craignais par-dessus tout de le voir se poser : avais-je toute ma raison lorsque j'avais tué ?

— Ils m'ont attaqué, répétai-je, mais même moi, je ne me trouvais guère convaincante. Certes, j'avais réagi pour me défendre. Mais j'avais tué sous l'emprise d'une noirceur que je ne pouvais maîtriser, pas plus que je ne saurais l'ignorer. Si je n'étais pas ce que j'étais, ces hommes seraient encore en vie à cette heure-là.

— C'est une chance, rétorqua-t-il avant de s'éloigner à grands pas dans le couloir, m'empoignant par la main pour m'obliger à le suivre.

César avait laissé son valet de chambre à Viterbe, et nous étions seuls. Arrivés à ses appartements, il me relâcha enfin.

— Enlève tes vêtements. (J'hésitai, ne sachant plus vraiment quoi penser.) Ils sont couverts de sang. Enlève-les, insista-t-il.

Je me hâtai alors d'obtempérer, mais c'était compter sans mes mains, qui tremblaient trop pour être d'une quelconque utilité. César me fit part de son impatience avec un grognement, et finit par s'en charger lui-même. Empoignant l'épée qu'il portait à son côté, il trancha d'un geste les lacets qui maintenaient mes habits en place. Un à un ils tombèrent, et je me retrouvai en simple chemise.

— Ça aussi, ordonna-t-il.

Je baissai les yeux, et vis que le sang avait pénétré toutes mes couches de vêtements, jusqu'à ce dernier rempart contre ma peau. Prestement (car je crus bien que j'allais vomir), je l'ôtai.

César ramassa mes affaires et les mit en tas dans un coin. Je le regardai faire, tremblante dans ma nudité. Il revint avec une couverture.

— Tu vas prendre un bain.

Ni lui ni moi n'avions envie de voir défiler un bataillon de domestiques pour remplir la baignoire dans la pièce d'à côté. Je me contentai donc de l'eau que contenait encore l'aiguière réclamée par César à son retour de la chasse, et qui avait depuis longtemps refroidi. C'était sans importance, du moment que je pouvais me rincer. César me tendit un morceau de savon et m'aida à ôter le sang de mes cheveux, de mon visage, de mon corps, et surtout de mes mains, qui en étaient complètement maculées. Il dénicha même une petite brosse pour me permettre d'enlever les dernières traces, autour et sous les ongles. Je frottai et frottai, jusqu'à ce qu'il m'arrête.

— Assez. Tu vas te faire mal.

À ce stade, je tremblais si fort que je tenais à peine debout. César me guida jusqu'au lit, me fit asseoir. Serrant fort la couverture contre moi, je lui dis :

— C'est pourtant toi qui m'as appris à manier ce couteau.

J'avais dans l'idée de lui rappeler qu'il y avait une explication tout à fait plausible à ce qui était arrivé ; mais il ne s'en laissa pas conter.

— Tu es bien trop modeste. J'ai déjà entraîné des hommes qui n'auraient pas accompli le quart de ce que tu as fait.

— Que crois-tu, alors ? Qu'Herrera a raison, je suis possédée par le diable ? L'Espagnol me brûlerait sur le bûcher s'il le pouvait, tu sais. Et il est loin d'être le seul.

César s'assit sur le lit à côté de moi. Calmement, il me répliqua :

— Mais il ne le peut pas. Et du reste, rien de tout cela n'est de ta faute. Tu as simplement la malchance d'être associée à moi.

Pour autant que je sois habituée à cette manie des Borgia de croire que l'univers entier tournait autour d'eux, la remarque de César me surprit. Jusqu'à ce que je me rappelle le secret de l'Espagnol que j'avais découvert dans le *passetto*.

— Tu dois comprendre, poursuivit-il. En réalité, Don Miguel est un homme intelligent et cultivé, doublé d'un architecte doué. Il m'a montré les plans d'un dôme qu'il a dessinés. Si ses calculs s'avéraient exacts, ce serait révolutionnaire.

J'en étais bouche bée. Et moi qui croyais que tout ce que faisaient César et Herrera, c'était chasser, courir la gueuse et s'enivrer : dans tout cela, ils avaient encore trouvé le temps de se pencher sur des plans d'architecte et de débattre des finesses de la construction d'un dôme ?

— Je n'excuse en aucun cas son comportement, attention, renchérit César. Je dis simplement que Miguel livre une bataille continuelle contre sa nature. Rien d'étonnant à ce que ses nerfs soient mis à rude épreuve. S'il y a bien quelqu'un qui devrait le comprendre, c'est toi.

Mais bon sang, à quoi s'attendait-il de ma part ? Étais-je censée accepter sans ciller la malveillance d'Herrera, juste parce qu'il était amoureux de César ?

— Oh, ironisai-je, mais bien sûr, un peu d'égards pour son petit cœur meurtri.

César haussa les épaules.

— Évidemment, même si mon inclination allait dans ce sens-là, je ne saurais lui rendre son affection.

— Et pourquoi donc ?

— Parce que tant que je reste un objet de désir, il fera tout pour me faire plaisir. Les hommes sont ainsi faits, quel que soit le sexe de la personne avec qui ils aimeraient partager leur couche.

C'était cruel de penser ainsi, mais sans conteste il avait raison. Cependant, cela soulevait une question.

— Pourquoi me dis-tu cela ?

— Parce que j'ai besoin de ton aide pour le protéger de cet assassin, quand bien même tu aurais toutes les raisons du monde de le haïr.

En un sens, j'étais soulagée. Cette soudaine sollicitude semblait suggérer que César ne jouait pas un double jeu visant à contrarier les vœux de son père – ou alors, c'est ce qu'il cherchait à me faire croire.

— Assurément, repris-je, Herrera et l'alliance ont perdu de leur importance, maintenant qu'Il Papa et le comte sont devenus si bons amis.

— Ne te laisse pas induire en erreur par la fausse bonhomie de ces deux-là. La soif de pouvoir du roi de France n'a d'égale que celle de mon père. Tôt ou tard, ils finiront par être en désaccord ; et quand cela arrivera, la Famiglia aura plus que jamais besoin des Espagnols.

Donc d'Herrera, ainsi que ce froid calculateur de César venait de me le faire comprendre. Autrement dit, même si cela ne m'enchantait guère, je n'avais d'autre choix que de céder.

— Du moment qu'il se retient de vouloir m'expédier en enfer à tout bout de champ, je n'ai pas de raison de vouloir sa mort.

— Ni celle de ses hommes ?

— Je croyais qu'on était d'accord sur le fait qu'il s'agissait d'un acte de légitime défense.

César se leva. Il alla jusqu'au tas de vêtements ensanglantés qu'il avait mis dans un coin. En se rasseyant près de moi, je vis qu'il tenait ma bourse. Il l'ouvrit et en extirpa le couteau que j'avais trouvé dans la grotte.

— Je me disais bien, aussi, qu'elle était étrangement lourde, fit-il en jetant la bourse sur le lit. Il prit le temps d'examiner l'arme blanche dans tous les sens, avant d'annoncer :

— La forme est tout à fait reconnaissable, malgré le sang qui la macule. C'est le genre de couteau que portent les domestiques d'Herrera.

— Je ne savais pas, répondis-je faiblement.

J'avais dans l'intention de lui en parler, vraiment. Mais l'occasion ne s'était pas présentée et du reste, il avait tout de même envisagé que ce soit moi, l'assassin du domestique : dès lors, cela aurait été comme de se précipiter dans la gueule du loup, n'est-ce pas ?

— J'ai simplement pensé qu'on avait dû s'en servir pour tuer l'Espagnol, ajoutai-je.

— C'est ce que tu as pensé, vraiment ? Quand ça ?

— Quand je l'ai découvert sur le flanc de la colline, non loin de l'endroit où tu m'as trouvée l'autre nuit.

— Cette fameuse nuit où tu ne te souviens ni où tu es allée ni ce que tu as fait ?

Je hochai la tête, ne sachant que trop combien cela devait paraître louche.

— Celle-là même, en effet. Mais ai-je besoin de te rappeler une évidence ? Quand tu m'as trouvée, il y avait du sang sur mes pieds, mais nulle part ailleurs. (Je lui indiquai d'un geste le tas de vêtements, qu'il ne restait plus qu'à brûler.) Si j'avais vraiment tué cet homme, tous mes habits en auraient été couverts, comme ceux-ci.

Pour désagréable que ce soit de rappeler à autrui combien un meurtre à l'arme blanche est salissant, cela eut l'intérêt de me confirmer une fois pour toutes que celui-là n'était pas à mettre au compte de mes nombreux péchés.

— Oui, soupira César, je sais.

— C'est vrai ?

Ainsi, mes craintes étaient infondées.

— Où l'as-tu trouvé, déjà ?

— Sur la colline derrière l'arène. Le sol y est recouvert d'épineux, ce qui explique mes écorchures aux pieds. Un étroit sentier passe par là, qui longe le palazzo et mène jusqu'à la place. Je suis convaincue que c'est le chemin que j'ai pris.

— Je connais cet endroit. Comment as-tu trouvé le couteau ?

— À force d'observer, j'ai aperçu une grotte où l'on aurait dit que quelqu'un s'était allongé, vu comment le sol était tassé. Le couteau gisait là.

— Et tu ne m'as rien dit de crainte que je t'accuse du meurtre, c'est ça ?

Je le lui confirmai d'un signe de tête réticent.

— Nous savons tous deux que je ne suis pas… tout à fait moi-même, ces derniers temps.

Il soupira et, d'un bras, m'attira tout contre lui. Jamais je ne m'étais sentie aussi épuisée de ma vie, et j'acceptai ce geste de réconfort sans hésitation. En me caressant les cheveux, il me dit avec douceur :

— Ça ne te réussit pas beaucoup, d'être loin de Rome.

L'idée que mon état soit causé par un simple séjour à la campagne était si cocasse que je ne pus m'empêcher de rire – comme l'avait prévu César, à n'en pas douter.

— Peut-être que tu as trouvé le couteau quelque part et que, tout en dormant, tu l'as transporté jusqu'à la grotte ? suggéra-t-il au bout d'un moment.

— Si c'est le cas, je n'en ai aucun souvenir.

— Dans ce cas, peut-être que c'est le meurtrier qui l'a laissé là.

Confusément, je me souvins de la mystérieuse silhouette que j'avais aperçue. Cet être qui m'avait paru aussi terrifiant que la Mort elle-même. Mais assurément, un pur produit de mon imagination ?

— À l'endroit même où je me trouvais ? Ce n'est guère vraisemblable, non ?

— Tu n'as pas tort, admit César.

Du moins, je crois. On a beau résister à Morphée, tous autant que nous sommes, le dieu capricieux finit toujours par l'emporter.

— Il y a quelque chose qui m'échappe, murmurai-je, la langue pâteuse. Il est probable que César n'entendit même pas, car je ne crois pas qu'il ait répondu. Je sentis qu'il m'étendait sur le lit et ramenait les couvertures sur moi, puis ce fut le trou noir.

21

Herrera et ses compagnons quittèrent la villa aux premières lueurs du jour. David partit avec eux, ce qui signifiait (du moins l'espérais-je) qu'il était toujours dans leurs bonnes grâces, malgré son geste spontané pour me venir en aide la veille au soir. Puis ce fut au tour du comte de Rochanaud, qui s'en retourna d'où il était venu après avoir fait assaut d'amabilités avec Borgia. À peine l'embarcation de l'émissaire français eut-elle disparu que Sa Sainteté s'éclipsait pour passer quelques heures en compagnie de La Bella.

Le soleil était haut dans le ciel quand nous nous mîmes enfin en route. En chemin, je n'eus pas l'occasion de parler à Borgia, et il ne s'adressa pas à moi non plus. J'étais bien certaine qu'il savait ce que j'avais fait, mais visiblement cela ne méritait pas une discussion.

Ce qui me laissa amplement le temps de méditer sur mes actes toute seule. Borgia avait raison quand il disait que j'avais besoin de tuer. Mais le soulagement que cela me procurait était bien éphémère. Je ne doutais pas de la légitimité qu'il y avait à se défendre pour sauver sa vie, mais depuis le réveil, j'étais aux prises avec une mélancolie que même la bienveillance de César envers moi n'arrivait pas à atténuer. Pour ne rien arranger (cela commençait vraiment à devenir une habitude), je ne voyais que trop combien j'étais la cible de regards craintifs et accusateurs – cette fois-ci, de la part des hommes d'armes de Sa Sainteté, et parmi les plus aguerris encore. Il m'est arrivé d'évoquer les avantages qu'il y a à avoir une noire réputation, mais en chevauchant sur la via Cassia cet après-midi-là, aucun ne me revint en tête.

En entrant dans Viterbe, je compris bien vite que la nouvelle de la rencontre fortuite entre le comte et Borgia nous avait précédés — comme ce dernier l'avait sans l'ombre d'un doute escompté en laissant les Espagnols revenir en premier. La paix avec le royaume de France étant dans tous les esprits, Il Papa bénéficia d'un accueil bien plus cordial qu'à l'accoutumée lorsqu'il franchit les portes de la ville. Et cela continua ainsi jusqu'au palazzo. Il avait l'air d'apprécier ce renversement de tendance au plus haut point, et distribuait ses bénédictions à la foule avec un enthousiasme non feint. Pour ma part, je m'évertuai à regarder droit devant et à faire fi des messes basses qui surgissaient invariablement dans mon sillage.

Les prélats, qui de fait avaient été écartés des négociations avec la France, nous attendaient de pied ferme au palazzo. Ils exigèrent l'attention de Sa Sainteté comme un seul homme et elle la leur octroya, certes de mauvaise grâce. César l'accompagna pour faire office de médiateur, même s'il y avait fort à parier qu'au vu du peu de patience qu'il avait pour ses pairs du clergé, il allait pousser des hauts cris au lieu d'écouter ce qu'ils avaient à dire. Pour sûr, cela me coûtait de rater cet épisode, mais cela signifiait également que j'étais libre de mon temps, pour une fois. Du moins le croyais-je.

Je n'eus pas le temps d'atteindre mes quartiers que Renaldo me rattrapait dans un couloir. Étant parti devant avec les Espagnols, je crus qu'il avait quelque chose à m'annoncer les concernant. Mais comme souvent, il me surprit.

— La religieuse est revenue. Elle demande à vous voir.

Je ravalai ma consternation. Mère Benedette était bien la dernière personne que j'avais envie de voir présentement. Je redoutais le moment de lui faire face, son opinion de moi étant certainement au plus bas maintenant qu'elle savait ce dont j'étais capable.

— C'est une femme tout à fait charmante, renchérit Renaldo. Nous avons discuté un long moment.

— Ah bon ?

Je n'osais imaginer de quoi.

Il hocha la tête gentiment.

— Apparemment, elle connaissait votre mère.

J'avais un sacré mal de tête ; pour une fois j'avais dormi, certes, mais pas suffisamment. Par ailleurs, j'avais besoin d'un bon bain ; et aussi d'un peu de temps pour rassembler mes esprits. Mais visiblement, ce ne serait pas encore pour cette fois.

— Elles étaient amies dans leur jeunesse, à Milan, précisai-je vainement.

— Oui, c'est ce qu'elle m'a dit. Je l'ai installée dans mon bureau. J'ai pensé qu'elle y serait bien.

Le bureau de Renaldo, que ce soit dans l'ancien palazzo sur le Corso, au Vatican ou à Viterbe, était tout à la fois son antre et le poste de commandement d'où il surveillait tout ce qu'il se passait, dans la maison de Borgia. Il m'était arrivé de passer le voir là-bas, mais je savais d'expérience que les visiteurs n'étaient pas les bienvenus. L'abbesse avait vraiment dû l'impressionner, pour qu'il fasse une telle exception. Ou peut-être cherchait-il simplement à me rendre service.

— Ne vous inquiétez pas, le tranquillisai-je, nous ne serons pas longues.

Mais de nouveau, il m'étonna.

— Oh, mais prenez tout le temps qu'il faudra. Je suis en train de faire fabriquer un nouvel abaque, et je dois justement aller rendre visite à l'artisan pour voir comment le travail avance. Imaginez, si les boules n'étaient pas parfaitement équilibrées…

Rien que de penser au désastre qui s'ensuivrait, il en frissonna.

Je le remerciai de sa gentillesse et m'excusai un bref instant pour me rafraîchir, puis je le suivis. Le fameux bureau se situait à quelques pas de la grande salle, dans un étroit couloir. Quand il laissait la porte ouverte, il avait vu sur toutes les allées et venues sans même avoir à bouger de son fauteuil. Notre arrivée à Viterbe n'était pas si lointaine, mais les lieux étaient déjà jonchés de registres, de parchemins, de tas de papiers. Mon petit doigt me disait que Renaldo s'en servait comme d'un rempart contre le chaos du monde.

Au milieu de tout cela, perchée au bord d'une chaise qui faisait face au bureau, se trouvait mère Benedette. Les yeux de l'abbesse étaient fermés et elle égrenait son sobre chapelet qu'elle portait à la taille. Elle était visiblement en pleine prière.

J'hésitai, ne voulant pas l'interrompre ; mais elle dut sentir ma présence, car elle ouvrit les yeux et me sourit faiblement.

— Ma chère enfant. J'espère que tu me pardonnes d'être venue ici ?

Tout en songeant que ce serait plutôt à moi de lui demander pardon, je pris promptement place à côté d'elle.

— Mais naturellement. Je suis contente de vous voir.

— C'est gentil à toi de me dire cela. Car à la vérité, je ne saurais te blâmer si tu m'annonçais que tu ne voulais plus jamais me revoir.

Pour sûr, je m'attendais à tout sauf à cela : en tout état de cause, l'offense qu'elle s'imaginait m'avoir faite devait être dérisoire en comparaison de la mienne.

— Je ne comprends pas. Pourquoi vous êtes-vous mis cela en tête ?

— Car j'ai agi avec bien trop de précipitation et de maladresse en te parlant de ta mère comme je l'ai fait. Et je suis profondément désolée de la détresse que cela t'a causée. Je crains que ce ne soit cela qui t'ait amené à…

Elle n'avait pas besoin de finir sa phrase : son visage exprimait clairement ce que, selon elle, j'avais fait en réaction à ses révélations à propos de la mort de ma mère. *Détresse* était un terme à tout le moins réducteur, mais pour rien au monde je ne le lui aurais avoué.

— C'était un acte de légitime défense, répliquai-je l'instant d'après. Mais au-delà, une vérité cachée pendant tant d'années ne saurait être révélée trop hâtivement. Vous avez fait ce qu'il fallait faire.

L'espace d'un instant, je crus qu'elle allait céder aux larmes qui brillaient dans ses yeux, mais au final elle les refoula et se contenta de hocher la tête.

— Dans ce cas, je remercie le Tout-Puissant de m'avoir guidée jusqu'à toi ; et je te le dis en toute sincérité, ton amitié compte autant pour moi que celle de ta mère.

Face à tant de gentillesse, l'émotion faillit bien me submerger. Je mis un moment à répondre.

— Soyez assurée qu'il en va de même pour moi. Lorsque vous aurez achevé ce pèlerinage à Assise, peut-être pourrons-nous…

Je voulais lui dire mon espoir de la voir s'arrêter de nouveau à Viterbe sur le chemin du retour vers l'abbaye, ou bien me rendre visite à Rome si (plût à Dieu) nous rentrions avant, mais mère Benedette prit les devants :

— C'est bien dans cet esprit d'amitié que je me sens obligée de te parler en toute honnêteté.

M'armant de courage pour la suite, car à n'en pas douter elle allait me faire part de ses inquiétudes quant à mon âme, je répondis :

— Je vous en prie, faites.

— Je crains que tu ne sois en grand danger, Francesca.

— Je serais bien la dernière personne à prétendre ne pas avoir péché, mais…

Elle me dévisagea d'un air étonné.

— Oh, mais je ne songeais pas à cela. Je m'inquiète, car j'entends partout en ville que tu es à blâmer pour la mort de ce domestique espagnol. Et ce n'est pas la seule chose qu'on te reproche.

— Il y a davantage ?

— Les gens veulent croire que Sa Sainteté fera tout pour ne pas nous précipiter dans la guerre, mais ils nourrissent tout de même de sérieux doutes quant à ses intentions. Ils craignent qu'il fasse passer ses intérêts avant le bien du peuple et n'hésite pas à les mettre en danger si nécessaire.

À l'évidence elle avait raison, mais cela ne faisait pas pour autant de lui un mauvais pape : l'expérience m'avait appris qu'il y en avait de bien pires.

— Il y a une part de vérité dans cela, admis-je. Mais Borgia est aussi un homme de vision et d'audace. Il soutient le regain d'intérêt pour la pensée antique, l'étude de la philosophie naturelle, les arts et bien davantage. Il dénonce la superstition et l'hypocrisie. Il veut tirer l'Église du bourbier dans lequel, selon lui, elle s'est enfoncée.

— Certes, Francesca, rétorqua mère Benedette. Mais les gens ne sachant toujours pas s'ils peuvent lui donner leur confiance ou non, ils se laissent de plus en plus convaincre que tout cela est dû au fait qu'il subit une influence pernicieuse. Influence qui serait… toi.

— Moi ?

C'était absurde, totalement ridicule, dénué de toute raison. En premier lieu, on ne pouvait pas exactement dire que j'avais de l'influence sur Borgia ; mais qu'en plus, on cherche à l'absoudre de ses torts en m'en tenant responsable… Je pris une profonde inspiration, m'efforçant de garder mon calme. De toute façon, si c'était dans la rue, il était déjà trop tard.

— De simples paroles ne sauraient me blesser, repris-je avec davantage d'aplomb que je n'en avais vraiment.

— C'est ton droit de penser cela, m'assura l'abbesse, mais je m'en voudrais énormément de partir pour Assise en te laissant ici, seule et en danger.

— Vous n'avez certainement pas à vous sentir responsable de ce qu'il m'arrive, protestai-je, à la fois touchée et étonnée.

— En un sens, si. Somme toute, je me suis immiscée dans ta vie au pire moment, et j'ai choisi de réveiller des souvenirs que tu aurais été plus à même de comprendre et d'accepter au calme. Si tu te sens troublée ou distraite, et par conséquent moins capable de faire face au danger qui rôde, alors oui, j'ai ma part de responsabilité.

Je ne pouvais m'empêcher de songer qu'elle était dure envers elle-même, mais préférant ne pas insister sur ce point, je répliquai :

— Quand bien même, je ne vois pas comment vous pourriez m'aider.

Mère Benedette soupira. Elle croisa les mains sur ses genoux et me regarda d'un air suppliant.

— Ta mère était aussi têtue que toi, et croyait toujours devoir résoudre tout par elle-même. Il a fallu qu'elle rencontre ton père pour se rendre compte que nous ne sommes pas faits pour affronter les tribulations de cette vie en solitaire. S'il y a quelqu'un d'autre à qui tu peux te fier pour t'épauler…

David s'était bien montré prêt à m'aider, à la villa, mais j'avais tout de même encore des doutes quant à ses motivations. De même pour César. Je pouvais certes compter sur Vittoro, et sur Renaldo aussi, mais ils avaient tous deux leurs préoccupations.

— Je n'oserais vous demander…, commençai-je.

— Tu n'as pas à le faire. Je te le propose – que dis-je, je t'implore. Laisse-moi être ton amie comme j'étais celle de ta mère. Je n'ai pas réussi à l'aider, mais s'il plaît à Dieu je t'aiderai, toi.

Que répondre à cela ? Certes, ce n'était pas dans mes habitudes de donner ma confiance à quiconque en dehors du très petit cercle de personnes à Rome sur lesquelles je savais pouvoir compter. Mais ces mêmes personnes n'étaient pas avec moi, présentement. Mère Benedette me semblait être une femme sincère et forte : j'avais connu pire, comme allié.

Du reste, cela ne pouvait pas me faire de mal d'être vue en compagnie d'une religieuse. Mieux encore, cela couperait l'herbe sous le pied d'Herrera et de tous ceux qui me voyaient déjà sur le bûcher. L'idée de contrecarrer les plans de l'Espagnol acheva de me décider.

— J'accepte, fis-je en souriant, à la condition que vous consentiez à loger au palazzo. Si je dois abuser de votre gentillesse, je veux m'assurer que vous aurez tout le confort.

Mère Benedette éclata de rire, et prit mes mains entre les siennes.

— N'oublie tout de même pas que je suis une simple épouse du Christ. Je n'ai pas l'habitude d'évoluer parmi les puissants de ce monde.

— Je suis certaine que vous vous en sortirez très bien.

Il me restait à espérer que les faits me donneraient raison, mais plus j'y réfléchissais, plus cela me paraissait une bonne idée. Dès que Renaldo revint à son bureau (le nouvel abaque avançait comme il voulait, apparemment), je lui annonçai que l'abbesse allait résider quelque temps au palazzo et lui demandai où la loger.

— Elle est partie chercher ses affaires et dire au revoir à ses compagnes de pèlerinage, qui poursuivent leur chemin maintenant que les routes ont rouvert, lui expliquai-je.

— Excellent. L'appartement en face du vôtre est libre.

Personne n'a vraiment envie de dormir à quelques mètres d'une empoisonneuse, j'imagine.

— Qu'elle s'y installe, poursuivit Renaldo. Je vais préciser au majordome qu'elle doit être traitée avec les meilleurs égards. (Il parut y réfléchir un instant puis s'approcha imperceptiblement, m'indiquant par là qu'il souhaitait aborder un sujet sensible.) J'espère que vous ne m'en voudrez pas d'être aussi direct, mais vous me voyez bien aise de savoir qu'elle reste ici. Les Espagnols deviennent tout bonnement… intenables.

— J'ose croire que nous parviendrons à les dompter, rétorquai-je.

Sur ce, il repartit d'un pas plus léger et je me hâtai quant à moi de faire ma tournée habituelle. Le temps d'en terminer, l'abbesse était revenue. Elle portait à la main un petit ballot noué dans un simple tissu, comme on pouvait s'y attendre de la part d'une religieuse, et avait les joues légèrement rougies.

— Ces braves sœurs du couvent m'ont exhortée à partir pour Assise, m'apprit-elle. Mais je crois avoir réussi à les convaincre que c'est à tes côtés que je dois être.

Je priai pour ne lui donner aucune raison de regretter sa décision. Après lui avoir montré ses quartiers (qu'elle décrivit comme somptueux, allant au-delà de toutes ses espérances), je lui proposai une visite du palazzo.

— À première vue on pourrait croire que c'est difficile d'y trouver son chemin, mais pas tant que ça, finalement. Cela dit, je tiens à m'assurer que vous ne vous perdrez pas.

— Si cela devait arriver, je me retrouverais à errer dans ces couloirs pendant des jours et des jours, j'en ai bien peur.

À mesure que nous avancions, elle me parut effectivement quelque peu submergée par son nouvel environnement – ce qui ne manqua pas de me chagriner. Enfin, nous arrivâmes à la fontaine ornée de lions, au centre de la loggia ouverte qui donnait sur la ville. Mère Benedette était en train d'admirer la vue lorsqu'une porte menant à l'aile opposée du palazzo s'ouvrit avec fracas. Borgia apparut, entouré de ses secrétaires et de plusieurs prélats.

En me voyant, il s'immobilisa. Je gardai la tête haute et soutins son regard sans ciller. J'étais bien persuadée qu'il était à l'affût du moindre signe de fragilité, après ce qui s'était passé à la villa. Si je lui montrais que je doutais de moi, sa confiance s'en trouverait altérée, et mon sort d'autant plus incertain. À la vérité, j'étais heureuse d'avoir une amie à mes côtés.

Enfin, son regard se posa sur ma compagne.

— Et qui est-ce ? m'interrogea-t-il.

— Votre Sainteté, j'ai l'honneur de vous présenter mère Benedette, l'abbesse du couvent Sainte-Claire, à Anzio.

Borgia tendit la main. Avec grand respect, l'abbesse la prit et embrassa sa lourde bague.

— Votre Sainteté, murmura-t-elle.

M'observant par-dessus la tête penchée de la religieuse, le Vicaire du Christ leva un sourcil interrogateur.

— Mère Benedette était très proche de ma mère.

J'étais curieuse de voir sa réaction, car il aurait fallu que je sois bien naïve pour croire qu'il avait embauché mon père au poste très sensible d'empoisonneur sans avoir auparavant fait une enquête approfondie sur lui. Je me demandais depuis quand il connaissait la vérité sur la mort de ma mère, et s'il avait jamais eu l'intention de me la révéler.

— Je me souviens tellement bien de Francesca quand elle n'était qu'une toute petite enfant, intervint l'abbesse. C'est une bénédiction pour moi de l'avoir retrouvée.

Sans laisser le temps à Borgia de répondre, j'ajoutai :

— J'espère que vous ne m'en voudrez pas, Votre Sainteté. J'ai pris la liberté de demander à mère Benedette de loger au palazzo quelque temps, afin qu'elle et moi puissions faire plus ample connaissance.

Son expression me fit grand plaisir, tant c'était rare de le voir pris au dépourvu, et j'en profitai pleinement car je savais que cela ne durerait pas : il allait prestement évaluer la situation et en tirer ses propres conclusions.

— Je vous souhaite la bienvenue, mère Benedette, rétorqua-t-il effectivement, avec une chaleur qui ne lui ressemblait guère. Je suis certain que Francesca tirera profit de votre présence ici.

Il eut un temps d'arrêt, puis s'empressa d'ajouter :

— Comme nous tous, d'ailleurs.

Quand l'abbesse l'eut complimenté sur son affabilité (qui n'avait d'égale que sa générosité), Borgia me murmura à l'oreille :

— Bien joué, Francesca. On dirait bien qu'Herrera est enfin tenu en échec.

J'en conclus que j'étais encore dans les bonnes grâces de Sa Sainteté.

Lorsqu'il eut passé son chemin, ma compagne me sourit : elle paraissait tout à fait remise de cette soudaine rencontre avec le Vicaire du Christ sur Terre.

— Un homme très impressionnant. Je comprends que tu aies fort à faire, pour le protéger.

— Ce n'est pas facile tous les jours, c'est vrai. Et si nous allions visiter les cuisines, à présent ?

Plus il y avait de personnes qui nous voyaient déambuler ensemble, plus vite la nouvelle de mes cordiales relations avec une religieuse se répandrait. Et plus vite aussi, la campagne de dénigrement d'Herrera ferait long feu.

— Rien ne me ferait plus plaisir, répliqua mère Benedette en me prenant par le bras.

22

Renaldo se laissa aller en arrière dans son fauteuil, croisa les mains derrière la tête et se mit à examiner attentivement le plafond. Perdu dans ses pensées, il me demanda :

— Quand mère Benedette est-elle arrivée, déjà ? Il y a deux jours ?

J'étais assise en face de lui, à déguster un bourgogne plus que correct — et dont Renaldo s'était bien gardé de me révéler la provenance en me tendant la coupe.

— À peu près, oui, confirmai-je.

Il hocha la tête.

— Les rumeurs à son sujet ont fleuri plus vite qu'un parterre de narcisses au printemps. Selon certains, elle aurait reçu la visite de sainte Claire, qui lui a dit de venir à vous ; dans d'autres versions, Sa Sainteté l'a fait mander car il craint pour votre âme ; sinon, à l'inverse, vous l'avez fait mander car vous craignez pour l'âme de Sa Sainteté ; ou encore, c'est vous qui avez reçu la visite de sainte Claire, ou de sainte Marie-Madeleine, ou du diable (il y a un point de désaccord, ici) et c'est vous qui l'avez fait venir pour racheter vos péchés.

Je pris une autre gorgée de ce bourgogne, qui était décidément très bon, et lançai un regard en coin à l'intendant.

— Les ragots vont encore meilleur train que d'habitude, constatai-je.

Je le soupçonnais fortement d'y avoir contribué, mais cela me convenait très bien.

— C'est bien vrai, renchérit-il. Le mieux, dans tout ça, c'est que les Espagnols ont beau être furieux, ils ne peuvent rien faire. Herrera est persuadé que c'est encore une de vos ruses, mais il n'arrive pas à saisir comment vous vous y êtes prise.

— Vous m'étonnez. Si l'on part du principe que je suis la servante du diable, il aurait pu se contenter de dire que j'ai fait apparaître mère Benedette.

— Il le ferait s'il le pouvait, croyez-moi, mais c'est-à-dire qu'elle fait tellement… vrai. Son habit de laine si sobre, son modeste chapelet en bois, ce halo de sainteté qui semble émaner d'elle…

— Vraiment ? Un halo de sainteté ?

J'avais beaucoup de sympathie pour l'abbesse, mais il ne fallait tout de même pas exagérer.

— Oh, mais oui. Je pense même que ce serait une bonne chose de placer ce détail, quand son nom vient dans la conversation.

— Vous êtes sérieux ?

— Voyez par vous-même, Donna Francesca, s'exclama-t-il. Elle arrive comme de nulle part à Viterbe, en temps de crise et de grand danger. Elle en appelle à vous directement, et si l'on y réfléchit bien, qui a davantage de pouvoir que vous sur la vie et la mort de Sa Sainteté ?

— Réfléchissons… Vittoro… la garde papale… tous les mercenaires dont l'unique mission est de le protéger… ses complots certes incessants, mais en général brillants…

Renaldo écarta tout cela d'un geste, comme si c'était sans importance.

— Tout cela n'est rien comparé à la dimension spirituelle. Je parle de l'éternelle bataille entre le bien et le mal, qu'à l'évidence vous incarnez. En arrivant ici, elle ne va pas voir les Espagnols ou Sa Sainteté ou qui que ce soit d'autre, elle va vous voir *vous*, une femme à la réputation injustement ternie, une Marie de Magdala de notre époque. Et que faites-vous ? Tel Loth à Sodome, vous l'accueillez à bras ouverts. Vous lui donnez refuge, et vous écoutez ses sages conseils.

— C'est bien la femme de Loth qui a fini en statue de sel, si je ne m'abuse ? D'ailleurs, ce n'est pas lui qui s'accouplait avec ses propres filles ?

— Des détails, tout au plus. Ce que je veux dire, c'est que notre Seigneur a tendu la main à Sa Sainteté pour lui venir en aide et la protéger en dépit de ses faiblesses personnelles et de ses ennemis toujours plus nombreux. Encore mieux, Il vous a élue comme l'instrument de Sa volonté divine.

— Vous êtes ivre, Renaldo.

Mais d'une ivresse plutôt charmante, il fallait bien l'avouer. Nous nous étions retirés dans son bureau après le dîner de Sa Sainteté, que nous avions tous deux observé en coulisse, chacun dans son rôle respectif. Mère Benedette, pour sa part, avait dîné en bonne compagnie, ayant été invitée à prendre place aux côtés de Lucrèce. Cette dernière avait fait preuve d'une attention toute particulière à son égard. Lorsqu'elle s'était retirée, elle avait clairement laissé la cour de Borgia en émoi.

— Je suis inspiré, me corrigea l'intendant. Et je suis aussi ivre, mais seulement parce qu'en temps normal je ne bois pas assez pour ne pas l'être.

— Je vois. Vous avez vraiment dit que j'incarnais la lutte entre le bien et le mal, ou j'ai rêvé ?

— Mais c'est la vérité. Quelles que soient les rumeurs que les Espagnols font circuler, nous savons tous deux que vous êtes quelqu'un de fondamentalement bon. Et pourtant, vous avez choisi d'exercer un métier qui vous oblige à tuer.

— Je ne l'ai pas choisi. Simplement, la mort de mon père ne m'a laissé d'autre possibilité.

Ainsi avais-je pris l'habitude de justifier mes actes, envers moi-même et quiconque voulait bien m'écouter – y compris Dieu.

— Oui, je sais. En tant que femme isolée, vous n'aviez pas les moyens de le venger. Mais en tant qu'empoisonneuse de Borgia…

Il haussa les épaules, ne prenant pas la peine de préciser ce que nous savions tous deux : à savoir que jusque-là j'avais échoué à me faire justice, précisément à cause des responsabilités qui allaient avec ce pouvoir si durement acquis.

— Jeanne d'Arc n'a-t-elle pas été envoyée par Dieu pour faire de Charles VII le roi de France ? reprit-il.

Me demandant bien comment nous en étions tout à coup arrivés à parler de la Pucelle d'Orléans, j'objectai :

— Et n'a-t-elle pas fini sur le bûcher pour sa peine ?

— Seulement parce qu'elle est tombée aux mains des ennemis de Charles. Mais loin de moi l'idée de faire subir le même sort à mère Benedette. Même si, en toute honnêteté, cela ne nous ferait pas de mal d'avoir une martyre dans notre camp.

Je ne le pris pas au sérieux – du moins, pas totalement.

— Du moment que ce n'est pas moi… Vous imaginez, dans plusieurs siècles, de bons chrétiens prier sainte Francesca du Calice Empoisonné ? Vraiment, je craindrais pour la survie de notre Mère la sainte Église, si cela devait arriver.

En m'entendant parler ainsi, Renaldo avala de travers et recracha une certaine quantité de vin sur son habit.

— Vous ne vous souciez vraiment pas de l'enfer, n'est-ce pas ?

Je songeai alors à ce que j'avais vu dans la rue des Tanneurs.

— Cela ne vous a jamais traversé l'esprit qu'on y était peut-être déjà ?

— Ça expliquerait pas mal de choses, répondit-il après réflexion. (Il nous resservit du vin puis, soudain, s'anima.) Alors, qu'en dites-vous ? Et si l'on faisait circuler une rumeur selon laquelle mère Benedette est un ange déguisé en religieuse ? Ou mieux, que sa présence ici est la preuve que le Tout-Puissant aime Borgia ? Dieu sait qu'une aura de divin ne lui ferait pas de mal.

— Et après, on dit que je suis diabolique.

Cela se voulait un compliment, et je savais qu'il le prendrait comme tel.

— On m'a toujours vu comme un petit homme le nez tout le

temps fourré dans ses registres. Cela ne me déplairait pas qu'on pense à moi en des termes un peu plus ambitieux.

— Très bien, mais on oublie l'idée de martyre. Quand toute cette histoire sera finie, mère Benedette s'en retournera au couvent d'Anzio sans savoir que nous nous sommes servis d'elle.

— D'accord. Je vais glisser un mot ou deux dans les bonnes oreilles. Ah, et cela ne ferait pas de mal de vous montrer à la messe à ses côtés. Le temps est censé rester au beau, il n'y a donc pas lieu de craindre la foudre.

Je repensai à ce qui était arrivé dans les bureaux de Borgia au Vatican et lui fis un grand sourire.

— Si je dois être damnée, Renaldo, je suis heureuse que ce soit en si bonne compagnie.

L'intendant était rayonnant lorsque je le quittai quelques minutes après. Il était très tard, l'heure où le monde est silencieux, dans l'expectative. Il est dit que la sainte Église passe ces heures-là à veiller, en attendant le retour de son époux le Christ. Comme pour me le prouver, je croisai dans le couloir des moines qui se rendaient à la chapelle pour les matines, et leurs voix habitées par la prière me mirent du baume au cœur, à tel point que je m'arrêtai quelques instants pour les écouter avant de retourner dans mes quartiers.

Cela faisait deux nuits que je ne dormais pas, et je me forçai à m'étendre. Par miracle, le sommeil me gagna sans même que je m'en rende compte ; quand j'ouvris de nouveau les yeux, il faisait jour.

M'habillant à la hâte, je partis en quête de mère Benedette et la trouvai sur le point de partir pour l'office du matin.

— Bonjour, mon enfant, s'exclama-t-elle. As-tu bien dormi ?

— Très bien, même. (Tout à coup, la suggestion de Renaldo me revint à l'esprit.) Cela vous dérangerait si je vous accompagnais à la messe ?

— Bien au contraire, j'en serais ravie.

Nous nous rendîmes à la chapelle où, à ma surprise, il y avait beaucoup plus de monde qu'à l'accoutumée. Je repérai Renaldo, qui ne semblait pas avoir trop souffert de ses excès de boisson de la nuit passée, et allai me poster à ses côtés.

— N'est-il pas un peu tôt pour que tout ce beau monde soit debout et, plus encore, d'humeur à prier ? m'enquis-je.

Renaldo fit un petit signe de tête à mère Benedette, me gratifia d'un sourire et annonça :

— Sa Sainteté a décidé de dire la messe ce matin.

L'événement était si rare que cela provoquait une curiosité certaine, forcément : d'où la foule rassemblée. En revanche cela ne m'éclairait pas davantage sur les motivations de Borgia. Il était entré dans les ordres il y avait des décennies de cela, et en théorie était censé dire la messe tous les jours ; mais en pratique, il ne s'était pas acquitté de ce devoir depuis des mois. À bien y songer, j'avais même du mal à me rappeler la dernière fois où il avait *assisté* à une messe. À Rome, il aimait aller à la chapelle Sixtine, ce lieu magnifique orné de fresques non moins superbes de Ghirlandaio, Botticelli, le Pérugin, Cosimo Rosselli, représentant la vie de Moïse et du Christ. Mais il s'y rendait à des heures étranges, et toujours entre deux offices. Il se murmurait que c'était l'immense plafond encore vierge qui l'intéressait, car il envisageait d'y faire peindre une grande œuvre. Jusqu'à présent, les fonds destinés à ce projet lui avaient toujours manqué. Quant à la basilique Saint-Pierre voisine, qui elle se trouvait dans un état de délabrement avancé, pour autant que je le sache Sa Sainteté n'y avait pas mis les pieds depuis que le toit avait littéralement failli lui tomber sur la tête, quelques mois plus tôt.

— J'espère qu'il postera au moins quelqu'un à proximité pour lui souffler en cas de besoin. Sa mémoire doit être un peu rouillée, ironisai-je.

Renaldo roula des yeux, tout sourire.

— Vous avez raison, il vaudrait mieux. Venez, allons nous asseoir. Il s'agit d'être aux premières loges.

En l'honneur de la présence de Sa Sainteté, et pour pouvoir contenir tous les dignitaires, des bancs avaient été installés dans la chapelle. Renaldo nous trouva des places non loin de l'autel. C'est ainsi que nous vîmes fort bien Borgia remonter l'allée, resplendissant dans ses habits rouge et or, la magnifique tiare symbole de la papauté sur la tête. Tout le monde savait fort bien qu'il avait emporté avec lui tout ce qu'il avait pu du trésor conservé au Vatican, mais un frisson parcourut tout de même l'assemblée à la vue de la triple couronne ornée de pierres précieuses. On aime tous un beau spectacle, et Borgia semblait déterminé à nous en offrir un.

Il s'attela tout de suite à la tâche, s'exprimant avec aisance, ne butant ni ne se reprenant, pas même une fois. Son numéro était si bien huilé qu'un observateur extérieur aurait sûrement cru qu'il faisait cela tous les jours. La langue latine roulait sans accroc sur sa langue, mais pour être tout à fait honnête, il manquait de grâce : j'avais entendu Renaldo lire des colonnes de chiffres avec davantage d'émotion que Borgia lorsqu'il évoqua la transformation mystique du pain et du vin en corps et en sang de notre Sauveur.

Mais il s'en sortit tout de même fort bien. Je m'armai de courage pour me joindre à ceux qui faisaient la queue jusqu'à l'autel, car mon aversion du sang n'était jamais aussi pénible pour moi que durant l'acte de communion. Jusqu'à récemment, c'était même un véritable supplice, mais j'avais fini par me raisonner en me disant que le vin restait du vin, et qu'on aurait beau prier, jamais il ne se changerait en sang. Ce faisant je me rendais coupable d'hérésie, manifestement ; mais que voulez-vous, cela m'apportait un certain réconfort. Je comprends pourquoi l'Église a choisi de punir ce genre de pensée : le jour où les gens commenceront à décider eux-mêmes de ce qu'ils veulent croire, ce ne sera pas simplement le toit de Saint-Pierre qui s'écroulera.

À la fin de la messe, nous sortîmes humblement de la chapelle. J'étais sur le point de demander à mère Benedette si cela l'intéresserait de m'accompagner dans ma ronde lorsque je me rendis compte qu'on nous observait nerveusement. Un rapide coup d'œil par-dessus mon épaule, et je compris pourquoi : vêtu de cette tenue de velours noir et argent que les Espagnols semblent affectionner, Herrera avançait vers nous à grands pas. Je n'avais pas oublié notre dernière rencontre, et j'étais résolue à me contenir cette fois-ci.

S'arrêtant à quelques centimètres de moi à peine, et ignorant totalement l'abbesse, il cracha :

— Ne crois pas un seul instant que quiconque soit dupe, *bruja*. Je sais ce que tu as fait, Dieu le sait, et bientôt tout le monde le saura aussi.

Je tressaillis. Que ce soit en italien ou en castillan, « sorcière » était toujours aussi laid, comme mot. Nul besoin d'avoir beaucoup d'imagination pour comprendre qu'il m'accusait publiquement d'avoir poignardé son domestique. Ne pas répliquer sur-le-champ reviendrait à avouer ma culpabilité. À cet instant-là, je fus distraite par un mouvement sur le côté : César, qui se tenait à l'écart et nous observait. Je ne l'avais pas vu à la chapelle mais ne m'en étais pas étonnée, car il avait encore moins de patience que son père quand il s'agissait de tout ce cérémonial entourant la foi.

N'ayant d'autre choix, je dis le plus calmement possible :

— Si vous aviez l'amabilité de m'éclairer, Signore. Quel acte exactement ai-je commis, selon vous ?

— Tu as donné ton âme au Diable ! Tu lui obéis dans un état de délire, telles les anciennes Bacchantes qui déchiraient les hommes dans leur folie ! Et comme elles, tu descendras en Enfer et tu seras condamnée pour l'éternité !

La tirade de l'Espagnol n'avait rien de nouveau, pour moi ; j'avais bien compris que si l'on ajoutait à sa sincère antipathie la crainte de ce que je pourrais révéler à son propos, on obtenait une fielleuse mixture. En revanche, il avait réussi à choquer mère Benedette.

Tout de go, elle s'écria :

— Signore, vous insultez une jeune femme qui désire uniquement préserver la sécurité et le bien-être de notre Saint-Père. Assurément, c'est aussi ce que vous souhaitez ?

Son audace me prit au dépourvu, mais ce n'était rien à côté d'Herrera. Il la regarda fixement, son nez fier levé bien haut.

— Si vous êtes une femme de foi, ainsi que vous prétendez l'être, vous devriez vous détourner de cette… *chose* au plus tôt.

J'attendis, songeant qu'il avait dû la décontenancer. Après tout, c'était un homme puissant qui devait en remontrer tous les jours aux simples mortels. Mais mère Benedette ne cilla même pas. Imperturbable, elle rétorqua :

— Dieu n'envoie pas ses serviteurs dans le feu pour qu'ils se réchauffent. Il les y envoie pour les éprouver. Je n'abandonnerai pas une âme dans le besoin.

L'Espagnol la regarda d'un air ahuri. Visiblement, il ne savait quoi répondre devant une foi aussi sincère. César profita de la confusion pour s'approcher discrètement. Un mot glissé à l'oreille d'Herrera, une main posée sur son bras, et il l'éloigna de nous.

Mère Benedette et moi poursuivîmes notre chemin. Je l'entendais qui marmonnait entre ses dents, et au départ je crus qu'elle était en train de prier ; mais il devint bien vite évident que ce n'était pas le cas.

— Affreux, cet homme, s'énerva-t-elle soudain. Tout à fait affreux.

— Euh… en effet.

Après qu'elle eut magistralement rabroué Herrera sans se départir de son calme, cette soudaine colère me laissait perplexe, je l'avoue.

— J'ai entendu dire, ajoutai-je sans grande conviction, qu'il est plus subtil qu'il n'y paraît. Par exemple, je tiens de bonne source que c'est un architecte doué.

L'abbesse me regarda comme si j'étais une écervelée.

— Quelle importance, quand cet homme cherche visiblement à te faire du mal ? Mais je ne le laisserai pas faire, ah ça, non. D'ailleurs, je vais jeûner pour me repentir de mes mauvaises pensées. Mais toi, tu dois manger ; tu auras besoin de toutes tes forces pour l'affronter.

Je me rendis compte à ce moment-là que j'avais grand faim ; mais cela ne me disait guère de manger seule. À force de cajoleries, mère Benedette accepta de repousser son jeûne de quelques heures pour se joindre à moi. Nous prîmes un succulent petit-déjeuner dans mes quartiers, composé de bon pain encore chaud, d'un fromage ligure à pâte molle, et de quelques œufs durs coupés et assaisonnés avec du thym. Je me régalai également de quelques tranches de *culatello*, ce jambon que l'on trempe dans du vin jusqu'à ce qu'il prenne une jolie teinte rouge rosé, mais l'abbesse s'abstint de manger de la viande. Lorsque les domestiques se furent enfin retirés, nous pûmes parler librement.

Tout en dégustant son œuf, elle me dit :

— Je ne comprenais pas réellement ce que tu endurais jusqu'à ce matin. Comment arrives-tu à le supporter ?

La question me prit de court. Je n'y avais jamais vraiment songé en ces termes-là.

— Sa Sainteté doit être protégée. Je fais de mon mieux.

— Mais cet homme, lui, fait tout ce qu'il peut pour t'ébranler. Quand on songe que c'est le neveu de Leurs Majestés très catholiques. Ne voient-ils donc pas combien il est vil ?

— Au contraire, ils doivent avoir une bonne opinion de lui puisqu'il est leur émissaire. Le malheur, dans tout cela, c'est que sans son soutien l'alliance pourrait fort bien s'écrouler.

— Assurément, cela n'a plus d'importance maintenant qu'avec les Français…

— Je ne parierais pas trop là-dessus.

Les yeux de mère Benedette se firent perçants.

— Vraiment ? Mais si l'on mettait un terme à l'alliance avec les Espagnols, que se passerait-il, concrètement ?

J'hésitai. La tentation de me confier à l'amie de ma mère (devenue la mienne) était grande, mais tout comme mon penchant au secret.

En voyant que je gardais le silence, elle se coupa un petit morceau de fromage, puis s'employa à me rassurer :

— Tu n'as pas à discuter de ce genre de chose avec moi, je comprends tout à fait. Le problème, c'est que tu ne sais plus à qui te fier, et qui pourrait te le reprocher étant donné le monde dans lequel tu vis ? Sache simplement que tu peux me parler en toute confiance. Jamais je ne répéterai ce que tu me diras à quiconque, et même si je ne suis qu'une simple religieuse, reste que j'ai deux oreilles et deux yeux. Qui sait ? Ils pourraient t'aider à y voir plus clair.

Elle avait raison, à l'évidence. Et j'avais désespérément besoin de sages conseils.

— Il… est possible qu'Herrera soit la cible d'un assassin qui se trouve présentement à Viterbe, fis-je lentement.

Mère Benedette posa son couteau, et m'observa attentivement.

— Et on t'a chargée de le protéger ? Quel lourd fardeau cela doit être pour toi. Préserver la vie d'un homme qui se ferait une joie de prendre la tienne.

J'acquiesçai d'un signe de tête.

— Le fait que j'aie tué deux de ses hommes n'arrange rien. Ni que j'aie tenté d'enquêter sur le meurtre de son domestique, et dont le seul témoin a également succombé.

L'abbesse secoua lentement la tête.

— Vraiment, les difficultés t'assaillent de toutes parts. Mais il ne faut pas perdre la foi. Au contraire, tu dois t'y accrocher comme jamais auparavant.

— Pour être tout à fait honnête, ma foi n'a jamais été très solide.

— Tu m'en vois désolée, mais je peux le comprendre. Tu as dû affronter le mal à un si jeune âge. Il n'y a rien d'étonnant à ce que tu sois remplie de doutes.

— Il m'est arrivé, c'est vrai, de me demander comment un Dieu aimant pouvait faire endurer à l'homme de telles cruautés, admis-je. (J'avais même étudié la question dans le détail, et cherché des réponses dans les livres ; malheureusement, je n'en avais pas trouvé de satisfaisantes.) Saint Augustin disait que le mal n'est rien de plus que l'absence de bien. Mais pour être honnête, cela me paraît un peu facile, comme explication.

L'abbesse ne sembla pas offusquée par une telle franchise, mais elle n'avait pas non plus l'air impressionnée par les conclusions auxquelles en était arrivé le saint.

— Augustin était un homme intelligent, répliqua-t-elle, cela ne fait aucun doute. Mais il y a une autre explication. Si je te dis que ce monde physique, soumis à l'obsession matérielle, est mauvais par nature ; et que le bien n'existe que dans le royaume spirituel ? De là vient la lumière divine qui existe en chacun de nous, et nous donne notre seul espoir de rédemption.

L'idée était provocante, mais elle me semblait aussi étrangement familière. J'avais déjà entendu quelque chose de similaire – non, cela exactement, mais ailleurs. Pourtant, au sein de l'Église, Augustin était considéré comme l'autorité absolue s'agissant de la nature du mal. Sa théorie ne laissait de place à aucune autre interprétation, encore moins à celle-ci, qui tendait à suggérer que la création de Dieu était intrinsèquement mauvaise. Mais où donc avais-je… ?

Soudain, je me souvins. Le Mysterium Mundi, sous le Vatican, cette mine de connaissances interdites à laquelle Borgia m'avait donné accès à contrecœur, lorsque j'avais menacé de quitter son service quelques mois plus tôt. J'avais à peine commencé à en explorer la richesse concernant mes sujets de prédilection (philosophie naturelle et alchimie), car j'avais été attirée par des documents visant un tout autre sujet lors de mes quelques visites. En effet, si je savais que l'Église avait été déchirée pendant des décennies par un Grand Schisme dont elle se remettait à peine, je ne connaissais en revanche rien des précédents défis à l'autorité de Rome. Plus particulièrement, je n'avais jamais entendu parler des cathares jusqu'à ce que je tombe sur leurs textes sacrés, qui étaient conservés dans la chambre secrète sous le palais du pape.

C'était les cathares, effectivement, qui croyaient que le monde était mauvais par nature. Selon eux, nous ne vivions pas dans la création d'un Dieu aimant (comme nous l'enseigne l'Église), mais dans le royaume de Satan. Dieu existait, mais Il était totalement séparé, dans un royaume de pureté et de lumière bien au-delà de notre monde physique. Nul besoin de se faire prêtre pour l'atteindre : au contraire, Sa vérité était révélée à tous les hommes et femmes ayant la grâce de la rechercher. Quant à l'Église, son opulence et la simonie dont elle se rendait coupable étaient la preuve qu'elle ne servait pas Dieu, comme elle prétendait, mais bien Satan.

Je n'avais guère été étonnée d'apprendre que notre Mère la sainte Église avait réprimé l'hérésie cathare par le feu et l'épée. Mais leurs écrits avaient été préservés dans l'idée qu'un jour, la menace qu'ils représentaient pouvait réapparaître. En revanche, pour autant que je le sache, toute mention des cathares avait été expurgée des sermons et bréviaires destinés aux fidèles : mère Benedette ne pouvait savoir qu'elle venait de prononcer une hérésie. C'était tout bonnement impossible.

— Un point de vue intéressant, répliquai-je prudemment.

— Mais qui ne tire pas vraiment à conséquence, s'empressa d'ajouter l'abbesse. Ce que je cherche à te dire, c'est que le mal est une force puissante. Nous pouvons rester assises à débattre de sa nature, ou bien nous efforcer d'en prévenir les effets du mieux que nous le pouvons.

— Et comment ? me hasardai-je.

Elle resta silencieuse un instant, puis s'exclama :

— Herrera ne te laissera pas le protéger. Au contraire, il fera tout pour te tenir à distance. Moi, je peux tenter de gagner sa confiance.

— Mais vous méprisez l'homme. Vous-même l'avez avoué.

— C'est sans importance. Je suis tout de même capable de mettre de côté mes sentiments personnels, si cela peut t'aider.

J'avais beau détester l'idée d'abuser davantage encore de sa gentillesse, le fait était que j'étais à bout de ressources, s'agissant de l'Espagnol. Son opinion de moi, d'où qu'il la tienne, rendait ma tâche impossible. Sans compter que je m'inquiétais de savoir David de taille (ou bien enclin ?) à s'en acquitter de son côté.

— Vous croyez vraiment pouvoir vous approcher suffisamment de lui pour voir la menace et me prévenir si nécessaire ?

— Tu as une meilleure idée ?

L'honnêteté m'obligeait à admettre que non. Mais je l'avertis tout de même :

— Si votre intention est de vous lier d'amitié avec lui, il va s'attendre à ce que vous me reniiez.

— Jamais je ne ferais cela, répliqua l'abbesse avec véhémence. Dis-moi, il doit bien avoir un défaut, une faiblesse qui m'aiderait à l'atteindre.

— Eh bien, il… admire César. Mais il sait que Son Éminence et moi sommes…

Je n'allai pas plus loin, craignant de la choquer.

Cependant, mère Benedette me comprenait (et comprenait la marche du monde) mieux que je ne l'aurais cru.

— Dans ce cas, je vais lui dire que j'œuvre à te convaincre de l'inconvenance de ta relation avec notre prince de la sainte Église, et que, pour le bien de vos âmes, je t'ai conseillé de te retirer dans un couvent.

L'idée que j'entre dans les ordres était tout simplement ridicule… mais en tant que stratagème, il fallait reconnaître que c'était habile.

— Vous pensez vraiment pouvoir le persuader ?

Elle haussa les épaules, comme si la réponse était évidente. Avec un aplomb que je ne pouvais que lui envier, elle me rétorqua :

— Les gens croiront toujours ce qu'ils ont envie de croire.

23

Deux jours passèrent encore. Lors de chacune de mes apparitions publiques avec mère Benedette, je tâchais d'avoir l'air grave et pensif, comme il seyait à une femme tentant d'expier ses nombreux péchés. En mon for intérieur, j'oscillais entre inquiétude et soulagement. D'un côté, Herrera semblait disposé à lui accorder son amitié ; mais de l'autre, je craignais qu'elle ne se mette en danger à ma place.

— Ne dis donc pas de bêtises, s'exclama-t-elle le second soir, confortablement assise dans mes quartiers.

À l'évidence, le nouveau rôle de l'abbesse lui plaisait. Elle d'ordinaire si calme paraissait excitée comme une petite fille essayant un nouveau jouet.

— Il ne se doute absolument pas que je suis là pour autre chose que le bien-être de son âme, m'affirma-t-elle avec assurance. Âme qui, du reste, a bien besoin d'être prise en main.

— Il s'est confié à vous ?

— Pas du tout, hormis pour tempêter contre César et toi. Mais ses confesseurs ont laissé entendre que les rumeurs de son comportement ici sont arrivées en Espagne. Il paraît que Leurs Majestés très catholiques sont très mécontentes. Et il se pourrait bien qu'ils le rappellent là-bas. Je le soupçonne d'avoir accepté de se lier d'amitié avec moi pour cette raison.

David n'en avait pas fait mention lors de l'unique et brève entrevue que j'avais réussi à avoir avec lui depuis notre retour à Viterbe. Il prétendait être toujours dans les bonnes grâces des Espagnols, mais j'en doutais. Par ailleurs, il avait exprimé quelques réserves sur la mise à contribution de mère Benedette, ce que j'avais mis sur le compte de sa méfiance naturelle vis-à-vis des chrétiens, sans m'en inquiéter davantage.

En l'écoutant ce soir-là, je me sentis confortée dans ma décision. Ce qu'elle venait de m'apprendre concernant les monarques espagnols était important. Je me demandais si Borgia avait été mis au courant.

— Cela porterait un coup à l'alliance, fis-je d'un air songeur.

— Je ne pense pas qu'il faille en arriver là. Une fois que ton assassin sera sorti de sa cachette et se sera fait prendre, assurément Isabelle et Ferdinand se rendront compte qu'ils n'ont d'autre choix que de continuer à soutenir Sa Sainteté, au risque de voir triompher quelqu'un qui soit à la fois son ennemi et le leur.

— C'est à espérer. À l'évidence, tout repose sur ma capacité à stopper l'assassin avant qu'il ne tue Herrera. Vous n'avez vraiment croisé personne de suspect, dans son entourage ?

— Malheureusement non, mais je te promets que je vais persévérer.

J'acquiesçai d'un signe de tête, plus que jamais reconnaissante pour son aide – et désolée de l'entraîner dans cette sombre affaire.

Plusieurs heures après qu'elle se fut retirée pour la nuit, je réfléchissais encore à tout cela, allongée sur le lit, lorsque j'entendis quelqu'un à ma porte. J'avais pour habitude de la fermer à clé ; mais les serrures sont faites pour être crochetées, et il semblait bien que quelqu'un soit en train de se livrer exactement à cela. Aussitôt, je m'emparai du couteau sous mon oreiller – pour l'y replacer sans tarder lorsque je vis César entrer, remettant en poche un double de clés dont j'ignorais l'existence.

Il avait dû voir l'éclat de la lame, car il me dit en souriant :

— Je constate que tu t'es retenue de me le lancer en plein cœur, c'est bien.

Je fis de mon mieux pour ne pas paraître perturbée par sa soudaine apparition, mais à la vérité mon cœur s'était mis à battre un peu plus vite. À la lumière de la braise rougeoyante des braseros, il avait l'air ébouriffé, las, et par trop désirable.

— Hélas, je ne m'en sers qu'en combat rapproché, rétorquai-je.

Était-ce bien raisonnable de lui rappeler ce que j'avais fait avec ce couteau, à peine quelques jours plus tôt ? La vérité était que je ressentais le besoin de lui parler en toute franchise, ce soir-là.

César referma la porte derrière lui, et fit quelques pas dans la pièce.

— Tu as bordé Herrera pour la nuit ? m'enquis-je.

Un certain regret (ou bien était-ce mon imagination ?) se lut fugacement sur son visage.

— Il est tombé ivre mort, comme d'habitude. S'il continue ainsi, l'assassin n'aura même pas à lever le petit doigt. Mais passons. (Il s'assit nonchalamment sur le lit.) Qu'entends-je, tu veux me quitter ?

Le quitter, *lui*. Non le pape, ou mon poste, ou quoi que ce soit d'autre : seulement lui. Je souris malgré moi.

— Fais-tu référence à ma toute nouvelle conscience, qui m'amène à caresser l'idée de me retirer dans un couvent ?

— C'est cela, oui.

Tu trouves que c'est plausible ?

— Pas le moins du monde. Le miracle, c'est que tous les autres y croient. J'imagine que c'était une tactique pour t'approcher au plus près d'Herrera ?

Je hochai la tête.

— C'est mère Benedette qui me l'a proposée, et il m'a semblé que je n'avais d'autre choix que d'accepter, vu que l'Espagnol ne me laissera pas le protéger.

— Tu ne fais plus confiance à ben Eliezer pour t'épauler dans cette mission ?

Je n'avais pas oublié la théorie de César, selon laquelle c'était peut-être David qui se cachait derrière cette menace. Seulement, je ne voulais pas y ajouter foi – pas plus que je ne voulais croire David quand il évoquait le caractère ambigu des motivations de César.

— Il s'est peut-être compromis en voulant me venir en aide à la villa, expliquai-je. Du reste, une seconde paire d'yeux ne peut pas faire de mal.

— Tu la crois capable de mieux repérer le danger que… moi, par exemple ? fit-il, l'air renfrogné.

En général, je savais tenir compte de la fierté des jeunes hommes, en particulier ceux qu'on avait élevés comme des princes. Mais là, c'en était trop. Me redressant d'un coup sur un coude, je m'énervai :

— Pour une fois, cesse de te regarder le nombril, tu veux ? Elle constitue mon meilleur espoir, car personne n'ira la soupçonner de surveiller Herrera pour moi. Mais même avec son aide, de toute façon, j'ai bien peur de ne pas y arriver.

Cela me coûtait de l'admettre, mais de son côté César ne parut pas troublé pour un sou.

— Ce n'est pas comme si tu étais encline à capituler facilement.

Je le dévisageai, partagée entre stupéfaction et colère.

— Facilement ? Tu ne sais vraiment pas de quoi tu parles. Tout ce qui m'est arrivé…

— C'est vrai, je n'en sais rien, me coupa-t-il, en colère lui aussi, à présent. Tu gardes tout pour toi. Mais je ne suis pas le rustre insensible que tu crois – du moins pas complètement. Je suis assez intelligent pour voir que tu ne vas pas bien du tout, et pour m'en inquiéter.

Ses paroles m'adoucirent quelque peu. Dans un soupir, je confessai :

— Moi aussi, je m'inquiète pour moi.

Il ôta ses bottes avant de s'étendre : sa mère, Vannozza, avait peut-être été écartée du toit familial dès son plus jeune âge, mais elle n'en avait pas moins réussi à lui inculquer les bonnes manières.

— Parle-moi, fit-il en m'attirant à lui.

Je restais crispée pendant quelques instants, jusqu'à ce que la chaleur de son corps vainque mes dernières résistances. Alors, je me lançai :

— Ma mère n'est pas morte à ma naissance comme je l'ai toujours cru. Elle a été assassinée trois ans plus tard par sa propre famille, qui ne supportait pas de la voir mariée à un juif. Juste avant que cela n'arrive, elle m'a cachée derrière un mur, mais il y avait un trou dedans. J'ai tout vu.

— *Bon déu*, souffla César dans son catalan natal, tant il était sous le choc.

Je posai ma tête sur son épaule, puis ajoutai :

— J'ai toujours su qu'il y avait quelque chose qui clochait, chez moi. Une noirceur, qui me met à l'écart des autres et menace constamment de consumer mon âme. Au moins maintenant, je sais d'où ça vient.

Son étreinte se fit plus forte.

— C'est à cela que tu tentais d'échapper, l'autre nuit ?

— Probablement.

Je songeai de nouveau à cette mystérieuse silhouette qui avait paru me poursuivre. L'un des hommes que j'avais vus tuer ma mère ? Son frère, peut-être ? Ou bien était-ce une image de la Mort que mon esprit délirant avait fait apparaître sous mes yeux ?

Il se tourna alors, et me fit glisser sous lui. Tourmentée comme je l'étais, je refusai de lui céder, jusqu'à ce que la douce caresse de sa main le long de ma cuisse finisse par me distraire. Il était, après tout, toujours le garçon avec qui j'avais échangé des regards à la dérobée, à l'époque bénie de l'innocence. Cet adolescent blessé par les paroles de son père, qui la première fois était venu en moi dans la douleur, et en même temps m'avait donné tant de plaisir. Mais aussi l'amant ténébreux avec qui je pouvais lever le masque, alors que je me sentais obligée de le garder avec tous les autres – même Rocco, à qui je refusais tout net de penser, présentement.

D'ailleurs, très vite, je ne fus plus capable de penser du tout. Le temps passé loin l'un de l'autre n'avait fait qu'aiguiser notre désir, et la passion vorace de nos corps nous emporta. Je l'étreignis fermement, me délectant de la beauté de son corps parfait, pressant mes lèvres sur le pouls que je sentais battre dans sa gorge, goûtant à cette pulsion de vie. Il poussa un gémissement quand il entra en moi, rejetant au même moment la tête en arrière. Je me cambrai alors, et vis la lune qui filtrait à travers les hautes fenêtres, baignant nos corps d'une lumière argentée. Nous bougeâmes ainsi en rythme jusqu'à l'extase, jusqu'à ce que le monde autour de nous s'écroule, et nous avec. Toujours entrelacés, nous retombâmes sur le lit. Avec les forces qu'il me restait, je ramenai les couvertures sur nous.

J'étais de nouveau blottie contre César, la tête posée sur son épaule, lorsque tout à coup il me susurra :

— Est-ce à dire que tu renonces à entrer au couvent ?

J'éclatai de rire et lui donnai une petite tape sur le ventre. Peu après, nous nous tournâmes du même côté, et César vint se caler tout contre moi. J'étais sur le point de m'endormir lorsque je l'entendis murmurer :

— J'ai besoin que tu sois la femme que tu es, Francesca. Et non celle que tu penses devoir être.

Puis il s'endormit, et moi aussi, apaisée par tout ce qui s'était passé entre nous. Mais un peu plus tard, au cœur de la nuit, l'envie dévorante de prendre la poudre de Sofia me réveilla. Trop agitée pour me recoucher, je restai assise un moment près de la fenêtre, mais avant l'aube j'étais habillée et déjà prête à sortir.

Je m'assis au bord du lit et observai César. Comme s'il avait senti mon regard, il ouvrit un œil et me regarda d'un air interrogateur.

— Je vais à la chapelle pour prier, expliquai-je en réponse à sa question silencieuse.

Il grogna, me tourna le dos et enfouit sa tête dans l'oreiller. Ce qui ne m'empêcha pas de l'entendre dire :

— Prends garde à la foudre.

Les moines venaient de partir quand j'arrivai, ce qui m'allait tout aussi bien. Contrairement à ce que croyait César, je ne venais pas simplement pour me faire voir : j'avais vraiment l'intention de prier. Ou bien, à défaut, de remettre un peu d'ordre dans mon esprit récalcitrant.

Manifestement, les révélations concernant la mort de ma mère, venues se rajouter à la tension inhérente à mon métier, avaient été trop lourdes à porter. Les cauchemars, les hallucinations, les visions, et à présent d'étranges craintes et doutes – tout cela constituait autant de signes que je n'avais jamais été aussi proche de la démence pure et simple. Peut-être même avais-je déjà franchi la ligne blanche sans m'en rendre compte. Quoi qu'il en soit, il me fallait trouver le moyen de continuer à remplir mon rôle, et vite.

Ainsi, je priai. Ce ne fut pas une belle prière, car je n'avais jamais été bonne en la matière ; mais j'y mis tout mon cœur.

— Dieu, commençai-je, pour me reprendre aussitôt. Notre Père Tout-Puissant, Vous qui êtes aux cieux. (La flatterie marchait toujours avec Borgia : je ne voyais pas pourquoi ce ne serait pas également le cas ici.) J'implore Votre aide. Votre serviteur, le Vicaire du Christ sur Terre, est en danger de mort. Épaulez-moi, afin que je puisse le protéger. Ne laissez pas ces délires issus des ténèbres me submerger, mais éclairez-moi afin que je puisse voir où se cache le danger et le terrasser.

» Et aussi, s'il Vous plaît, expliquez-moi pourquoi Vous tolérez qu'une telle cruauté existe dans Votre Création. Pourquoi Vous tolérez que Vos enfants souffrent autant. Pourquoi Vous avez laissé ces monstres tuer ma mère.

Comme je l'ai dit, je n'ai jamais été bonne en prière.

Je n'escomptais pas non plus de réponse, même si j'attendis tout de même quelques minutes par simple courtoisie. L'odeur d'encens de la veille flottait dans l'air. Je humai un bon coup, me mis à tousser, et finis par me lever. En me retournant je vis un prêtre qui me regardait fixement, l'air totalement hébété. Baissant les yeux pour paraître encore plus humble, je me signai.

Le pauvre homme n'osa bouger le temps que je passe devant lui pour sortir de la chapelle. J'étais bien persuadée qu'il se remettrait au plus vite de cette rencontre, et se hâterait d'aller raconter ce qu'il venait de voir : la *strega* en prière dans la maison de Dieu, et visiblement indemne, en plus. Soit le Tout-Puissant faisait montre d'une déroutante négligence envers moi, soit je n'étais pas ce que la rumeur affirmait. Dans d'autres circonstances, cela m'aurait grandement amusée.

Mais les choses étant ce qu'elles étaient, je devais avoir une mine bien sombre en traversant la grande salle. La nature du mal et sa nécessaire présence dans notre monde me pesaient grandement. L'explication fournie par Augustin avait beau être admise comme doctrine de l'Église, cela me paraissait être davantage l'invention d'un esprit élégant qu'une appréciation de la réalité concrète. Mais les cathares n'étaient pas mieux, car en affirmant que le monde matériel était mauvais par nature, ils se contentaient de passer sur la question sans y chercher de réponse.

Bien au frais dans le Mysterium Mundi, j'avais lu certains de leurs textes où l'on expliquait que l'unique but de l'existence humaine était de devenir des *perfecti*, des individus ayant atteint un tel degré d'illumination spirituelle qu'ils étaient capables de se libérer pour toujours des liens les rattachant à ce monde. Ceux qui n'étaient pas capables d'accomplir cela au cours de leur vie (la grande majorité) se voyaient condamnés à renaître encore et encore, jusqu'à ce qu'enfin ils arrivent à prouver leur mérite et deviennent à leur tour des *parfaits*. En son temps, cette doctrine avait attiré des paysans, des marchands et même des membres de la noblesse, tous unis par la conviction qu'il n'existait même pas la *possibilité* du bien dans cette existence terrestre.

Si je n'y prenais pas garde, j'allais finir par penser de même. J'avais grand besoin de soleil et d'air frais – mais plus encore, j'avais besoin de me souvenir qu'il existait un monde dans lequel tout n'était pas suspendu à la volonté d'hommes pour qui rien n'avait d'importance, hormis le pouvoir, et au diable les conséquences infligées aux autres. Un monde dans lequel des femmes cuisinaient des jarrets de veau pour leurs maris, des bébés faisaient leurs dents, des enfants naissaient et grandissaient, et des gens étaient (contre toute attente) heureux, même de façon éphémère.

Finalement cet essai à la prière, pour maladroit qu'il fût, était peut-être au moins parvenu à m'éclaircir les idées, car je me mis au travail avec une énergie renouvelée. Personne ne me causa de problème, mais je ne constatai pas non plus d'effet positif au supposé soutien de mère Benedette en ma faveur. Je continuais à me heurter à des regards hostiles, promptement détournés, ainsi qu'à un silence glacial.

Plusieurs heures après, j'étais en train d'enfoncer ma bague dans un peu de cire molle, pour sceller les derniers articles de la journée, lorsqu'en levant les yeux je vis David qui rôdait juste devant les cuisines. Il me regarda une seconde, puis s'éloigna prestement.

Je le suivis à distance, jusque dans les écuries. Il était adossé contre un mur, l'air détendu, mais je sentais que ce n'était qu'une façade. Les fines rides qui s'accentuaient autour de ses yeux me disaient qu'il était tout à la fois exténué et inquiet.

— Ta religieuse doit partir, m'annonça-t-il dès qu'il me vit.

Prise au dépourvu, j'éludai sa requête.

— On ne peut pas exactement dire que ce soit *ma* religieuse.

— Ne tergiverse pas, Francesca. C'est indigne de toi. Herrera croit pouvoir se servir d'elle pour entraîner ta chute. Il tolère sa présence uniquement pour cela.

— C'est ce qu'elle a été obligée de lui faire croire dans le but de l'approcher. Cette histoire de couvent…

David écarta l'idée d'un geste.

— Je ne parle pas de ça. Il est allé dire à ses hommes que tu es à blâmer pour toutes les morts récentes, à commencer par celle du marmiton, et que grâce à l'abbesse il est en mesure de le prouver.

— C'est ridicule. D'où sort-il pareille idée ?

— D'elle ? Comment pourrais-tu savoir ce qu'elle lui a vraiment dit ? D'ailleurs, à ce propos, que sais-tu exactement d'elle ?

La colère monta en moi. David n'était pas le seul à vivre dans l'ombre constante de la catastrophe. Il n'avait pas le droit de me parler sur ce ton.

— Je sais qu'elle était l'amie de ma mère, lui rétorquai-je avec raideur.

— Cela doit remonter à des années. En quoi cela t'importe aujourd'hui ?

— Parce qu'elle seule m'a dit la vérité à propos de sa mort. As-tu une quelconque idée de ce que cela signifie pour moi ?

Soutenant mon regard, David répliqua :

— Non, et je ne cherche pas à prétendre le contraire. Mais cela ne te ressemble pas, de donner ta confiance aussi facilement.

Voire de la donner tout court, même si je n'étais pas disposée à l'admettre. Après l'expédition à la villa, je m'étais demandé si l'entretien de Borgia avec l'émissaire français n'était pas le signal que David attendait pour agir ; pourtant, Herrera était encore en vie.

— Que se passe-t-il, mère Benedette te complique la tâche ?

— Effectivement, oui. L'Espagnol n'a pas besoin de bouffon, quand il peut comploter avec une sainte.

Était-ce le cœur du problème, ou bien s'inquiétait-il sincèrement du comportement de l'abbesse ? Je n'en savais rien ; mais je pouvais au moins tenter de le découvrir.

— Je vais voir ce que je peux faire, mais entre-temps tu vas devoir tolérer sa présence.

Ce n'était pas la réponse qu'il voulait entendre, ainsi qu'il me le fit clairement comprendre en tournant les talons en silence, non sans m'avoir auparavant fusillée du regard. Restée seule, je me laissai tomber sur une balle de foin pour réfléchir à tout cela. J'y serais peut-être même arrivée, si le monde extérieur n'avait eu la fâcheuse tendance à s'immiscer dans mes pensées.

Un page blanc comme un linge s'était approché discrètement de moi — mais pas trop près, tout de même. Il finit par m'annoncer, tête baissée :

— Pardon, Donna. Sa Sainteté requiert votre présence.

Je me frottai énergiquement le visage, respirai un bon coup, et le suivis.

24

— Surtout, arrête-moi si j'ai mal compris, maugréa Borgia. Tu t'es dit que le moment était idéal pour faire entrer à ma cour une femme dont la présence invite à réfléchir aux innombrables péchés commis sous ma papauté, et donc au besoin de se purifier. C'est bien ça ?

— Cela n'a jamais été mon intention, et je ne crois pas que ce soit la sienne. (Du moins, c'est ce que j'espérais de tout cœur.) Sauf votre respect, Votre Sainteté, je n'ai même pas remarqué que c'était ce qui arrivait.

Son visage s'assombrit.

— C'est parce que toi, tu n'as pas à écouter les prélats pérorer toute la journée. Et que je cherche à tout prix l'avancement de ma famille, récita-t-il d'une voix chantante. Et que je devrais modérer mes ambitions, et faire la paix avec les Français, et dire la messe plus souvent… Oh, et aussi ne plus voir La Bella, ou être au moins plus discret avec elle. Bientôt, ils exigeront de me voir porter la haire et le cilice et de me flageller sous leurs yeux !

En imaginant Borgia (qui était tout de même l'homme le moins spirituel que je connaissais) dans une telle posture, le fou rire me gagna. Je me contins avec le plus grand mal, mais finis par répondre :

— Est-ce vraiment juste d'imputer tout cela à l'influence de mère Benedette ?

Je savais pertinemment que la réponse était non. Borgia énumérait simplement les nombreuses doléances à son propos, dont la liste avait été créée au premier jour de son pontificat. La récente promotion de César et de Juan n'avait fait qu'exacerber les choses.

Mais s'il voulait vraiment en rendre responsable l'abbesse, je n'y pouvais pas grand-chose. Hormis, peut-être, lui rappeler ce qu'il savait déjà.

— Mère Benedette m'a proposé son aide, et j'ai accepté. Vous-même m'avez dit que l'avoir ici était une bonne idée.

— Parce que je croyais que ton plan était de restaurer ta réputation dans le but de protéger Herrera – comme tu es censée le faire depuis le départ, je te signale. Au lieu de cela, tout porte à croire que tu as délégué ta mission à une religieuse et un bouffon.

— Vous savez bien que David n'est pas…

— D'accord, à une religieuse et un agitateur juif. C'est mieux ? Je devrais dormir sur mes deux oreilles, peut-être, en sachant que ces deux-là surveillent l'homme qui est la clé de mon alliance avec l'Espagne ?

— Au moins, vous, vous dormez.

Cela m'avait échappé, et je le regrettai aussitôt. Visiblement, le peu de repos que j'avais réussi à prendre ces derniers jours n'avait pas suffi à calmer mes nerfs à vif. Pire encore, la poudre de Sofia ne m'avait jamais fait autant envie que maintenant.

— Je suis désolée. Je n'aurais pas dû…

— Assise, ordonna Borgia.

Lorsque j'eus obtempéré, il me regarda dans le blanc des yeux et s'exclama :

— Qu'est-ce qui te prend, Francesca ? (Avant même que je songe à répliquer, il me fournit sa réponse.) Veux-tu que je te donne l'absolution pour avoir tué ces hommes ? Tu n'en as pas besoin, mais si ça peut te faire sentir mieux…

— Pouvez-vous m'absoudre d'avoir été *capable* de les tuer ?

Il prit place dans son fauteuil et m'observa attentivement.

— C'est donc ça le problème ? Tu n'apprécies pas à sa juste valeur ta nature, même quand elle te garde en vie ? Préférerais-tu être un mouton qui s'en va à l'abattage sans mot dire ?

— Comme l'Agneau de Dieu ?

Vraiment, j'avais perdu tout contrôle de ma langue. Qui étais-je pour rappeler au Vicaire du Christ sur Terre le sacrifice sur la croix ?

— Toutes mes excuses, Votre Sainteté. J'ai parlé sans réfléchir. Que souhaitez-vous que je fasse ?

Un énorme soupir le secoua alors tout entier, et je me repris à penser à un taureau. L'espace d'un instant, il me parut très vieux, accablé par ses propres ambitions insatiables. Mais il se reprit bien vite, pour me déclarer :

— Je dois maintenir cet équilibre, même précaire. Si je n'en suis pas capable…

Ce serait la catastrophe pour nous tous ; je n'avais pas besoin qu'on me le rappelle.

— Je vais parler à mère Benedette, Votre Sainteté.

Après ma courte entrevue avec David, j'en avais déjà l'intention. Je n'avais certes pas envie de la renvoyer, mais si elle causait des problèmes (même par inadvertance), je n'aurais pas le choix.

Prudemment, car je me méfiais toujours du tempérament de Borgia, j'ajoutai :

— Toutefois, si vous êtes vraiment inquiet, il existe une solution évidente.

Il leva un sourcil, comme pour me défier de finir ma pensée.

— Épargne-toi l'embarras en évitant de suggérer encore qu'Herrera ait un commode accident.

Je pris le temps de respirer pour avoir l'air tout à fait calme, et me lançai :

— Ce n'était pas mon intention. Mettez-le plutôt en état d'arrestation. Qu'il soit gardé par des condottieri, et que l'on contrôle toute personne demandant à s'approcher de lui. Les plans de l'assassin seront contrecarrés, et vous serez en sécurité.

Borgia émit un gloussement. Je n'étais pas exactement habituée à entendre ce genre de son chez lui, et je mis quelques secondes à le reconnaître. À ce stade, cela s'était transformé en un rire à gorge déployée.

— Bon Dieu, Francesca, s'exclama Sa Sainteté une fois son sérieux retrouvé. Je ne savais pas que tu avais un sens de l'humour aussi féroce.

— Je ne plaisante pas, rétorquai-je, vexée.

Sa bonne humeur disparut aussi vite qu'elle était venue. Cela ne lui ressemblait pas d'être aussi versatile, je ne savais quoi en penser. Sourcils froncés, il me jeta un regard prodigieusement mauvais.

— Mais ce que tu viens de suggérer est une plaisanterie, pourtant, et dangereuse encore. Juan a été arrêté en Espagne. Et tu veux que je rende la pareille à Ferdinand et Isabelle en arrêtant leur neveu ?

— Pour son propre bien, afin d'écarter tout danger. Cela n'a rien à voir avec la situation de Juan.

— Certes, mais ça m'étonnerait que Leurs Majestés très catholiques voient la chose sous cet angle. Que suis-je censé leur dire ? Que je suis totalement impuissant face à un assassin isolé ? Combien de temps leur faudra-t-il, à ton avis, pour qu'elles décident de soutenir celui de mes ennemis qu'elles estimeront le plus fort ?

Ma frustration était trop grande pour la ravaler docilement.

— Que sommes-nous censés faire, dans ce cas ? Laisser Herrera se faire tuer et en subir les conséquences ?

Borgia frappa violemment du poing sur le bureau, projetant dans les airs un encrier en argent sculpté qui alla s'écraser au sol. Pendant quelques secondes, tout autour de nous il plut des gouttelettes noires. Le visage empourpré, Sa Sainteté gronda :

— Trouve-moi cet assassin ! Tue-le ! Fais ce pourquoi je te paie ou bien je devrai me passer de tes services, par le diable !

J'avais déjà vu Borgia en colère, mais jamais dans une telle rage. L'impitoyable prince qui s'était hissé sur le trône de Saint-Pierre en ne regardant jamais en arrière, en ne montrant jamais le moindre doute, aurait-il... peur ? Mais oui, il semblait sincèrement apeuré par des événements qu'il devait avoir l'impression de ne plus du tout maîtriser. Cependant, ce n'était peut-être pas tout. Tout le monde s'accordait à dire que Borgia possédait le meilleur réseau d'espions de toute la chrétienté. Il était tout à fait possible qu'il ait reçu des informations confirmant le danger dans lequel il se trouvait, tout en préférant les garder pour lui. Lui qui était tellement habitué à aller de triomphe en triomphe à coups d'intrigues et de manipulations n'avait jamais vraiment connu la défaite ; mais s'il était convaincu que l'heure était venue…

Un Borgia avide, ambitieux, déterminé, pris dans les mailles de son irréfragable volonté était déjà suffisamment dangereux comme cela. Mais un Borgia effrayé ? J'osais à peine imaginer ce dont il serait capable ; plus important, je n'avais aucune envie de le découvrir.

Me tenant au bord d'un abîme qui m'était par trop familier, je lui dis du ton le plus convaincant possible :

— Soyez assuré que je vais faire de mon mieux.

Borgia étant Borgia, il fallait qu'il ait le dernier mot. J'étais sur le point de franchir la porte lorsqu'il marmonna entre ses dents :

— J'exige le pire de toi, Francesca. Oublie l'abbesse venue te racheter. Il vaut cent fois mieux rappeler aux hommes pourquoi ils sentent comme une main glaciale sur leur nuque quand ils te croisent dans un couloir.

J'aurais dû balayer cette algarade en me disant que ce n'était rien d'autre qu'un écho de sa peur, mais à dire vrai, l'amère vérité de ses paroles me troubla. Je le quittai en me sentant triste et vide, tout autant que déterminée à faire mon devoir.

Aussitôt, je me mis en quête de mère Benedette. César avait emmené Herrera à la chasse, m'épargnant la gêne de devoir la chercher en compagnie des Espagnols. Je la dénichai dans le jardin où elle était debout, mains dans les manches et tête baissée, visiblement perdue dans ses pensées. En m'entendant approcher le long de l'allée de gravier qui aboutissait à la fontaine miroitante, elle sursauta mais me sourit promptement.

— J'étais sur le point de venir te trouver, Francesca. Comment vas-tu ?

Je m'efforçai de sourire en retour, mais échouai piteusement. Je me souciais trop de ce que David, puis Borgia, m'avaient dit pour feindre le contraire.

— J'ai connu mieux. Asseyons-nous un instant pour parler.

Lorsque nous eûmes pris place sur un banc, je restai silencieuse quelques minutes afin de rassembler mes esprits. Enfin, je lui dis :

— Je crains de vous en avoir trop demandé.

— Ma chère enfant, répondit aussitôt mère Benedette, tu t'inquiètes sans raison. Tout marche comme prévu. Herrera trouve une utilité à m'avoir auprès de lui, ce qui me permet de le surveiller à ma guise. En même temps, je fais de mon mieux pour le convaincre de réviser son jugement sur toi – et je crois bien que nous progressons dans le bon sens.

— Vraiment ? Pourtant, il a décidé que j'étais à blâmer pour les récentes morts qui ont eu lieu dans la maison de Borgia. Il se targue même de pouvoir le prouver.

— Où as-tu entendu pareille sottise ? (En voyant que je ne lui répondais pas tout de suite, l'abbesse plissa les yeux.) Tu as placé quelqu'un d'autre dans l'entourage de l'Espagnol pour le surveiller, c'est ça ?

Un coucou piqua sur la fontaine pour boire un peu, puis s'envola aussitôt. Le roi du subterfuge, ainsi que me l'avait appris mon père, puisque la femelle de cet oiseau dépose ses œufs dans d'autres nids pour qu'on s'en occupe à sa place. Pour autant, je trouve son chant charmant.

— Peu importe comment je l'ai appris, esquivai-je. Ce qui me gêne, c'est de voir une femme comme vous fréquenter un individu comme lui.

Mère Benedette soupira. Sortant les mains des manches de son habit, elle s'empara des miennes.

— Francesca, quand je suis venue ici je ne me doutais pas que j'allais rencontrer une jeune femme aussi remarquable que toi. Tu affrontes les ténèbres qui nous entourent avec un courage exemplaire, mais malgré tous tes efforts tu y restes piégée.

J'aurais pu lui dire qu'elle se trompait, que les ténèbres étaient en moi, mais elle ne m'en laissa pas le temps.

— N'as-tu jamais envisagé qu'il puisse y avoir une meilleure voie ? Une voie plus sincère, qui s'ouvrirait à toi si seulement tu avais la grâce de la voir ?

— C'est tentant, certes, mais…

Son beau visage s'anima.

— C'est dur, je sais. Mais il existe un moyen de déchirer le voile pour voir au-delà de ce monde mauvais. Un moyen, pour les purs d'esprit sincères, de laisser les ténèbres derrière eux et d'aller vers la lumière.

Y avait-il chose que je désirais plus au monde, me libérer de ces entraves qui m'avaient si impitoyablement retenue prisonnière depuis ma petite enfance, pour enfin devenir la femme que je rêvais d'être ?

— J'aimerais pouvoir vous croire, confessai-je.

— Mais tu reconnais déjà la vérité de ce que je dis, s'exclama-t-elle. Je l'ai vu en toi la dernière fois où nous en avons parlé.

Je secouai la tête, ne voyant pas à quoi elle faisait allusion.

— Où nous avons parlé de… ?

— De la présence du mal ici-bas. Tu as cité saint Augustin, et je t'ai répondu qu'il y avait une autre façon d'expliquer l'omniprésence du mal, à savoir qu'il est inhérent à ce monde physique, obsédé par le matériel. (Elle m'observa plus attentivement encore.) Je suis à peu près sûre que tu as compris ce que je voulais dire, et reconnu d'où cela venait. Même si j'admets avoir été fort surprise que tu aies pareille connaissance.

Lentement, je compris ce qu'elle était en train de me dire ; et pourtant, je m'interdisais encore de l'accepter. Elle n'avait tout de même pas…

— Vous… vous avez entendu parler de l'hérésie cathare ? fis-je, incrédule.

Elle me serra un peu plus fort les mains.

—Ainsi nommée par les agents du mal qu'elle s'évertue à braver. Mais comment toi, tu en es venue à le savoir ? Tu as beau être prometteuse, tu n'es pas encore des nôtres.

Je ne devais pas avoir bien compris. Les cathares avaient été exterminés il y avait quelques siècles déjà, et c'est à peine si on se souvenait d'eux – hormis dans les recoins secrets du Vatican, où l'on oublie jamais les vieux ennemis.

Mère Benedette me sourit. Son regard, qui soutenait le mien, était comme en ébullition.

—Assurément, nul besoin d'artifice entre nous, désormais. À quoi bon ? Cela m'intéresserait au plus haut point de savoir quels documents tu as eus entre les mains, et où tu les as trouvés. Est-il possible que l'Église de Satan ait préservé nos textes sacrés ? Si c'est le cas, dans quel but ? Mais malheureusement, nous avons à faire.

Un bourdonnement avait commencé à m'emplir les oreilles, et j'avais de plus en plus de mal à saisir ce qu'elle me disait. À quoi songeais-je, déjà ? Ah oui. Je ne saurais dire que je possédais une liste exhaustive des actes sanglants commis par l'Église pour asseoir sa suprématie depuis des siècles, mais j'avais dans l'idée que personne n'avait été traité plus impitoyablement que les cathares. Et en dépit de tout cela, ils avaient réussi à subsister ?

—Comment… ? balbutiai-je.

—Comment se fait-il que nous soyons encore ici, dans le monde mauvais ? reprit-elle. Il est vrai que l'Église de Satan a tenté d'effacer toute trace de notre existence, dans le but de maintenir l'humanité dans les ténèbres pour toujours. Mais les *perfecti*, les plus éclairés d'entre nous, étaient déterminés à préserver la voie de la rédemption. C'est ainsi qu'ils ont envoyé un petit groupe se mettre en sécurité, tandis que les autres donnaient leur vie pour faire croire à l'Église qu'elle avait triomphé. Par ce sacrifice, nos camarades se sont libérés pour toujours des chaînes qui les retenaient à ce monde.

Nous autres qui sommes encore bloqués dans le royaume de Satan prions tous les jours pour les y suivre au plus vite.

Dans tout ce que j'avais lu, il était dit que les cathares avaient accueilli la mort sans opposer de résistance, avec joie même, chantant quand les flammes les consumaient. Leurs bourreaux en avaient été profondément troublés. Certains avaient écrit par la suite que ce spectacle les hantait encore et qu'ils ne cessaient de le revivre, jusqu'à craindre pour leur raison. Plusieurs furent soupçonnés de s'être ôté la vie, et l'Église alla jusqu'à étouffer l'affaire en les enterrant à la va-vite, loin d'un cimetière. Dans les rapports les plus secrets que j'avais découverts, des témoins affirmaient même avoir vu les âmes des cathares s'élever dans le ciel, tels des rubans de lumière argentée. L'exécution des hérétiques devant servir d'exemple, elle se fait en général donc à la vue de tous ; mais à côté du nom de ces témoins, je me souvenais qu'était inscrit un unique petit mot, donnant froid dans le dos : *Traité*.

La doctrine cathare n'était-elle rien d'autre qu'une grande illusion ? Ou bien s'étaient-ils vu révéler quelque chose qui se dérobe à nous autres, pauvres mécréants ? Les documents préservés dans le Mysterium Mundi passaient singulièrement vite sur leurs rites, comme si l'acte même de les consigner était dangereux pour notre sainte Église. Une telle retenue laissait à supposer que pour certains, il y avait lieu de les craindre. Mais pourquoi ?

Je tentai alors de parler, mais ma gorge me parut curieusement ankylosée. Ce devait être le choc de la nouvelle, dont l'ampleur m'échappait encore. La lumière qui transperçait les branches au-dessus de nous ne cessait de me distraire. Il y avait une chose à laquelle il fallait que je réfléchisse, une chose importante. L'abbesse avait un secret… C'était une cathare… Il y en avait d'autres qu'elle… Elle se trouvait ici, à Viterbe.

— Je ne comprends pas.

Ma voix était faible, et je l'entendis comme de très loin. En revanche, sa réponse fut claire comme de l'eau de roche.

— Cela viendra, je te le promets. Avant que nous en ayons fini, tu comprendras tout. (Elle me serra les mains plus fort encore.) N'aie pas peur de ce qui est sur le point de t'être révélé, Francesca. Embrasse la vérité, et tu renaîtras dans la lumière éternelle.

Je sentis des picotements dans mes doigts ; rapidement, la sensation se diffusa dans les membres supérieurs. C'est alors qu'à la périphérie de ma vision, je crus voir le monde se briser en milliers de fragments. Je songeai à l'étrange mosaïque qui m'était apparue sur la place. Avant que ce ne soit le trou noir, j'eus la présence d'esprit de baisser les yeux pour regarder les mains qui empoignaient les miennes.

Il était bien tard pour se rendre compte que mère Benedette portait des gants.

25

Les poisons conçus pour s'introduire dans le corps par la peau (plutôt que par ingestion) figurent parmi les plus difficiles à élaborer. Ils ont en effet tendance à former un résidu sur la surface de contact, que même une personne peu avisée remarquerait et se garderait de toucher évitant ainsi la catastrophe. Il m'a fallu beaucoup de temps et de patience pour réussir à fabriquer un poison efficace qui puisse s'appliquer sur du verre, matériau sur lequel j'avais découvert qu'il passait quasiment inaperçu. J'en veux pour preuve l'empoisonneur espagnol embauché par Borgia à la mort de mon père, qui n'avait pas hésité à toucher la cruche enduite de la substance mortelle. En quelques minutes à peine, il était mort.

Confrontée à ce délicat problème, mère Benedette s'en était remise à la technique la plus éprouvée qui soit : ne pas compter sur le fait que la victime touche quelque chose, mais s'arranger pour toucher soi-même la victime. Ce faisant, l'empoisonneur prend lui aussi des risques, manifestement, mais en général un peu de bon sens et quelques précautions suffisent à y parer. La meilleure d'entre elles consiste à porter des gants imbibés au préalable d'une solution d'alun et de sulfate de plomb pour bloquer le passage de tout liquide à travers la peau. Et pour plus de sûreté, il est préférable de s'imprégner les mains de cire liquide avant de passer les gants.

Mais je digresse, car l'honnêteté me pousse à avouer que mère Benedette ne m'avait pas empoisonnée : j'étais simplement droguée. Le monde autour de moi était comme disloqué, et ses différentes parties ne s'emboîtaient plus comme elles l'auraient dû. Je levai les yeux et vis les branches d'un arbre qui parut engloutir le ciel, puis tout à coup se mit à rétrécir au moment où moi-même, je devenais une géante dominant la scène de toute ma hauteur. L'allée de gravier se leva soudain et se recourba, telle une vague en train de se former, pour aussitôt se désintégrer dans une cascade de lumière. Le visage d'un ange sculpté dans la pierre de la fontaine se détacha de son corps, et je crus bien le voir fondre directement sur moi. Je suffoquai et tentai de fuir, mais l'abbesse me retint fermement.

— Il ne faut pas rester là, Francesca, m'expliqua-t-elle gentiment. On ne tardera pas à te voir, et les gens croiront vraiment que tu es possédée. Et alors tu sais ce qu'ils te feront, n'est-ce pas ?

Des flammes jaillirent du sol tout autour de moi. J'ouvris la bouche pour crier, mais aucun son n'en sortit. Non seulement cette drogue m'avait détraqué les sens, mais j'avais aussi momentanément perdu l'usage de mes cordes vocales. Je fus prise d'une telle terreur à l'idée de brûler sur le bûcher que je me laissai guider sans résister jusqu'au palazzo.

J'ai très peu de souvenirs d'être retournée avec elle dans mes quartiers – un couloir brièvement aperçu, la voix de l'abbesse qui m'incite discrètement à presser le pas dans les escaliers, le grain du bois dans une porte qui m'évoqua sur le moment des vagues ondoyantes comme figées dans l'espace et le temps.

Puis tout à coup je me retrouvai allongée, l'abbesse au pied de mon lit. À un certain moment, elle avait ôté ses gants et s'était soigneusement nettoyé les mains. Présentement, elle était affairée à me déchausser.

Je tentai de résister, mais en vain. J'eus beau y mettre toutes mes forces, mon esprit ne contrôlait plus mon corps.

Mère Benedette me mit un doigt sur les lèvres.

—Allons, Francesca, ne te débats pas. Tu n'as pas idée de la chance que tu as.

La chance ? À dire vrai, j'avais plutôt l'impression d'être la plus grande idiote que la terre ait jamais portée. Car pour sûr, si la vision de la mosaïque m'avait semblé familière, c'est que je l'avais déjà vue quelque part : ce n'était pas la première fois que mère Benedette me droguait. Le *panetto*, le *torrone*, le psautier – tout avait dû y contribuer. Dans le cas présent cependant, l'effet était plus intense puisque j'étais devenue proprement muette.

De nouveau j'ouvris la bouche pour lui demander pourquoi, mais en vain. Elle leva les yeux juste à temps pour voir le mouvement de mes lèvres, et fronça les sourcils.

— Tout ce que j'ai fait depuis notre première rencontre, je l'ai fait pour toi. Encore un peu de patience et tu comprendras.

Tout en parlant, elle se mit à me ligoter bras et jambes aux montants du lit, avec de longues bandes de tissu.

Désespérée, je tentai de l'en empêcher, de me libérer ; mais cette drogue m'avait totalement engourdie. Mes muscles refusaient tout bonnement d'obéir aux commandes frénétiques de mon esprit. Au final je ne pus rien faire d'autre que rester docilement étendue, en attendant qu'elle finisse son œuvre.

— Ne crains rien ; c'est simplement pour ta sécurité, m'annonça-t-elle alors. Le voyage que tu es sur le point d'effectuer est très éprouvant. Je ne veux pas que tu te blesses. J'ai même tout fait pour éviter cela. (Elle me tapota le bras comme si j'étais une enfant grincheuse, puis repartit dans son monologue délirant.) Ils voulaient seulement que je me serve de toi pour m'introduire dans la maison de Borgia et tuer Herrera de manière à ce que tu sois accusée. Mais j'ai vu la force qui est en toi, et comment tu as appris à te servir des ténèbres en ce monde. J'ai tout de suite su quel était ton vrai destin.

La douceur de son sourire tranchait horriblement avec le fanatisme acharné qui embrasait son regard.

— L'élixir que tu es sur le point de boire est le plus rare, le plus précieux des héritages, poursuivit-elle. Son secret a été révélé au premier cathare par l'ange Gabriel lui-même. Dès lors, les plus évolués d'entre nous sur le plan spirituel s'en sont servis pour se libérer de ce monde. Mais c'est un acte qui requiert un grand courage car assurément, la voie du Paradis passe par l'Enfer. Depuis notre première rencontre, je te prépare à ce moment précis. Tu ne dois pas résister, ni hésiter ; et surtout tu ne dois pas reculer, ou tu seras perdue pour toujours. Va, Francesca, et trouve la lumière.

Sur ces paroles, elle sortit une petite fiole de sous sa robe, en ôta le bouchon et le porta à mes lèvres. Voyant que j'essayais de me débattre (l'effort me sembla démesuré, mais en réalité il devait être bien faible), elle m'étreignit fermement dans le creux de son bras et me tint immobile pour faire lentement couler le pâle liquide dans ma bouche. Je tentai désespérément de le recracher, mais de nouveau mes muscles me trahirent. À mon horreur absolue, je le sentis qui glissait le long de ma gorge.

— Voilà, c'est fait, dit-elle en refermant la fiole. Ne t'inquiète pas, je reste avec toi. Si quelqu'un vient te voir, je lui dirai que tu es en prière et ne dois pas être dérangée.

Pour improbable que ce fût, on la croirait. Personne ne songerait à mettre en doute la parole de la sainte d'Anzio, qui contrastait si vivement avec la corruption rampante à la cour papale. Seul César aurait sourcillé, mais il était parti chasser avec Herrera. J'étais piégée avec elle, désarmée devant la puissance de l'élixir cathare qui était en train de prendre le contrôle de mon corps et de mon esprit.

Je n'avais pas été aussi terrifiée depuis ce jour fatal où, enfant, j'avais dû me cacher derrière un mur et regarder la mort en face.

L'eussé-je pu, j'aurais poussé un cri d'horreur. Mais en l'occurrence je dus assister, contrainte et forcée, à ma descente aux enfers.

À ma grande surprise, je me retrouvai dans une rue que je reconnus plus ou moins, car elle ressemblait à beaucoup de ces artères animées qui s'entrecroisent aux alentours du Campo dei Fiori, le plus grand marché de Rome. À la différence des quartiers de la ville récemment reconstruits par les prélats de l'Église et les riches négociants, tout en marbre travertin qui change de couleur selon l'heure de la journée, le Campo a été bâti en bonnes vieilles briques rouges fabriquées à partir de boue extraite du Tibre. Quand les rayons du soleil tombent dessus juste comme il faut, les immeubles à un ou deux étages combinant échoppe ou taverne au rez-de-chaussée et appartements au-dessus prennent une teinte délicieusement mordorée.

Tout autour de moi, des paniers de fleurs automnales pendaient de treillages, leur parfum venant masquer les odeurs plus âcres de fumier et de déchets de toutes sortes qui montaient de la rue. Curieusement, l'endroit était vide : aucun signe des marchands, camelots, clients et voleurs qui en temps normal abondaient dans le Campo. Malgré cela, je n'avais pas le sentiment que quelque chose clochait, ou qu'un sinistre événement expliquait mon esseulement quand j'aurais dû me trouver au milieu d'une foule affairée.

En tournant à un coin au hasard, j'arrivai dans une rue que je ne connaissais que trop bien, la rue des Vitriers, où les vitriers sont rassemblés. J'hésitai, car c'est là que l'échoppe de Rocco se trouvait. Je n'avais aucun désir de la voir, et lui encore moins. Mais en dépit de tous mes efforts, je fus poussée par une sorte de force irrésistible, et passai devant une dizaine de devantures avant de m'arrêter enfin devant l'immeuble en bois à moitié caché par les constructions voisines.

Une femme était assise sur un banc, devant. Elle avait la tête penchée, de sorte que je ne voyais pas son visage. En m'approchant, je vis qu'elle tenait un bébé dans ses bras. Elle chantait doucement, et je tendis l'oreille pour entendre.

> *Luciole, luciole, brillant au firmament*
> *Mets la bride à la jument,*
> *Car la veut mon enfant, mon roi,*
> *Luciole, luciole, viens avec moi.*

Lorsqu'elle eut fini, elle leva la tête et me regarda droit dans les yeux. J'en eus le souffle coupé, tant son visage ressemblait trait pour trait au mien – et pourtant, ne l'était pas. L'expression de la femme était empreinte de paix et d'amour. Son bonheur paraissait absolu. C'était également le cas de l'enfant qu'elle berçait, et qui la regardait avec adoration, tout en levant ses petits bras potelés pour la toucher.

Si j'avais été la femme que je rêvais d'être, la femme qui aurait pu épouser Rocco, ce nourrisson aurait été le mien. Nous aurions été assis là, sous le soleil éclatant, sans aucun nuage noir au-dessus de nous. Peu après, je me serais levée pour aller à l'intérieur. Le petit Nando aurait été assis à table, peut-être occupé à dessiner comme il aimait tant le faire. J'étais persuadée qu'un jour il deviendrait un grand artiste, comme son père. Je lui aurais ébouriffé les cheveux en passant, avant de ressortir dans la petite cour arrière où Rocco avait son four. Il se serait trouvé devant – un homme d'une trentaine d'années, grand et solidement charpenté, son torse seulement recouvert du tablier en cuir qu'il portait pour œuvrer à transformer du sable ordinaire en des objets d'une beauté sans pareille. C'est alors qu'il aurait levé la tête et nous aurait vus, notre enfant et moi. Et il m'aurait souri avec tout l'amour qu'il avait été prêt à me donner, et que je m'étais sentie indigne de recevoir.

Or, ce ne fut pas Rocco que je vis. Ce fut la femme – moi-même. Soudain, elle se mit à crier et à serrer fort l'enfant contre elle, tandis que du sang s'écoulait d'elle de toutes parts, un véritable torrent. Il jaillit si rapidement sur les pavés qu'il clapotait déjà contre mes pieds. Et pendant tout ce temps-là elle me regarda, ses yeux assombris par la tristesse et la pitié.

Je me mis à hurler, puis à courir. Comme poursuivie par des démons, je m'enfuis sans savoir où j'allais, tournant à des coins de rues inconnues, n'ayant qu'une idée en tête : m'échapper. Je courus et courus encore, jusqu'à ce que brusquement je doive m'arrêter. Je me tenais devant un mur. Dans ce mur était encastrée une fenêtre à petits carreaux. Elle était si jolie, avec son cadre en bois sculpté, que cela donnait envie de regarder à travers ; mais je m'en abstins, car je savais parfaitement ce que j'y verrais. La mort d'une mère était bien suffisante comme cela.

Alors je me remis à courir, pour arriver enfin à une majestueuse place s'étalant devant un palazzo d'une rare beauté. Une course avait lieu. Je vis un puissant taureau blanc charger dans le passage, et ne s'arrêter qu'une fois dans l'arène. La foule, assise sur des gradins en bois tout autour, lui fit un accueil tonitruant. Sous les soieries rouge et or qui ornaient l'estrade, un homme que je reconnus comme étant Rodrigo Borgia inspira un bon coup avant de prendre la parole.

Je l'ignorai, et portai mon regard en direction du palazzo. Je connaissais intimement les lieux, car j'y avais vécu pendant dix ans : arrivée là en tant que fille anormalement silencieuse du nouvel empoisonneur de Borgia, je les avais quittés seulement le jour où le cardinal Borgia avait emménagé au Vatican en tant que pape, sous le nom d'Alexandre VI.

La clameur de la foule s'estompa, et taureau comme arène s'évanouirent devant moi. C'est alors que je remarquai un homme s'éclipsant par une porte dérobée, regardant bien à droite et à gauche pour s'assurer que personne ne le voyait sortir. Feu mon père, qui ne m'était jamais apparu ainsi en rêve, semblait si vivant et réel que j'allai aussitôt à sa rencontre – pour m'arrêter net lorsque je me rendis compte qu'il ne me voyait pas, comme si c'était moi le fantôme, non lui. Absorbé dans ses pensées, il se mit en marche d'un bon pas ; je le suivis. Remise de ma surprise, je songeai qu'il fallait que je trouve le moyen de lui parler. Mais j'avais beau essayer de le rattraper, il restait toujours juste hors de ma portée. Ensemble et pourtant séparés, nous nous hâtâmes à travers les rues tortueuses, le long de ruelles et sur le Pons Ælius, qui enjambe le Tibre depuis l'Antiquité. Une fois de l'autre côté, dans l'ombre menaçante du château Saint-Ange (car il est à la fois une prison et une forteresse), il ne s'arrêta pas mais continua en direction de Saint-Pierre.

Un très mauvais présage s'insinua alors en moi. J'avais tout à coup la conviction de savoir où il allait – tout autant que la certitude de ne pouvoir l'en empêcher. Mais je le suivis tout de même, car visiblement je n'avais pas le choix. Non loin de la basilique, mes pires craintes se confirmèrent lorsqu'il tourna en direction du charmant *palazzetto* où le pape Innocent VIII avait choisi de résider, le trouvant infiniment plus confortable que le palais du Vatican.

Désespérée, je m'écriai :

— Père, non !

Ma voix résonna contre les immeubles oppressants qui nous entouraient de toutes parts. L'air lui-même était lourd de cette menace, mais mon père ne paraissait pas la sentir – ni m'entendre, d'ailleurs. Il s'engouffra dans la ruelle où, je le savais, un homme que j'achèverais sous peu dans la chambre de torture de Borgia l'attendait, en compagnie de plusieurs autres. Mais avant cela, mon père allait se faire agresser, passer à tabac, et agoniser d'une blessure au crâne dans un caniveau romain.

J'avais beau savoir tout cela (et savoir aussi que j'étais incapable d'y changer quoi que ce soit), je me précipitai quand même, débouchant dans la ruelle juste au moment où les gredins lui sautaient dessus. Le temps se mit alors à avancer au ralenti, et je contemplai les derniers instants de sa vie tels que je les avais imaginés des centaines de fois dans mon esprit tourmenté par le chagrin. Je le vis se battre vaillamment, et jusqu'au bout. Au dernier moment, avant que la mort ne lui ferme les yeux pour toujours, il regarda dans ma direction. Pendant le plus bref des instants, mon père parut me voir à l'endroit où je me tenais, totalement dévastée. Sa main se leva, se tendit vers moi et resta suspendue ainsi jusqu'à ce que la vie le quitte définitivement.

Je poussai alors un hurlement que personne n'entendit et tentai de m'approcher, mais j'étais incapable de bouger ; j'étais bouleversée, mais incapable de pleurer. Une fois de plus, j'étais confrontée à la pire des impuissances.

Je me mis à marcher d'un pas chancelant, ne sachant où j'allais ni ce que j'allais voir ensuite, jusqu'à aboutir à une place que je ne reconnaissais que trop. Je levai les yeux vers la basilique Sainte-Marie (un lieu de plus où j'avais versé le sang d'un misérable), et en tremblai. Au centre de la place, à quelques pas de la vénérable église, un pieu avait été fiché dans le sol et un tas de fagots empilés tout autour.

La fille ligotée sur le bûcher était jeune, blonde, et complètement terrifiée. Je la reconnaissais, même si je ne l'avais vue qu'une fois des mois plus tôt, dans la ville souterraine que recèlent les entrailles de Rome. Non, ce n'était pas tout à fait exact : je l'avais vue par deux fois. Ou plutôt, ce qu'il restait d'elle. La peau brûlée et les os à découvert, la chair qui fumait encore… En d'autres termes, une macabre mise en garde contre ce qu'il m'arriverait sous peu si je ne parvenais pas à vaincre le mal qui nous cernait.

— Non !

Est-ce moi qui criai, ou bien elle ? Peu importe de toute façon, car une fois de plus j'étais clouée sur place. La fille tourna la tête et me regarda, une volonté désespérée de vivre se lisant clairement dans ses yeux.

Un homme approcha, vêtu de l'habit noir des prêtres dominicains — ceux qu'on surnomme les « chiens du Seigneur », car ils chassent sans pitié les prétendus impies. Il tenait une torche enflammée à la main. De l'autre, il enleva le capuchon de sa robe, me regarda fixement et éclata de rire. L'horreur me submergea, un profond dégoût qui me donna la nausée en sachant ce qui allait arriver. Sans même un regard pour la jeune fille qu'il était sur le point de condamner à une mort atroce, il approcha la torche du tas de fagots. Le feu prit aussitôt.

Se propageant avec une féroce vélocité, il atteignit en quelques secondes les fines jambes de la fille. Elle hurla — oh, comme elle hurla ! — encore et encore et encore, tandis que je me tenais là, paralysée, en larmes mais incapable de détourner le regard. Les flammes vinrent ensuite lui lécher les cuisses, puis les bras ; sa fine chemise blanche s'enflamma, et fondit littéralement sur sa peau. Puis ce fut au tour de ses cheveux, et l'espace d'un instant, sa tête fut comme couronnée d'un halo de flammes.

Le prêtre jeta la torche au feu, arracha sa robe et se mit à faire des cabrioles, dansant autour du brasier où la malheureuse hurlait toujours. À la lueur des flammes, son immense ombre (étaient-ce des cornes que je voyais au niveau de la tête ?) fut projetée sur la basilique, et grandit, grandit, jusqu'à l'engloutir totalement.

Au loin, un loup se mit à hurler. J'en fus comme transpercée, au vu de l'intensité de mon angoisse. La ville, la fille torturée, ma propre terreur — tout cela disparut, tombant en poussière sous mes yeux. Je n'étais plus à Rome mais au beau milieu d'un vaste désert qui s'étalait à perte de vue. Au loin, l'horizon était strié d'éclairs et le tonnerre grondait. Tout autour de moi, je vis les restes de ce qui avait peut-être été de très beaux bâtiments, peut-être même des villes entières. Il n'en restait rien, hormis la mort et la désolation.

Surgissant des cendres fumantes, une ombre s'avança vers moi. Curieusement, je sentis que je n'avais plus aucune envie de fuir. Jusque-là, je n'avais pas saisi combien il est possible de puiser du courage au plus profond du désespoir. N'ayant a priori plus rien à perdre et nulle part où aller, j'attendis de connaître mon sort avec un calme insoupçonné. Qu'étais-je sur le point de regarder en face ? Un démon, peut-être ? La mort elle-même ? Ou bien une chose qui dépassait même les limites de mon imagination ?

L'ombre prit tout à coup la forme d'un enfant, une petite fille de six ans environ. Elle avait des cheveux auburn qui lui tombaient aux épaules, et quelques taches de rousseur sur le nez. D'apparence, elle me ressemblait – mais pas tout à fait, pourtant. Un enfant que j'aurais pu avoir, peut-être ? Le nourrisson que j'avais vu dans mes bras devant l'échoppe de Rocco, et qui aurait grandi en une petite fille adorée ?

— Tu n'as pas peur, constata-t-elle. C'est bien.

Je l'observai et dus me retenir tant l'envie était grande de lui toucher les cheveux, le creux de sa joue, pour me convaincre qu'elle existait bien – que quelque part, elle était réelle. Mais elle ne l'était pas : je devais me raccrocher à cette certitude ou j'allais perdre totalement la raison.

Pour autant, je ne pouvais me contenter de l'ignorer.

— En quoi est-ce bien ? lui demandai-je.

— Parce que c'est ce qui t'a donné la force de venir jusqu'ici. Beaucoup ne parviennent jamais à franchir la barrière de leurs regrets.

— C'est donc cela que j'ai vu ? Mes regrets ?

Assurément, un terme bien faible pour toutes ces horreurs.

— Tu ne pouvais sauver ton père ou ta mère, répliqua l'enfant en haussant les épaules. La fille est morte à ta place, et il n'y avait rien que tu puisses faire non plus. Pour finir, tu n'as pas eu la vie que tu voulais en tant qu'épouse et mère. Mais tout cela, tu le sais déjà.

Et je n'avais pas besoin que l'on vienne me le rappeler. Je lui répondis sèchement :

— Dans ce cas, dis-moi quelque chose que je ne sais pas.

La petite fille réfléchit un instant en fronçant les sourcils, puis m'annonça :

— Il te faut traverser le désert pour atteindre l'autre côté.

L'étendue de mort et de désespoir que je venais d'apercevoir ?

— Mais pourquoi diable ferais-je ça ?

Comme si elle était surprise de me voir poser la question, elle rétorqua :

— Eh bien, mais à cause de ce que tu trouveras là-bas.

Je regardai alors et vis, au bord du vide, comme une lumière scintillante. Elle s'étendait sur tout l'horizon, laissant à penser que quelque chose d'immense et de majestueux existait juste au-delà de la périphérie de ma vision.

— Qu'est-ce donc ? m'enquis-je.

La petite fille ne répondit pas d'emblée, choisissant au contraire ses mots comme si elle devait parler à une enfant plus jeune encore qu'elle.

— Imagine que tu portes un voile, comme ces veuves qui cherchent à dissimuler leur peine par ce biais. Tu l'as toujours porté ; tu ne connais rien d'autre. Tu vois à travers, mais tout est nébuleux. À présent, imagine qu'il y a un tout petit trou dans ce voile. En regardant par ce trou, tu vois une lumière qui ne ressemble à aucune autre. Que fais-tu ?

— J'ôte le voile. Mais jamais on ne me ferait porter une chose pareille, de toute façon.

Elle me sourit.

— Pas si tu avais le choix, mais si je te dis que voir ce monde nébuleux à travers le voile de la perception est en fait l'essence de la condition humaine ? Le seul fait que tu sois capable d'apercevoir un rai de lumière te place parmi les rares personnes à distinguer ce qui existe réellement.

Elle marqua un temps d'arrêt, puis reposa sa question :

— Que fais-tu ?

Je savais ce qu'elle attendait comme réponse, mais je refusais de me plier à sa volonté.

— Es-tu une *parfaite* ? lui demandai-je à la place.

— À ton avis ?

J'hésitai, mais la vérité était par trop évidente pour être ignorée.

— En toute honnêteté, je crois plutôt que tu es une créature que mon esprit drogué a fait apparaître. Un personnage de rêve, façonné par mes propres envies, et qui se dissipera comme la brume du matin à mon réveil. Tu n'es pas plus tangible que cela.

Loin de s'offusquer, elle se contenta de sourire, comme si cette tentative pour se raccrocher à la réalité dans un monde irréel l'amusait grandement.

— Tu en es sûre ? insista-t-elle.

À vrai dire, pas complètement ; une partie de moi avait vraiment envie de croire qu'elle était réelle. Je regardai de nouveau en direction du vide qui semblait s'étendre par-delà l'éternité. La lumière était bien là ; je la voyais toujours, et elle semblait briller davantage. Pour autant, le cheminement pour l'atteindre serait ardu et périlleux. Car il n'y avait pas que les loups : je distinguais également des créatures bossues et cornues qui rôdaient çà et là dans l'étendue déserte, comme à la recherche d'une proie.

— Que se passera-t-il si je n'arrive pas à atteindre l'autre côté ? m'enquis-je.

— Tu retourneras dans le monde que tu connais.

— Le monde mauvais ?

— C'est toi qui le dis.

— Mais je ne devrais pas faire ça, n'est-ce pas ? C'est de l'hérésie.

La petite fille dessina un rond dans la poussière avec son orteil, et haussa de nouveau les épaules.

— Je ne sais rien de tout cela. Tout ce que je sais, c'est où se trouve la lumière. (Elle se retourna comme pour me laisser, mais me jeta tout de même un coup d'œil par-dessus son épaule.) Tu peux me suivre, si tu veux.

Elle avança de quelques pas, et le sol se transforma sous ses pieds. Devant elle, un chemin se mit à scintiller.

Je le fixai du regard, fascinée malgré moi. Comme j'avais envie de marcher moi aussi sur ce beau ruban argenté qui se déroulait devant nous. De le suivre par-delà cette désolation, vers la lumière. Mais quelque chose me retenait.

— Tu as envie de venir, n'est-ce pas ? s'exclama l'enfant tout en s'éloignant sur le chemin.

— Bien sûr que j'en ai envie ! Je ne rêve que d'échapper à la noirceur qui est en moi. Le cours de ma vie en a été changé à jamais. Je me bats tous les jours pour la contenir, et tous les jours j'ai peur qu'elle finisse par avoir le dessus.

Elle se tourna alors pour me regarder. L'espace d'un instant, ce ne fut plus une petite fille mais une femme adulte. Une femme dont je reconnaissais les traits pour les avoir admirés à maintes reprises, sculptés dans la pierre, tout en haut des colonnes de la basilique Sainte-Marie, à Rome. C'était le visage de notre Mère éternelle.

— Tu crains les ténèbres, proclama-t-elle. Et pourtant tu ne croirais pas aux cieux même si tu les voyais en plein jour, n'est-ce pas ?

J'essayais de comprendre la signification de ses paroles qu'elle s'éloignait déjà. Comme de très loin, je l'entendis me dire :

— Accomplis ton devoir en ce monde, Francesca. Sois la femme que tu es destinée à être. La voie sera là pour toi quand tu seras prête.

— Comment puis-je en être certaine ?

Mais j'avais parlé dans le vide. L'enfant, la femme, la Mère éternelle : toutes étaient parties. J'étais seule, seule avec le vent qui hurlait dans ce désert stérile et abandonné de tous.

26

De loin, de très loin dans mon esprit, j'entendis quelqu'un appeler mon nom.

— Francesca ?

Un poids oppressait ma poitrine. Je remplis mes poumons de l'air dont ils avaient visiblement été privés, et respirai péniblement.

— Tu es vivante ! s'exclama mère Benedette. Je n'en étais pas certaine. Pendant un instant, j'ai cru…

Lentement, j'ouvris les yeux. J'étais toujours allongée sur mon lit, ligotée. Debout à côté de moi, l'abbesse me dévisageait. Son regard était dévoré par la curiosité, ses joues rouges d'impatience.

— L'as-tu vue ? me demanda-t-elle d'un ton impérieux. La voie. Tu l'as vue ?

Je déglutis avec la plus grande difficulté. J'avais la gorge très sèche : l'un des effets secondaires de l'élixir, supposai-je. D'une voix enrouée, je réclamai :

— De l'eau.

D'un geste impatient, elle porta une coupe à mes lèvres et me laissa le temps de prendre quelques gorgées. Ma soif était loin d'être étanchée lorsqu'elle m'adjura de nouveau :

— L'as-tu vue, à la fin ?

Je la regardai alors droit dans les yeux, et y reconnus ce qui était tout bonnement étonnant de ne remarquer que maintenant : le désespoir d'une femme qui, en dépit d'immenses efforts, continuait à être privée du salut qu'elle était convaincue de mériter.

— Vous-même ne l'avez jamais vue, n'est-ce pas ? rétorquai-je. Combien de fois avez-vous essayé ?

Elle vacilla, comme si je lui avais porté un coup, mais n'en fut pas pour autant démontée.

— Peu importe. Ma foi est absolue. Tu l'as vue, n'est-ce pas ? Oui ?

Il me vint alors à l'idée que peut-être quelque chose n'allait pas chez mère Benedette, au-delà de son fanatisme patent. Quelle que soit la signification religieuse qu'elle donnait à cet élixir, cela restait une drogue puissante. Je repensai aux multiples avertissements que m'avait donnés Sofia concernant les effets néfastes de ce type de substance sur l'esprit. Et je ne parle ici que d'une poudre destinée à favoriser le sommeil. Assurément, une drogue capable de déformer à ce point la réalité devait être bien plus dangereuse. En définitive, combien de fois pouvait-on en prendre sans risquer d'y laisser un peu de sa raison ?

Une minuscule étincelle de pitié s'alluma en moi, qui me poussa à avouer :

— J'ai vu un chemin, mais…

Aussitôt, elle joignit les mains et s'écria :

— Je le savais ! Loué soit le Seul et Vrai Dieu !

La seconde après, elle se levait pour partir.

— Attendez ! Vous ne pouvez pas me laisser comme ça !

Elle eut l'air surprise, comme si elle avait déjà oublié ma présence.

— Vraiment, je n'ai pas de temps à perdre. Il faut absolument que je règle le problème posé par Herrera tout de suite, si je veux faire porter les soupçons sur toi.

Elle me sourit, comme persuadée que je comprenais.

— Cela va être tellement plaisant de voir Borgia tomber, poursuivit-elle. Tellement plus satisfaisant que si je l'avais tué d'emblée. Mais la suite sera encore meilleure. Une fois le pape détrôné, les princes de l'Église de Satan n'auront plus personne contre qui se battre hormis eux-mêmes. La France, l'Espagne, toutes les grandes familles d'Italie se lanceront à leur tour dans la bataille. Ils finiront par s'entredévorer. Tu n'es pas d'accord ?

À vrai dire si, ce qui m'affola un peu plus encore.

— Non ! Vous ne pouvez pas me laisser… Nous devons parler. S'il vous plaît.

Ne sachant plus à quel saint me vouer, j'ajoutai d'un ton implorant :

— Vous n'avez pas envie de savoir pourquoi je suis revenue ?

Mais mère Benedette ne releva même pas.

— Tu es encore embourbée dans ton existence physique, piégée dans ce monde par tes rêves – d'amour, de vengeance, de pardon, que sais-je encore. Eh bien sache que je comptais justement là-dessus. Tout ce que j'ai vu en toi me disait que tu serais capable de trouver la voie, mais que tu n'aurais pas la volonté de la suivre. Que tu reviendrais, et qu'alors enfin, je saurais si elle existait ou pas. Dieu soit loué, tu as permis d'effacer mes derniers doutes.

— Mais vous allez trop vite en besogne. Il n'y avait pas de *parfaits*, là-bas. Au contraire, j'ai vu…

— Silence ! Je n'ai que faire de tes mensonges.

— Mais je vous dis la vérité ! Ce n'était pas comme vous le croyez. Il est possible de faire le bien en ce monde, il n'est pas intrinsèquement mauvais. Les cathares avaient tort.

Mais l'abbesse était déterminée à ne pas écouter ce que j'avais à dire. Sans plus tarder, elle me tint fermement la tête, porta de nouveau la fiole à mes lèvres et me força de nouveau à avaler son élixir, en plus grande quantité encore.

— Le Diable a toujours tenté de nier et de détruire nos croyances, s'exclama-t-elle. Mais toi, tu as eu le privilège de voir la voie… C'est intolérable d'entendre de tels mensonges dans ta bouche ! (Elle s'écarta de quelques pas, le regard dur et froid.) Tu vas trouver de nouveau la voie, Francesca, et cette fois-ci tu vas la suivre. Si tu ne le fais pas, tu seras brisée, et piégée dans la folie pour le reste de ton existence ici-bas.

Et sur ces mots elle s'en fut, me laissant seule pour affronter non pas mon plus grand regret, mais ma plus grande peur.

Dès que j'entendis la porte se refermer derrière elle, je passai à l'action. J'avais très peu de temps avant que l'élixir fasse de nouveau effet. Si je ne réussissais pas à me détacher avant... Je n'osai y penser.

Avec toute l'énergie du désespoir, je tirai sur les liens qui retenaient mes bras aux montants du lit. Jamais je n'arriverais à déchirer le tissu, mais si seulement je pouvais en desserrer un suffisamment pour atteindre...

J'étais sur le point de me déboîter une épaule, voire les deux, lorsque j'y parvins enfin. Je sentis les doigts de ma main gauche frôler mon corsage. Une douleur fulgurante irradia dans mon bras, mais je l'ignorai et continuai à tâtonner jusqu'à finalement empoigner le manche du couteau que je portais comme à mon habitude près de mon cœur.

Cela me parut interminable, mais quelques secondes plus tard j'étais libre. J'avais tout de même réussi à me couper à plusieurs endroits. Il y avait du sang partout, sur mes bras, sur les couvertures. Pendant un atroce moment, l'odeur de cuivre que j'abhorrais tant faillit bien me submerger. En poussant un gémissement, je titubai hors du lit, pour me rendre compte que je tenais à peine debout. Au loin, se rapprochant toujours plus, j'entendis les hurlements des loups. Vite, bien trop vite, j'allais être condamnée à retourner dans ce désert où les seuls choix s'offrant à moi seraient la mort ou la folie – folie qui pendant si longtemps avait rôdé dans les sombres recoins de mon esprit, dans l'attente du moment où, enfin, elle pourrait s'emparer de moi.

Avant que cela ne se produise, je puisai dans mes dernières forces pour me diriger d'un pas chancelant vers le coffret en bois où j'avais rassemblé le nécessaire avant notre départ pour la villa.

Je ne m'étendrai pas sur la suite des événements, et vous dirai simplement que ce fut aussi violent que désagréable. Ne sachant pas exactement quelle quantité d'élixir mère Benedette m'avait administrée (hormis qu'elle était conséquente), je ne pris aucun risque, et me purgeai jusqu'à ce qu'il ne reste plus rien dans mon estomac, pas même un peu de bile.

Faible et désorientée comme je l'étais, je me hâtai d'aller ouvrir la porte – pour me rendre compte que l'abbesse l'avait fermée à clé. J'envisageai alors de passer par la fenêtre, mais même dans mon état lamentable il me restait suffisamment de bon sens pour savoir que ce n'était pas la solution. Certes, il n'y avait qu'un seul étage et je pouvais me laisser tomber, mais la probabilité que je me blesse était forte, et je n'aurais peut-être pas la force de continuer.

Ce qui ne me laissait plus qu'une possibilité. En me servant du plus fin des ustensiles en métal que je trouvai dans mes affaires, je parvins avec grande difficulté à crocheter la serrure. Le temps que j'en finisse, j'étais en nage et j'avais le cœur qui battait à tout rompre. Ouvrant enfin la porte à la volée, je me précipitai dans le couloir.

Celui-ci était désespérément vide : aucune chance de trouver de l'aide. Toujours en proie à la nausée, grimaçant à chaque pas que je faisais, je continuai mon chemin jusqu'à arriver en haut d'un escalier. Je m'immobilisai, soudain terrifiée à l'idée de tomber. M'agrippant fermement à la rampe, je les descendis lentement, douloureusement, jusqu'à arriver enfin en bas. Un garde était posté là. À son air interdit, je compris qu'il m'avait vue me débattre : l'envie de me porter assistance lui avait fait visiblement défaut. Je le regardai d'un air grave, redressai les épaules et fis :

— J'ai besoin d'aide.

Du moins je pense avoir dit cela. J'avais la voix enrouée, râpeuse, et il semblait tellement stupéfait par ma soudaine apparition que je doute qu'il ait entendu quoi que ce soit.

La colère monta alors en moi, prenant le pas sur le désespoir. Tout n'était pas perdu. Et ce n'était pas lui qui allait me résister, par le diable ! Il allait m'entendre, et m'obéir. Je devais y arriver.

— J'ai besoin d'aide, bon sang !

Cette fois-ci il réagit, pas de doute, car les traits de son visage se tordirent sous l'effet de la peur. Mais il resta figé sur place.

Sainte Marie Mère de Dieu ! N'y avait-il personne pour m'aider en ce moment crucial où nous étions tous en grand danger ?

— Francesca ?

Je me retournai, osant à peine espérer, et me retrouvai face à ce cher Renaldo. L'intendant avait l'air proprement abasourdi de me voir ainsi.

— Que vous est-il arrivé ? Est-ce du sang ? Francesca ?

— Où se trouve Herrera en ce moment ?

L'intendant me regarda d'un air perplexe. Je tendis une main, trouvai une de ses manches et tirai dessus de toutes mes forces.

— L'Espagnol, Renaldo. Où est-il ?

— César et lui sont revenus de la chasse il y a une heure environ. C'est tout ce que je sais. Mais…

— Nous devons le retrouver !

Je regardai alors dans toutes les directions, ne sachant par où commencer.

— Que s'est-il passé, Francesca ? Qu'est-ce qui ne va pas ?

— Herrera est en danger de mort. L'abbesse a l'intention de le tuer.

En entendant cela, Renaldo devint blanc comme un linge. Il me prit le bras et me dévisagea d'un air interloqué.

— Mère Benedette ? Cette sainte…

— Pour l'amour du ciel, ne doutez pas de moi maintenant ! Je dis la vérité. Nous devons le retrouver avant qu'il ne soit trop tard !

Un moins bon ami que lui se serait alors dit qu'il fallait agir dans mon intérêt – en mettant un terme à ma course folle. Il aurait fait mander des renforts, on m'aurait emmenée et la catastrophe se serait abattue sur nous tous. Mais Renaldo, cet homme de chiffres et de registres, croyait aussi au libre arbitre, et même à la possibilité qu'une femme hantée par de terribles visions soit capable de changer l'avenir.

— Dans ce cas, allons-y, fit-il simplement.

Ensemble, nous courûmes ; non en direction des appartements de l'Espagnol, car jamais personne là-bas n'accepterait de nous prêter main-forte, mais vers ceux de César. Son valet nous ouvrit. L'homme était un modèle de discrétion (une nécessité, au vu de sa charge), mais il eut tout de même l'air pris de court en me voyant.

— Donna Francesca, est-ce que tout va bien ?

— Vite, il est ici ? Est-ce qu'il est revenu ?

— Oui, mais…

Sans ménagement, je le poussai et me ruai dans les quartiers privés de Son Éminence qui, présentement, se prélassait dans son bain. Levant les yeux du document qu'il était en train de lire, César fronça les sourcils.

— Est-ce du sang, sur toi ?

Effectivement, c'en était, mais je n'avais pas l'intention de perdre un temps précieux à des broutilles.

— Sors de là. Nous devons retrouver Herrera.

En temps normal, jamais je n'aurais eu l'arrogance de donner un ordre à César, mais l'épuisement et la peur me rendaient téméraire. Je m'enhardis au point de l'empoigner par le bras pour l'extirper du bain.

Je n'y réussis pas, naturellement, mais au moins j'avais son attention maintenant.

— Quel est le problème ? demanda-t-il en se levant. Aussitôt, son valet se précipita avec une serviette.

Quant à moi, j'allai droit au but :

— Mère Benedette est une cathare. Elle a l'intention de tuer Herrera. Nous devons les retrouver.

César arrêta net de se sécher et me regarda dans le blanc des yeux.

— C'est une quoi ? Elle a l'intention de faire quoi ?

Une telle ineptie ne lui ressemblait pas, mais pour être tout à fait honnête, je lui demandais d'accepter sur l'instant ce que moi-même, j'avais mis bien plus de temps à comprendre.

— C'est une cathare, répétai-je.

Craignant qu'il ne saisisse toujours pas, je me lançai dans une explication hâtive :

— Les cathares étaient une secte jugée comme hérétique par l'Église, qui l'a soi-disant éradiquée il y a quelques siècles de cela, mais…

— Je sais ce qu'est un cathare. Mais pourquoi crois-tu que l'abbesse en fait partie, et qu'entends-tu par « elle a l'intention de tuer Herrera » ?

Mes nerfs étaient déjà à bout depuis un moment, mais je m'efforçai de lui répondre aussi calmement que possible.

— Elle l'a admis devant moi. Elle a en sa possession un élixir dont les cathares sont persuadés qu'il leur permet de trouver la voie menant à un monde meilleur. Elle m'en a fait boire, et… peu importe ! Il n'y a pas de temps à perdre. Il faut trouver Herrera, je te dis !

— Qu'a-t-il à voir là-dedans ? s'enquit-il tout en prenant les vêtements que son valet lui tendait.

À mon grand soulagement, il commença à s'habiller. Son goût pour tout ce qui avait trait à la guerre et au champ de bataille signifiait qu'il était capable de s'apprêter bien plus vite que la plupart de ses congénères. Mais chaque seconde qui passait était un supplice.

— Mère Benedette n'est autre que l'assassin envoyé par les ennemis de ton père pour anéantir l'alliance.

Contrairement à ce que j'avais redouté, le danger ne venait pas de David, ni de César. Empêtrée dans mes problèmes, droguée par ma propre main et la sienne, je n'avais vu rien d'autre qu'une femme prétendant être l'amie de ma mère et la mienne. Que m'avait-elle dit, une fois ? Ah oui : « Les gens croiront toujours ce qu'ils ont envie de croire. » J'avais de nombreuses faiblesses, et commis de plus grands péchés encore, mais en cet instant-là aucun autre ne prédominait autant que la honte.

— Je t'en prie, le temps presse !

Rentrant sa chemise dans ses chausses, il m'observa attentivement.

— Un assassin cathare envoyé pour détruire l'alliance avec les Espagnols, dans le seul but de se venger, des siècles après ? Tu y crois vraiment ?

Le désespoir s'abattit sur moi. Si je n'arrivais pas à le convaincre…

— Mais il ne s'agit pas seulement de ça. Elle a l'intention de déclencher une lutte sans merci dans toute la chrétienté, qui verra les cardinaux se dresser les uns contre les autres et contre toi, pour qu'au final le chaos l'emporte. La France, l'Espagne, les grandes familles italiennes finiront toutes par choisir un camp. Et ce sera le grand retour en arrière, comme à l'époque du Grand Schisme. Seulement cette fois-ci, l'Église n'y survivra pas.

Voyant qu'il continuait à m'observer sans mot dire, j'ajoutai :

— Je sais que tu dois me prendre pour une folle, mais ce que je te dis est vrai. Et si nous n'agissons pas maintenant…

Tout à coup, je me sentis très lasse. Voilà que je lui demandai de se fier aveuglément à moi, quand la dure vérité était que moi-même, j'en étais incapable.

— Si on fait quoi que ce soit et qu'il s'avère que tu as tort…

Il n'avait pas besoin de terminer sa phrase ; je savais par trop que si j'étais en proie à un délire inventé par mon esprit sous l'emprise de la drogue, le monde entier était sur le point de l'apprendre. Le hurlement des loups ne serait rien en comparaison de ceux de mes ennemis, qui s'empresseraient de réclamer ma tête. Il ne m'avait point échappé que j'étais en train de tout risquer dans l'unique but de sauver Herrera. Vraiment, la déesse Fortuna a un bien curieux sens de l'humour.

— J'ai raison, affirmai-je, en priant pour que ce soit le cas.

César hocha la tête une fois, brusquement, et fit :

— Allons-y.

Une vague de gratitude me submergea, mais ce n'était pas le moment de m'y complaire. Une fois décidé, César ne traîna pas. J'eus même du mal à suivre le rythme lorsqu'il se mit à jouer des coudes dans les couloirs, repoussant gardes, domestiques et secrétaires (qui attendirent le plus dignement possible que l'ouragan passe) jusqu'à arriver enfin aux quartiers d'Herrera.

César leva le poing et frappa énergiquement à la porte. Celle-ci fut ouverte sur-le-champ par un domestique qui, à la vue de Son Éminence, fit une révérence obséquieuse. S'ensuivit une conversation en castillan débitée à la vitesse de l'éclair – quasiment incompréhensible pour moi, donc. Sur ces entrefaites, un jeune noble faisant partie de la suite d'Herrera fit son apparition, et congédia le domestique. César et lui discutèrent pendant plusieurs minutes. Je regardai derrière eux dans la pièce, espérant y voir David, mais en vain.

Quand ils se turent, César arborait un air perplexe qui ne présageait rien de bon.

— Herrera est sorti il y a quelques instants après avoir reçu un message, m'expliqua-t-il. Il n'a pas dit où il allait, ni pourquoi, et a refusé qu'on l'accompagne. Mais apparemment il avait l'air très excité, exalté même.

Mon cœur se serra. Le neveu bien-aimé n'était pas du genre à se rendre quelque part sans sa suite, lui qui se souciait tant de sa dignité. Quelque chose clochait vraiment, pour qu'il ait soudain décidé de s'en aller ainsi.

César devait penser la même chose que moi car il se tourna vivement vers ce brave Renaldo, qui se tenait depuis tout ce temps à notre disposition.

— Trouve le capitaine Romano. Dis-lui que je veux lui parler sur-le-champ.

Lorsque l'intendant fut parti, il se tourna vers moi.

— Écoute-moi bien, Francesca. Tu ne vas pas bien, c'est évident. Retourne dans tes quartiers, allonge-toi et essaie de dormir un peu. Vittoro et moi allons nous charger de ça. On va retrouver Herrera, et démêler cette histoire.

Quand bien même je n'aurais pas du tout l'intention de

m'exécuter, la dernière chose à faire était de le piquer dans sa fierté ; je lui répondis donc le plus docilement possible.

— Et où vas-tu le chercher ? Tu as une idée ?

César hésita : visiblement, il n'y avait pas encore songé. Mais il n'était jamais à court d'idées.

— Peut-être s'est-il rendu au terrain d'entraînement, ou bien est-il allé faire le croquis d'une bâtisse, ou encore…

— Pardonne-moi, César, mais cet homme ne vient-il pas de dire qu'Herrera était au bord de l'euphorie en partant ? La question à se poser, c'est : qu'y avait-il de si important pour qu'il sorte aussi précipitamment, et sans ses compagnons encore ?

— Je ne sais pas.

— Le message provenait de mère Benedette, il n'y a pas d'autre explication. Jamais elle ne prendrait le risque de le tuer au palazzo. Donc, ils sont ailleurs.

— Mais où ?

En posant la question, il admettait implicitement que le temps n'était pas encore venu de me border. Prestement, je répliquai :

— L'abbesse et moi nous sommes rencontrées à plusieurs reprises à Santa Maria della Salute, l'église située de l'autre côté de la place.

— Montre-moi, me somma-t-il.

Sans plus attendre, nous nous rendîmes sur les lieux. J'étais hors d'haleine lorsque nous poussâmes les lourdes portes en bois et entrâmes dans la nef, où l'air était lourd d'encens. M'appuyant contre une colonne pour reprendre mon souffle, je scrutai l'intérieur faiblement éclairé – qui semblait malheureusement désert.

César s'élança dans l'allée centrale, vérifiant au passage les allées latérales restées dans la pénombre. Arrivé à l'abside, il me cria :

— Il n'y a personne ici.

— Je le vois bien.

— En revanche, ce sera bientôt l'heure des vêpres. Si elle lui avait vraiment donné rendez-vous à l'église, elle ne se serait pas attardée.

— Bien. Alors où sont-ils ? l'exhortai-je lorsque nous fûmes de retour sur la place. Si on ne les trouve pas à temps…

Or, par où commencer ? Viterbe avait beau être une petite ville en comparaison de Rome, l'endroit restait un labyrinthe de rues tortueuses et d'immeubles érigés de façon anarchique. Nous pourrions chercher des heures, peut-être même des jours, sans pour autant repérer Herrera.

Mais une petite minute. Si mère Benedette avait bien l'intention de détruire l'alliance, elle n'allait pas chercher à dissimuler la mort de l'Espagnol ; au contraire, elle allait devoir s'assurer qu'elle était bien visible.

Si seulement j'en savais un peu plus sur ses allées et venues en ville depuis son arrivée.

— Combien de couvents y a-t-il à Viterbe ? demandai-je brusquement.

Son Éminence me dévisagea d'un air ahuri.

— Comment diable le saurais-je ?

— Elle logeait dans un couvent avant que je ne lui propose de venir au palazzo. Peut-être y a-t-elle emmené Herrera.

Ou peut-être pas : c'était tout bonnement impossible de le deviner. Si je faisais la moindre erreur, si je nous envoyais dans la mauvaise direction, l'Espagnol le paierait de sa vie. Je n'avais qu'une seule chance.

Le soleil finissait sa course sur les toits de Viterbe ; il ne nous restait guère de temps. Une fois la nuit tombée, il n'y aurait plus aucun espoir. C'est alors que je vis Vittoro descendre les marches du palazzo au pas de course, flanqué de ses hommes. César allait donner ses ordres, et les recherches commencer. Mais dans quelle direction ? C'était moi qui avais provoqué tout cela en donnant ma confiance à mère Benedette. Quoi qu'il advienne, ce serait de ma faute.

Les larmes jaillirent, et m'aveuglèrent. Une autre femme que moi aurait prié en cet instant-là, mais comme je l'ai déjà dit, je n'ai aucun talent pour cela. Je vis alors en esprit le ruban argenté, et l'immense et mystérieuse lumière brillant à l'horizon. Je versai des larmes, certes, mais ce faisant, le voile qui était devant mes yeux se déchira.

— Oublie l'abbesse, fis-je soudain. Il faut trouver le bouffon.

27

— David et moi nous sommes disputés à propos de mère Benedette. Il était d'avis qu'elle avait un comportement curieux, mais je n'ai pas voulu l'écouter. Si je le connais aussi bien que je le crois (s'il vous plaît mon Dieu, faites que ce soit le cas), il se sera débrouillé pour apprendre tout ce qu'il aura pu sur elle.

— Où peut-on trouver ben Eliezer ? s'enquit Vittoro.

— Il a ses habitudes dans une taverne. Venez, par ici.

Vittoro annonça alors qu'il allait réunir davantage d'hommes pour les recherches, et qu'il nous rejoindrait là-bas aussi vite que possible.

À cette heure de la journée, les bonnes gens de Viterbe étaient chez eux, à préparer le souper ; les plus dévots d'entre eux étaient à l'église pour les vêpres. Ce qui laissait à tous les autres le loisir de boire et de prendre du bon temps en paix. David était assis, une coupe de vin en main et une assiette à moitié vide devant lui, quand César et moi le repérâmes dans la taverne bondée.

Dès qu'il nous vit, il fronça les sourcils.

— Que se passe-t-il ?

Je lui fis un rapide résumé de la situation. Je n'en avais pas fini qu'il secouait la tête, l'air consterné.

— Je n'aurais pas dû quitter Herrera, mais je me suis dit que si j'arrivais à trouver quelque chose sur l'abbesse qui puisse te convaincre qu'elle n'était pas digne de confiance...

— Et ? l'interrompit César.

David hésita.

— Ça va vous paraître saugrenu, mais Francesca a une amie

en ville, apparemment. Du nom d'Érato. Elle a su que je posais des questions ici et là sur une religieuse, et elle m'a fait mander. Elle prétend qu'une bonne sœur lui loue depuis plusieurs jours une chambre au fond d'un bordel, à proximité du marché.

Je regardai David, pantoise.

— Mais ce n'est pas possible. Mère Benedette est une abbesse. Elle logeait dans un couvent en ville.

Vous allez dire que je digresse encore, mais cela me fit songer à ces cas de religieuses qui transformaient leur couvent en bordel – a priori il s'agissait de la petite minorité qui osait défier les prélats locaux, toujours enclins à s'emparer de ce qui appartenait à leurs consœurs pour affirmer leur autorité absolue sur elles. Si ces histoires tenaient davantage du mythe qu'autre chose, cela ne signifiait pas pour autant qu'un certain nombre de femmes contraintes à prendre le voile ne trouvaient pas le vœu de chasteté insupportable.

D'autre part, comme je l'ai déjà dit, de nombreux bordels étaient situés sur des terres appartenant à l'Église. Peut-être y avait-il eu confusion de la part d'Érato ? J'avais du mal à croire qu'elle puisse commettre pareille erreur.

— J'étais sur le point d'aller y faire un tour, reprit David, pour voir si l'abbesse y était vraiment restée. Mais maintenant…

— Ce n'est pas une abbesse.

L'ampleur de ma crédulité me frappa de plein fouet quand ces mots sortirent de ma bouche. Je l'avais imaginée cathare en secret, dissimulée au sein du clergé à la manière des juifs qui acceptaient de se convertir mais restaient fidèles à leur foi. Comme il lui aurait été facile de se servir de sa position d'autorité à ses propres fins. Mais si tout était un mensonge depuis le départ… Cela aurait été trop risqué de tenter de passer inaperçu parmi les religieuses : le moindre impair de sa part leur aurait mis la puce à l'oreille. Mieux valait se cacher parmi les exclus de la société, qui se gardaient bien de poser les questions.

— Je sais où ils sont.

Les deux hommes me regardèrent, étonnés.

— Tu en es sûre ? insista César.

Je hochai la tête.

— Elle a attiré Herrera hors du palazzo en lui promettant des preuves dont il pourra se servir pour se débarrasser de moi.

David me regarda, puis César, puis moi de nouveau. Je compris qu'il faisait un rapide calcul dans sa tête. Il avait passé suffisamment de temps en compagnie de l'Espagnol pour au moins se douter des sentiments que ce dernier portait à Son Éminence.

Mais pour César, il n'était plus temps de lanterner. Il jeta une poignée de pièces sur la table et sortit à grands pas de la taverne. David et moi le suivîmes. La nuit était quasiment tombée, à présent, et nous fûmes accueillis par un vent froid et humide qui s'était mis à souffler.

Épuisée comme je l'étais, et affamée à présent, je marquai un temps d'arrêt pour tenter de rassembler mes esprits pour le moins éparpillés.

— Francesca ?

Je m'aperçus alors que Vittoro était arrivé avec ses renforts. Tous m'attendaient.

— Où allons-nous ? demanda César.

Je sentis alors la peur monter en moi, un lugubre pressentiment qui me fit froid dans le dos.

— En enfer, rétorquai-je, en leur montrant le chemin.

— Impossible d'aller là-dedans avec des torches, déclara Vittoro. La moindre étincelle et on provoquerait un beau feu de joie.

Nous étions au bout de la rue des Tanneurs, devant le taudis où j'avais découvert Marie-Madeleine. Dans la pénombre que seules les torches des hommes d'armes transperçaient, les lieux faisaient l'effet d'un trou noir contre le ciel nocturne. Aucune lampe n'était allumée à l'intérieur : à l'évidence, la grande misère fournissait une protection (même fortuite) contre les incendies.

— Servons-nous des lampes à capuchon, dans ce cas, intervint César.

Plusieurs mois auparavant, dans le but d'apaiser son fils furieux à l'idée d'être contraint de revêtir la robe de cardinal, Borgia avait donné l'autorisation à César de former une compagnie militaire sous son commandement. Cette concession, si l'on pouvait appeler cela ainsi, était plutôt la reconnaissance d'une réalité qui existait depuis longtemps. En effet, cela faisait des années que César battait la campagne pendant des jours entiers avec une bande d'amis, comptant uniquement sur ses talents de chasseur pour se nourrir, pratiquant diverses manœuvres, et plus généralement se préparant à la vie qu'il avait réellement envie de vivre. Ayant l'instinct d'un vrai chef de guerre, il avait également introduit plusieurs innovations stratégiques, dont un entraînement efficace aux expéditions nocturnes. À cette fin, il avait conçu et fabriqué une petite lampe à huile portative, rehaussée de fines lames de métal qui venaient protéger la flamme. Cette lampe ne diffusait la lumière qu'à quelques mètres autour de celui qui la portait, ce qui la rendait davantage discrète qu'une torche. Par ailleurs, elle était bien moins susceptible de provoquer un incendie.

Manifestement, César avait parlé de son invention à Vittoro, et le capitaine en avait à son tour équipé les condottieri de Borgia, car ces derniers en sortirent quelques-unes sous mes yeux, et les allumèrent. À leur faible lueur, je ne pus m'empêcher de voir les visages tendus. Comment le leur reprocher ? L'idée même de retourner dans cet endroit m'épouvantait, mais si en plus il fallait y aller dans le noir…

— Je pourrais en avoir une ? fis-je d'une petite voix.

Ainsi équipée, je pris une profonde aspiration et hochai la tête en direction de César.

Nous procédâmes au plus simple. César prit plusieurs hommes avec lui pour aller vérifier l'appentis où le corps de Marie-Madeleine avait été retrouvé, ainsi que les alentours. Un groupe plus conséquent se déploya sur la longueur de la rue, en direction des échoppes de tanneurs. Comme un seul homme, ils rabattirent leur cape sur le nez et la bouche pour se soustraire (vainement) à l'air fétide. Toutefois, notre arrivée n'était clairement pas passée inaperçue : en quelques instants, tous les volets des échoppes avaient été fermés et les lumières éteintes.

Dans l'obscurité presque totale, je m'avançai vers l'entrée du taudis. Aussitôt, Vittoro et David m'emboîtèrent le pas.

— Y a-t-il la moindre chance, commença le capitaine, de te convaincre de rester dehors pendant qu'on fouille l'intérieur ?

— J'allais te poser la même question, rétorquai-je.

En voyant son air courroucé, je me sentis obligée d'expliquer :

— Plus on fait de bruit, plus on a de chances d'alerter l'abbesse. Si Herrera est encore en vie, ce ne sera plus le cas quand elle comprendra qu'on est à ses trousses. Il vaudrait mieux que j'y aille seule. Vous autres, attendez ici, au cas où elle essaierait de prendre la fuite.

Je n'étais pas complètement sérieuse, car je savais parfaitement qu'il n'y avait pas la moindre chance pour que Vittoro accepte un tel marché. Mais j'espérais lui faire comprendre qu'il n'y avait pas non plus moyen que je reste dehors bras croisés, à patienter docilement.

Le capitaine soupira. Non sans une certaine bienveillance, il me dit :

— Elle peut tout aussi bien le tuer pendant qu'on reste là à se disputer. Allez, on entre.

Étant déjà venue, j'ouvris la marche. Parvenue à la porte de la baraque maudite, je tentai de me souvenir au mieux de la configuration des lieux. Lors de ma précédente visite, même avec un rai de lumière filtrant à travers les planches de bois, je n'y avais pas vu grand-chose. Autant dire que dans la nuit noire, c'était tout bonnement impossible.

J'eus tout de même la présence d'esprit d'avertir les deux hommes :

— Attention, le plafond est très bas.

Ils se baissèrent juste à temps pour éviter de se cogner méchamment la tête. Je crus bien que David (qui était très grand) allait devoir se mettre à genou pour avancer. Nous progressâmes lentement, passant devant des compartiments en apparence vides mais où, j'en étais certaine, de pauvres diables se blottissaient les uns contre les autres dans le noir, en priant pour ne pas se faire voir.

Cependant, la plupart semblaient s'être littéralement volatilisés. Je ne pouvais en être sûre, mais je vis bien moins de signes de vie (si j'ose m'exprimer ainsi) que la fois précédente. Seuls les plus robustes d'entre eux auraient pris la fuite à la faveur de la nuit. Je me demande bien où ils se cachent, songeai-je en me forçant à continuer mon chemin. Enfin, nous arrivâmes au compartiment où selon mes calculs Marie-Madeleine s'était terrée pour souffrir en silence. Il était vide, et manifestement personne n'y avait été depuis sa mort.

— Il n'est pas ici, constatai-je, incapable de dissimuler plus longtemps mon désespoir.

Vittoro se pencha alors en avant, posa les deux mains sur ses genoux et respira longuement par la bouche. David s'adossa contre un mur et au contraire, sembla ne plus respirer du tout. Les deux hommes, pour braves et expérimentés qu'ils soient, n'avaient pas l'air bien. Et je ne me sentais pas mieux : à chaque minute qui s'écoulait, les chances que je me sois trompée augmentaient. Je ne m'en rendais pas compte mais je tendais l'oreille en priant pour entendre quelqu'un dehors crier qu'ils avaient retrouvé Herrera, mort ou vif ; je m'obligeai à me concentrer sur ce que j'avais à faire.

— Il reste encore une grande partie des lieux à fouiller, dis-je. Nous pourrions nous séparer pour aller plus vite.

Vittoro semblait enclin à protester, mais David s'interposa.

— Francesca a raison. Cet endroit est un véritable labyrinthe. Notre meilleure chance est d'aller chacun de notre côté : l'un à gauche, l'autre à droite, le troisième au milieu. Des objections ?

Le capitaine, qui avait davantage l'habitude de donner des ordres que d'en recevoir, parut hésiter ; mais il finit par acquiescer d'un franc signe de tête.

— Au moindre problème, vous donnez l'alerte, d'accord ?

Nous l'en assurâmes, et prestement nous prîmes congé les uns des autres. David partit à droite, Vittoro à gauche, et je restai où j'étais, déterminée à inspecter chaque centimètre carré de cette maudite bicoque. J'avoue volontiers qu'un profond malaise s'abattit sur moi lorsque je me retrouvai seule. L'obscurité, la puanteur, et le désespoir que l'on ressentait partout ici me pesaient infiniment. J'avais l'impression d'être enterrée vivante.

La panique commença à me gagner. Je m'armai autant que je le pus de courage, et repris mon inspection. Dans ce dédale infernal, il était par trop facile de se perdre. Pour empêcher cela, et me protéger en cas d'attaque soudaine, je glissai mon couteau hors de son fourreau. En laissant courir la pointe de la lame le long du mur à ma droite, je laissai une fine trace de mon passage.

C'était une astuce que César m'avait apprise lorsque, ensemble, nous avions pénétré dans les catacombes de Saint-Pierre, l'année précédente. Cette fois-là, nous étions tombés sur un immense tas d'ossements, jetés là comme autant de débris lorsque le grand empereur Constantin avait bâti la basilique mille ans plus tôt. Je n'avais plus qu'à prier pour ne pas faire pareille découverte macabre dans le taudis de la rue des Tanneurs.

Je progressai de manière méthodique en vérifiant un à un les compartiments. Ici et là, je vis des billes effrayées qui me regardaient fixement. Les pires, c'étaient ces regards vides, sans expression, de ceux que la raison avait désertés totalement. Je pressai quelque peu le pas, pour ralentir de nouveau lorsque j'entendis comme un faible bruit non loin de moi. Ma vision étant pour le moins limitée, et mon odorat totalement submergé par la pestilence ambiante, mon ouïe semblait s'être développée. Et quand la confusion de gémissements, de geignements, de soupirs et de lamentations alla croissant, je compris que je ne rêvais pas.

Un frisson de terreur me parcourut de la tête aux pieds. Dans ma bouche, je sentis soudain le goût de la bile. Il me fallut rassembler toute ma volonté pour continuer, et cela faillit bien ne pas suffire. J'entendais des voix qui criaient dans ma tête : « Rebrousse chemin ! Il n'est pas ici ! Tu ne le trouveras pas ! Va-t'en ! Cours ! » Plus insidieusement encore, ma raison insistait sur le fait que quelqu'un d'autre que moi pouvait trouver Herrera. Quelqu'un de plus apte à remplir cette mission. César, Vittoro, David : séparés ou ensemble, ils sauraient bien mieux s'en débrouiller que moi. À dire vrai, ils seraient même soulagés que je m'en remette à eux.

Mais la raison, à l'évidence, n'avait pas beaucoup d'emprise sur moi. Je repris mon chemin, et me mis à appeler doucement :

— Don Miguel ? Vous êtes là ?

Jusque-là, j'avais essayé de ne faire aucun bruit pour ne pas alerter mère Benedette de ma présence. Mais les minutes passant et la peur aidant, je sentais que je n'avais plus le choix.

De nouveau, j'appelai :

— Don Miguel ?

J'entendis alors un gémissement, guère différent des autres mais qui dénotait une angoisse et une urgence toutes particulières.

— Don Miguel ? répétai-je plus fort, en faisant fi de toute prudence – car si c'était lui, il souffrait beaucoup.

Un sanglot, dans une voix probablement masculine, mais bien trop faible pour en avoir la certitude.

— *Ayúdame… Por el amor de Dios, me ayúda.*

Du castillan, mais cette fois-ci la phrase était suffisamment proche du catalan pour que je la comprenne : « Aidez-moi… Pour l'amour de Dieu, aidez-moi. »

Aussitôt je bondis, sans plus songer à inscrire une quelconque trace de mon passage. Mon couteau dans une main, la lampe dans l'autre, je tournai au bout d'un couloir et me retrouvai face à une vision sortie tout droit d'un cauchemar. Herrera était bien là, et Dieu merci il était encore en vie – mais je n'aurais su dire combien de temps il allait le rester. Mère Benedette avait dû le droguer, lui aussi. Dans cet état d'apathie totale, elle l'avait dénudé ; en regardant sur le côté, je vis ses habits jetés en tas dans un coin.

Quant à Don Miguel…

Il était étendu au sol, jambes croisées au niveau des chevilles, bras écartés à angle droit de son buste. Les paumes de ses mains étaient tournées vers le plafond. Il me fallut un instant pour comprendre quelles étaient ces taches sombres qui semblaient couler du centre de ses paumes sur les lattes de bois. Et de son côté droit. Et de ses pieds.

Lorsque je saisis enfin ce à quoi j'étais en train d'assister, je ne pus que me réjouir d'avoir vidé le contenu de mon estomac peu avant, car dans le cas contraire, je n'aurais pas su résister à la vague de nausée qui me submergea tout à coup. Devant tant d'horreur, pitié et révulsion se livraient une bataille sans merci en moi.

Don Miguel de Lopez y Herrera, le neveu chéri de Leurs Majestés très catholiques, avait été cloué au sol de cet enfer terrestre, dans une parodie grotesque de la crucifixion du Christ. Il s'en était fallu de peu pour qu'il se vide totalement de son sang – s'il ne mourait pas avant du choc provoqué par son calvaire.

Même les habitants de la rue des Tanneurs ne parviendraient pas à dissimuler cette abomination. Ils seraient pris d'un tel effroi en découvrant le corps que la nouvelle se répandrait comme une traînée de poudre, et les autorités s'en mêleraient. À n'en pas douter, on en conclurait qu'il avait été victime d'une démente – démente qui, à ce que j'en voyais, avait fort à propos laissé derrière elle une preuve, sous la forme d'une cape qui aiderait à l'identifier. *Ma* cape, dont j'avais pris soin de recouvrir Marie-Madeleine lorsque je l'avais laissée dans l'appentis… après lui avoir promis que tout irait bien.

Tous les désaccords que j'avais pu avoir avec Herrera, toutes les mauvaises pensées à son encontre se volatilisèrent à cet instant-là. Mais je ne me précipitai pas sur lui. Il était très sérieusement blessé.

Si j'agissais sans réfléchir, je pouvais empirer son état – au point de le faire passer de grave à désespéré.

Mais alors que j'essayais de déterminer la meilleure façon de procéder, je fus distraite par un léger mouvement à la périphérie de mon champ de vision. L'espace d'un instant, dans cette satanée obscurité, je crus bien voir mère Benedette. Elle se tenait à quelques mètres de moi, et venait d'émerger d'un compartiment. Son visage, toujours encadré par son voile, semblait… interdit. Visiblement, elle ne s'attendait pas à me voir ici.

C'est sa réaction, plus qu'autre chose, qui me confirma que je n'étais pas en train de délirer. Pour une raison qui m'échappe (peut-être pour s'assurer qu'il allait bien trépasser ?), l'abbesse était restée sur les lieux du crime. Et cela, me promis-je, serait son erreur fatale.

En poussant un cri, je me ruai sur elle.

Mais elle fut bien plus rapide que je ne l'aurais cru. En quelques secondes, je l'avais perdue de vue dans le noir. Cependant je l'entendais, qui avançait à grand-peine pour tenter d'échapper à la victime qu'elle avait laissée pour morte au palazzo.

Je ne gaspillai pas mon souffle à la sommer de s'arrêter. À vrai dire, je ne songeai à rien d'autre que l'impératif absolu, gravé dans mon esprit : elle ne doit pas m'échapper. Mais l'abbesse, manifestement, avait une autre idée en tête. Elle courait à une vitesse qui contredisait sans l'ombre d'un doute l'âge que je lui avais attribué le jour funeste où je l'avais rencontrée. J'avais eu faux pour tout le reste, je pouvais bien admettre mon erreur aussi sur ce point.

En tournant, et tournant encore dans ce labyrinthe infernal, elle parvint à rester toujours quelques mètres devant moi. Je me cramponnai éperdument à la lampe, car sans elle je n'aurais pas la moindre chance de la rattraper. Elle avait dû si bien planifier son méfait qu'elle semblait s'orienter sans difficulté – bien mieux que moi, dans tous les cas. Bien trop vite (je commençais à peine à fatiguer), elle courut en direction d'une partie du mur qui s'était effondré. En jetant un ultime coup d'œil dans ma direction, elle se volatilisa dans la nuit.

Je la suivis. Sans réfléchir, sans même marquer de temps d'arrêt, je sautai dans les broussailles qui bordaient la baraque et suivis l'ombre qui s'éloignait vers la rue des Tanneurs. Au loin, je distinguai les silhouettes d'hommes se mouvant entre les immeubles. Je songeai à appeler à l'aide, mais j'étais déjà à bout de souffle. La probabilité qu'ils m'entendent du premier coup était bien faible.

Juste à cet instant-là, les lourds nuages de pluie révélèrent un croissant de lune, et je la vis. Elle regardait de nouveau par-dessus son épaule, sans l'ombre d'un doute dans ma direction. Pendant quelques secondes, je me demandai si elle ne possédait pas quelque pouvoir lui permettant de voir mieux dans le noir que moi, mais j'écartai bien vite cette pensée. Il est toujours tentant d'attribuer des pouvoirs surnaturels à ses adversaires. Et c'est toujours une erreur de le faire, car cela n'engendre que confusion et peur. Un grand nombre de mes propres ennemis l'ont faite à mon égard – et ils l'ont regretté.

Je poursuivis donc ma course folle, plus que jamais résolue à combler la distance entre nous. Songeai-je à Herrera, en cet instant-là ? Peut-être. À ma mère ? Certainement. À un monde mauvais où régnait un dieu mauvais ? Non, pas vraiment. Et pourtant, je ne peux nier ce qu'il se passa : était-ce une racine, ou bien quelque déchet jonchant le sol boueux ? Toujours est-il que l'abbesse trébucha.

Voyant cela, je rejetai aussitôt mon bras en arrière et lançai de toutes mes forces la lampe à huile sur elle.

28

La lampe alla s'écraser au sol, aux pieds de mère Benedette. Celle-ci se figea de surprise, tout comme moi. À la vérité, je ne sais ce que j'avais en tête. S'il fallait jeter quoi que ce soit, en toute logique cela aurait dû être mon couteau ; mais comme je l'ai déjà dit, je n'ai de prédisposition qu'en combat rapproché.

Pendant quelques secondes, rien ne se produisit. Puis... c'est à peine si j'ose l'évoquer, tant ce fut terrible. L'huile de la lampe coula par terre et vint imprégner l'ourlet de sa robe. Une étincelle prit, et en quelques secondes les flammes vinrent lécher le bas de son habit, puis remontèrent le long de ses jambes. L'humble étoffe de laine naturelle s'embrasa comme une torche. Son visage d'albâtre, tordu en un cri de terreur, fut comme illuminé derrière ce soudain rideau de feu.

Mais tout ceci ne reflète pas la réalité. Certes, le feu prit réellement, et les flammes roussirent le bas de sa robe. Mais voyant cela, comme toute personne sensée l'aurait fait, elle en arrêta la progression en piétinant dessus. Or (peut-être étaient-ce les derniers effets de la drogue qu'elle m'avait administrée ?), je vis les choses différemment. Je vis ce qui serait arrivé si elle avait été envoyée au bûcher et avait péri par les flammes, comme tant de cathares avant elle.

Et comme je craignais moi-même de finir, si mes bien trop nombreux ennemis parvenaient à leurs fins.

Alors, je hurlai. Un cri déchirant qui parut fendre l'air lui-même. Pour sûr, il me fendit au moins la gorge, car aussitôt je sentis le goût âcre du sang. Hurlant toujours, et faisant fi de cette odeur honnie, je me jetai sur elle.

C'est une chose bien curieuse de chercher à tuer et à sauver en même temps. Je la haïssais ; je voulais qu'elle meure. Dans le même temps, je ne supportais pas l'idée qu'elle périsse dans de si atroces souffrances. C'est ainsi que je m'élançai sans l'ombre d'une hésitation sur les flammes qui, en cet instant-là, la dévoraient – du moins le crus-je sincèrement.

Plus tard, je découvris d'étranges taches sur mes bras, des rougeurs douloureuses qui m'évoquaient une brûlure, comme si un brasier existant seulement dans ma tête avait tout de même eu le pouvoir de m'atteindre.

Elle se débattit, me rouant de coups de ses pieds et poings, cherchant à me griffer aux yeux ; mais j'étais mue par une telle frayeur que mes forces s'en trouvèrent décuplées. Nous tombâmes à terre et roulâmes dans une étreinte grotesque, éteignant dans la foulée les dernières flammes. Dans la fange de cet enfer terrestre, je me cramponnai à elle comme si ma vie en dépendait. Elle était seule… et moi non. Il ne me restait plus qu'à tenir, et je finirais par l'emporter.

David fut le premier à arriver. Il jaillit tout à coup des ténèbres, et me sépara sans coup férir de l'abbesse pour à son tour l'empoigner et l'immobiliser. Ce qui n'empêcha pas la diablesse de continuer à lancer des coups et à émettre des grondements féroces en montrant les dents, telle une chienne enragée. Son voile se détacha, et une cascade de cheveux bruns en tomba. Quand elle cessa enfin de gigoter, j'eus la confirmation que c'était une femme bien plus jeune que je ne l'avais cru.

S'ensuivit une formidable confusion. Vittoro arriva, puis César. Je tentai de m'expliquer mais vraiment, je n'aurais pas dû me donner cette peine. César aboya un ordre et aussitôt mère Benedette fut encerclée par des condottieri, qui l'emmenèrent prestement. La dernière chose que je vis d'elle, ce fut son regard féroce et un sourire curieusement confiant.

C'est alors que je me souvins d'Herrera.

— Vite, à l'intérieur. Il est gravement blessé !

Je n'avais pas le cœur d'en dire plus – ni le temps, du reste. En dépit de l'étau qui m'enserrait la poitrine, je relevai mes jupons et me remis à courir.

Les autres m'emboîtèrent le pas. Je tâtai d'un geste frénétique le mur et finis par trouver la fine trace que j'y avais laissée avec mon couteau. En la suivant de mes doigts, j'arrivai à l'endroit où agonisait Herrera. Quelques secondes après, j'entendis plusieurs cris étranglés derrière moi. Quelqu'un se mit à vomir ; un autre ne cessait de gémir. Mais à dire vrai, tout ce qui m'importait c'était que César, lui, parvienne à se maîtriser.

S'agenouillant auprès d'Herrera, il passa une main sur le front du supplicié, le regarda droit dans les yeux et lui murmura :

— On t'a trouvé. Tu es en sécurité, maintenant.

L'Espagnol laissa échapper un long soupir. Il contempla César un instant puis, Dieu merci, perdit connaissance.

Prestement, je m'agenouillai à mon tour auprès de lui. Avant que César songe à ouvrir la bouche, je déclarai d'un ton ferme :

— Il s'agit de faire preuve de prudence, sinon on risque d'aggraver ses blessures.

— Pour l'amour du ciel, Francesca, il faut le libérer !

Je sentis bien l'horreur dans sa voix, et aussi l'angoisse, mais je ne cédai pas. Sans ménagement, je l'écartai d'un coup de coude et me tournai vers David, qui était juste derrière moi.

— Nous devons lui ôter ces satanés clous le plus lentement possible. Si nous y allons trop vite…

— Il pourrait se vider de son sang.

S'agenouillant à son tour, le jeune rebelle juif se mit en position pour aider le neveu des monarques qui avaient expulsé son peuple d'Espagne, et les auraient tous condamnés à mourir si cela avait été en leur pouvoir.

— Tu es sûr de vouloir faire cela ? lui demandai-je, prise de remords en repensant aux soupçons que j'avais entretenus à son sujet.

David me jeta un bref coup d'œil, et c'est tout.

— Peu importe qui c'est, il faut le sauver, répliqua-t-il. Et de toutes ses forces, mais en douceur, il souleva Herrera dans ses bras.

Dès qu'il fut libéré, le sang coula effectivement davantage, mais pas suffisamment pour craindre de le perdre sur l'heure. Prestement, César vint aider David et ensemble, ils portèrent Herrera dehors.

Je vous épargnerai les détails du retour au palazzo, hormis pour dire que nous avançâmes aussi lentement que possible. Par la grâce de Dieu, Herrera resta sans connaissance pendant la majeure partie du trajet ; mais sur les derniers mètres de la pente raide menant au palais des papes (nous ne voulions pas alerter ces bonnes gens de Viterbe en passant par la ville), nous l'entendîmes gémir sans discontinuer.

Quelques hommes étaient partis en éclaireurs pour annoncer la nouvelle. Borgia se trouvait devant l'entrée à notre arrivée. Il avait l'air bien sombre sous ses paupières tombantes, et très las aussi, comme si les événements l'avaient soudain rattrapé. Comme je le comprenais : je ressentais exactement la même chose. Quelque part dans le palazzo, « mère Benedette » était détenue. J'allais devoir m'entretenir à son propos avec Borgia au plus vite, mais pour l'instant je devais me concentrer sur Herrera. Toutefois, en passant devant Sa Sainteté, je ne pus m'empêcher de lui glisser discrètement :

— Si vous voulez apprendre quoi que ce soit d'elle, patientez jusqu'à ce que je puisse aller la voir.

Je n'aurais pas dû m'en faire. Il avait beau avoir toutes les raisons de vouloir la faire exécuter sur-le-champ, Borgia avait toujours été à même de faire passer ses émotions personnelles au second plan lorsque nécessaire. Il se contenta donc de me jeter un bref coup d'œil, et d'acquiescer d'un signe de tête.

Une fois dans les quartiers de l'Espagnol, César et David l'installèrent sur le lit avec mille précautions. Aussitôt, les corbeaux vêtus de noir qui rôdaient dans les coins s'avancèrent. En voyant les médecins, je fis la grimace et empoignai le bras de César.

— Ne les laisse pas s'approcher d'Herrera, l'implorai-je. Ils ne feront rien d'autre que le saigner, le purger, voire les deux, et il n'y survivra pas, c'est évident.

Se tournant vers moi, il me lança d'un ton impérieux :

— Tu te crois capable de faire mieux ? Je te rappelle que s'il est dans un tel état, c'est en partie de ta faute.

Je me sentis blêmir, mais refusai de prendre la mouche. J'aurais le temps de répondre du rôle que j'avais joué dans cette affaire – peut-être même toute l'éternité. Simplement, ce n'était pas le moment.

— David va m'aider. Au pire, nous ne ferons pas davantage de dégâts que les médecins, et il cst même fort possible qu'on lui fasse du bien.

Renvoyer certains des hommes les plus savants de la cour papale pour donner sa préférence à une sorcière et à un juif… Ils auraient été bien peu à même de l'envisager. Mais César (et c'est tout à son honneur) n'hésita qu'un court instant. Il regarda fixement Herrcra, ferma les yeux, et quand il les rouvrit s'écria :

— Dehors ! Tous autant que vous êtes, dehors !

Je n'aurais pas osé le lui avouer, mais il n'avait jamais autant ressemblé à son père.

— Sauf toi… et toi, ordonna-t-il en nous désignant du doigt, David et moi.

Les corbeaux se retirèrent avec force grommellements et œillades assassines. À n'en pas douter, ils se dirigeaient déjà vers le bureau des secrétaires du pape pour protester avec véhémence ; et ils y trouveraient une oreille indulgente, ces derniers me détestant aussi cordialement qu'eux. S'ensuivraient de longs plaidoyers pour en appeler directement à Borgia, mais tout ce beau monde se fatiguerait pour rien. Sa Sainteté ne s'en mêlerait pas tant que l'incident ne serait pas clos – d'une manière ou d'une autre.

Une fois la porte refermée sur eux, je pris une profonde inspiration et me mis au travail. Herrera n'avait pas encore repris connaissance, ce qui était tout aussi bien ; d'un autre côté, cela indiquait peut-être qu'il était à l'article de la mort. Seule certitude, ses blessures étaient graves, et les dommages conséquents. Je n'avais aucun moyen de savoir jusqu'où la lame avait pénétré sur son côté. Si le poumon était touché…

— J'ai besoin de certaines choses qui se trouvent dans mes quartiers, annonçai-je.

Plus particulièrement, j'avais besoin de drogues et d'autres substances enfermées dans le double fond de mon coffre, que j'étais la seule à pouvoir ouvrir. Quand je lui expliquai le problème, César envoya des hommes le chercher, ainsi que tous les instruments que je lui nommai. En attendant, j'essayai d'évaluer au mieux l'état de l'Espagnol.

Les entailles aux mains ne saignaient quasiment plus, mais les paumes avaient beaucoup enflé et les clous plantés en leur centre allaient être délicats à extraire. Il en allait de même pour les pieds. La plaie à son côté droit était effectivement profonde, mais en m'approchant de près je constatai avec soulagement que le sang qui s'en écoulait ne faisait pas de bulles.

— Très bien, fis-je en me redressant, les yeux des deux hommes rivés sur moi. La plaie à son côté est la priorité. Elle doit être nettoyée puis recousue. Quant à ses mains et ses pieds, nous allons faire de notre mieux pour éviter l'infection, en espérant qu'avec le temps il en retrouve l'usage peu ou prou.

— Il n'y a rien d'autre à faire ? insista César.

À regret, je secouai la tête.

— Je sais très peu de choses sur la façon dont se remettent les petits os. Comme la plupart des médecins, d'ailleurs. Je vais tenter, mais en toute honnêteté, je pourrais aggraver son cas.

Tout en parlant, je songeai à Herrera dans l'arène, maniant son épée avec grâce ; mais aussi aux croquis d'architecte qu'il exécutait avec tant de talent. Pourrait-il refaire tout cela un jour ?

— Je peux te donner les noms de plusieurs médecins maures,

proposa David. Peut-être qu'un ou plusieurs d'entre eux sauraient t'aider.

Une sorcière, un juif et un Maure… Si Herrera survivait à cette épreuve, saurait-il entendre ce que Dieu essayait de lui dire ?

— On verra cela plus tard, répondis-je. Pour l'instant, nous avons déjà fort à faire rien que pour le garder en vie.

J'en fus d'autant plus convaincue après avoir placé deux doigts à l'intérieur de son poignet (comme j'avais souvent vu Sofia le faire), et avoir senti un pouls très faible. Je posai alors une oreille contre sa poitrine, et ma crainte se confirma : les battements de son cœur étaient à peine perceptibles.

— Il a perdu beaucoup de sang. (David et César me regardaient toujours, attendant que je leur dise quoi faire ; je déglutis lentement, et me lançai.) Si l'on ajoute à cela la drogue que mère Benedette lui a certainement administrée, et le choc de ce qu'elle lui a fait…

J'observai le visage de l'Espagnol, dont le teint semblait déjà avoir pris la pâleur grise de la mort. J'eus soudain la conviction que si je ne tentais pas quelque chose de plus radical, il aurait succombé avant l'aube.

En pesant mes mots, je poursuivis :

— J'ai certaines substances en ma possession qui peuvent être mortelles, mais selon Sofia Montefiore, peuvent aussi guérir si on les dose plus faiblement.

— Comment sauras-tu combien lui en donner ? m'interrompit César.

J'étais soulagée de voir qu'il n'écartait pas l'idée d'emblée, même si je sentais que c'était davantage le signe d'un profond désespoir qu'autre chose. Cependant, j'avais déjà ma réponse.

— J'ai une idée assez précise de la quantité qui le tuerait, expliquai-je. Je propose de lui en faire boire beaucoup moins, et de voir ce qu'il se passe.

— S'il meurt… ? commença David, mais César le rabroua vertement.

— S'il meurt, ce sera à cause de ce que l'abbesse lui a fait, et non des tentatives de Francesca pour le sauver.

Ma gorge se serra. Après tout ce qui était arrivé, je ne m'attendais pas à ce que César prenne ma défense avec un tel empressement. Je me précipitai vers mon coffre pour faire la combinaison permettant d'ouvrir le double fond. Puis j'en retirai une petite boîte contenant les poisons dont je préférais ne jamais avoir à me servir. À chaque fois que j'avais été obligée d'éliminer un empoisonneur envoyé par l'un des ennemis de Borgia, j'avais mis un point d'honneur à employer la substance justement destinée à tuer Sa Sainteté. Cette pratique singulière n'était certainement connue que de moi, mais en agissant ainsi je me sentais davantage l'instrument de la justice que de la mort, et cela m'apportait quelque réconfort. Pour autant, je ne me faisais pas d'illusion : à tout moment, je pouvais être amenée à utiliser un poison de ma propre fabrication.

Et j'étais prête à le faire, du moins c'est ce que je me disais. Malgré tout, mes mains tremblèrent lorsque j'ôtai la fiole de la petite boîte, puis la levai vers la lumière pour en examiner le contenu. D'après Sofia, les feuilles séchées de la plante que certains appellent doigt de la Vierge, et d'autres connaissent sous le nom de digitale pourprée, pouvaient sauver la vie quand on avait des problèmes au cœur. Pour ma part, tout ce que je savais c'est qu'elles avaient le pouvoir d'en accélérer le rythme tant et plus avant de l'arrêter totalement.

Une fois n'était pas coutume, je dis une prière en cet instant-là, pour demander silencieusement à Dieu qu'au contraire des cathares, je croyais vraiment bon, de guider ma main.

Le contenu de la fiole aurait suffi à tuer un homme. Mais dans l'état de grande faiblesse d'Herrera, j'étais d'avis que même la moitié s'avérerait mortelle. En conséquence, je n'en prélevai qu'une quantité infime, tenant à peine sur l'ongle de mon petit doigt. J'y ajoutai un tout petit peu d'eau chaude, et laissai les feuilles infuser le temps de préparer les instruments pour recoudre la plaie au côté.

Une fois la décoction prête, César leva la tête d'Herrera pour que je puisse m'approcher et lentement, tout doucement, verser le liquide dans sa bouche. Au début je craignis qu'il ne recrache, mais il était si faible qu'il sembla ne rien sentir.

Quand il eut tout bu, je reculai un peu et m'autorisai à souffler. Mais le vrai soulagement devrait attendre. César remit soigneusement la tête du patient sur l'oreiller, et de nouveau je plaçai deux doigts à l'intérieur de son poignet. Au début, je ne perçus aucune différence. Mais au bout de quelques instants, son pouls me parut plus fort. Pour en avoir le cœur net, je me penchai de nouveau au-dessus de sa poitrine et écoutai son cœur.

— Je crois bien que ça fonctionne, déclarai-je en me redressant.

César laissa échapper un grand soupir. Il se passa une main sur le visage, et une grande lassitude parut s'abattre sur lui. Toutefois, il n'était certainement pas temps de se reposer.

— Je dois m'occuper de cette plaie, indiquai-je en montrant le côté droit d'Herrera.

Maintenant que j'avais réussi à fortifier son cœur, je craignais qu'il ne reprenne connaissance trop tôt ; or pour une fois, la chance nous sourit. Il gémit à plusieurs reprises, mais César et David parvinrent à le tenir pour que je puisse travailler correctement.

À peine avais-je mis un pansement fait de bandelettes de lin que je fus moi-même prise de faiblesse. Je m'écroulai littéralement sur place.

Nous étions tous épuisés, mais la nuit était loin d'être finie. Rassuré de voir qu'Herrera n'allait pas mourir (du moins pas tout de suite), César nous quitta à contrecœur pour aller expliquer tout ce qui avait besoin d'être expliqué à son père. David et moi restâmes au chevet du malade. De temps à autre, je me levai pour vérifier son pouls et m'assurer qu'il ne faisait pas de poussée de fièvre. Il faudrait attendre plusieurs jours pour écarter définitivement l'hypothèse de l'infection, mais je commençais à croire aux chances d'Herrera de survivre à cette épreuve.

Quand on songeait qu'il avait été retrouvé quelques heures plus tôt à peine, les progrès étaient remarquables. Une bouffée de gratitude monta en moi en pensant à tous ceux qui avaient joué un rôle dans ce sauvetage exemplaire : César, David, Érato (qui m'avait apporté son aide d'une façon si inattendue), Renaldo, Vittoro… Sans eux, l'issue de cette affaire aurait été bien différente.

Assise dans la pénombre à côté d'Herrera, avec la douce musique des ronflements de David en bruit de fond, je me dis que Sofia avait peut-être raison quand elle m'enjoignait d'utiliser mes talents pour guérir, tout au moins une partie du temps. Je ressentais un sentiment de satisfaction, de bonheur presque, qui était totalement nouveau pour moi. À l'évidence, ce n'était peut-être qu'un court sursis si l'état de l'Espagnol empirait de nouveau, mais présentement, je m'en contentai tout à fait.

César revint peu après. Il se posta auprès du lit pendant quelques minutes, posant sa main sur le front du malade et l'examinant de près. Quand il vit que tout allait aussi bien que possible, il s'affala dans le fauteuil à côté de moi.

En jetant un coup d'œil à David, qui continuait à dormir paisiblement, il m'annonça :

— L'abbesse est aux arrêts dans ses quartiers.

Je le regardai d'un air étonné.

— Elle n'est pas en cellule ?

Il secoua la tête.

— Mon père est d'avis qu'il ne serait guère judicieux d'aller raconter à tout le monde que la prétendue femme sainte dont on a fait si grand cas ces derniers jours est en fait une hérétique et un assassin.

Comme d'habitude, Borgia avait vu juste. Mais je me demandais tout de même combien de temps le secret allait être gardé.

— Que fait-il des hommes qui se trouvaient dans la rue des Tanneurs ?

— Ils ont reçu l'ordre de se taire, mais on a pris soin en

parallèle de faire circuler la rumeur selon laquelle l'abbesse a eu une théophanie qui l'a poussée à se rendre à cet endroit, où elle a découvert qu'Herrera avait été la victime d'une ignoble attaque, sans aucun doute perpétrée par nos ennemis et ceux de l'Espagne. Grâce à son intervention, il a pu être sauvé.

Je me redressai sur ma chaise et le regardai d'un air incrédule.

— *Son* intervention ?

Il poussa un profond soupir.

— La journée de demain sera consacrée à la prière et tous, nous sommes invités à implorer le Dieu Tout-Puissant pour que Son fidèle fils, Don Miguel de Lopez y Herrera, recouvre au plus vite la santé. Malheureusement, mère Benedette ne sera pas en mesure d'y assister, car elle a décidé de se retirer pour prier et jeûner en paix.

J'en secouai la tête de dégoût, mais pour autant, j'étais bien vite revenue de ma surprise. Borgia ne pouvait prendre le risque que la vérité à propos de la « femme sainte » soit un jour connue. Si l'on apprenait que des cathares avaient survécu, et qu'on se mettait à s'intéresser à leurs croyances… La menace que l'Église croyait avoir éliminée quelques siècles plus tôt pouvait se réveiller et lui poser un défi tel qu'elle n'en avait jamais connu auparavant.

— Que compte-t-il faire d'elle ? m'enquis-je.

César haussa les épaules.

— Avant toute chose, il veut savoir qui l'a envoyée, et pourquoi. Après ça, si elle est encore en vie, elle sera exécutée.

Peut-être aurais-je dû éprouver quelque joie à l'idée qu'elle souffre, mais cela ne vint pas. À la place, je rétorquai sèchement :

— Je n'ai jamais compris qu'on puisse prendre pour argent comptant les informations obtenues sous la torture. Il n'y aura donc personne pour s'élever contre ça ?

— Tu n'as pas tort, concéda César. Cela dit, dans cette affaire mon père pense qu'il vaut mieux s'en remettre à la méthode traditionnelle.

Je doutais fort que Borgia pense une chose pareille. Au contraire, je le soupçonnais comme d'habitude d'être en avance de plusieurs coups sur tout le monde. Mais cette fois-ci, décidai-je, pas sur moi.

J'en eus les jambes qui tremblaient de fatigue en me levant.

— Je serai de retour le plus vite possible, informai-je César. Si l'état d'Herrera évolue dans un sens ou dans l'autre, fais-moi mander.

Pris de court, car assurément je devais être trop exténuée pour aller où que ce soit, il s'exclama :

— Mais que fais-tu ?

— Je me soumets aux désirs d'Il Papa, bien sûr.

Et avant de changer d'avis, je me hâtai de sortir.

29

— Je dois voir Sa Sainteté d'urgence.

Le garde posté devant les appartements du pape me regarda sans mot dire. Il avait l'air tiraillé entre l'idée qu'il se faisait de son devoir et un désir ardent d'être ailleurs, plutôt que face à l'empoisonneuse du pape au beau milieu de la nuit.

— C'est une urgence, insistai-je.

Il déglutit avec difficulté, parvint à hocher la tête et ouvrit la porte derrière lui pour avertir un secrétaire. Le prêtre qui sortit de l'antichambre était jeune, donc davantage arrogant que capable. En me voyant, il prit un air pincé.

— Sa Sainteté s'est retirée pour la nuit.

— Ça, ça m'étonnerait, rétorquai-je, certaine de mon fait.

Quoi qu'il ait dit à ses serviteurs, il s'était passé beaucoup trop de choses pour que Borgia aille simplement se coucher. Il devait être en train de ruminer les événements de la nuit passée et réfléchir à la meilleure conduite à tenir, comme seul un bon insomniaque sait le faire.

— Si vous en prenez la responsabilité…, fit-il en s'écartant pour me laisser entrer.

Assis bien droit à son bureau, Borgia n'avait même pas ôté sa tenue papale. Il leva les yeux à mon arrivée.

— Ah, Francesca. Je me disais bien que tu allais venir me voir. Assieds-toi. (J'obtempérai en silence.) Comment se porte Herrera ? s'enquit-il.

— Il est en vie. Je lui ai donné un remède pour fortifier son cœur. Jusque-là, cela semble fonctionner. Il a perdu beaucoup de sang à cause de la blessure qu'il a au côté, mais le poumon n'est pas atteint. J'ai pu recoudre la plaie, et nous guettons à présent le moindre signe d'infection. César a fait mander un médecin maure qui saura traiter les blessures aux mains et aux pieds. L'un dans l'autre, il y a lieu d'être modérément optimiste.

— Je suis heureux de l'entendre. Quelle terrible épreuve cela a dû être pour lui. Il peut te remercier de l'avoir sauvé.

— Ah oui, vraiment ? Je croyais que cet honneur revenait à la sainte mère Benedette.

Borgia se laissa aller en arrière dans son fauteuil, et m'observa de près.

— Cela ne te ressemble pas d'être aussi mesquine, Francesca. Qu'est-ce que tu veux, au juste ?

Je lui parlai sans détour, ainsi que j'étais déterminée à le faire en venant.

— Je sais que vous avez prévu de la soumettre à la question. Je souhaiterais avoir l'autorisation de lui parler avant.

Il leva un sourcil.

— Dois-je te rappeler qu'elle t'a bernée du début à la fin ?

Une vérité qui n'était certes pas agréable à entendre, mais cela ne servait à rien de nier l'évidence.

— Et personne ne le sait mieux que moi. Tout ce que je demande, c'est une chance de me racheter.

Il examina cette requête un instant, puis étala ses mains à plat sur le bureau comme s'il m'accordait une faveur par pure grandeur d'âme.

— Très bien, mais fais vite. J'ai dit aux bourreaux d'être prêts à l'aube.

— Ils sont au courant qu'ils ont affaire à une cathare ?

La question parut le prendre de court.

— Quelle différence cela ferait-il, s'ils savaient ? Leur travail consiste à obtenir des informations. On ne leur demande pas de les comprendre. D'ailleurs, plus vite ils oublient ce qu'ils ont entendu, mieux cela vaut. (Il plissa les yeux.) C'est une vertu dont certaines pourraient tirer exemple.

— Tandis que pour d'autres, ces mêmes informations sont le pouvoir suprême, rétorquai-je.

C'était assurément le cas de Borgia, au vu du mal qu'il se donnait pour les obtenir.

— Raison de plus pour les conserver hors de portée de ceux qui pourraient mal les interpréter ou s'en servir à mauvais escient. À présent, s'il n'y a rien d'autre…, conclut-il en faisant un petit geste de la main pour me congédier.

Je l'ignorai superbement, et le soumit à *ma* question :

— Saviez-vous qu'il existait encore des cathares ?

Je crus bien qu'il n'allait pas répondre, tant il hésita un long moment. Mais il finit par se décider :

— Des rumeurs ont toujours circulé comme quoi il y avait eu des survivants.

Je songeai aux textes sacrés préservés dans le plus grand secret au Mysterium Mundi. Pour le jour où un formidable ennemi chercherait de nouveau à défier Rome ?

— Des rumeurs, ou des craintes ? le pressai-je.

Le Vicaire du Christ sur Terre me lança un regard furieux.

— L'Église ne craint pas, Francesca. L'Église fait naître la crainte lorsque c'est nécessaire, afin de s'assurer que ses ouailles ne s'écartent pas du droit chemin et ne tombent pas dans la gueule du loup. C'est la raison pour laquelle les cathares ont été écrasés, et pour cette même raison qu'ils ne reviendront jamais.

En entendant cela, je me redressai et le regardai dans le blanc des yeux.

— Avec tout le respect que je vous dois, Votre Sainteté, nous savons tous deux qu'ils sont déjà revenus. Rien n'indique que l'abbesse a agi seule. Qui lui a appris à tuer avec autant d'adresse ? Qui lui a fourni des poisons et des drogues plus élaborés que tout ce qu'il m'a été donné de voir jusqu'ici ? Si vos ennemis connus possédaient de tels atouts, vous seriez mort depuis longtemps.

— Je trouve que cette hypothèse revient un peu trop souvent dans ta bouche, lança-t-il en me jetant un regard mauvais.

— Vous persistez à me dire que vous ne saviez rien des cathares ? fis-je en ne relevant même pas.

— Comme je te l'ai dit, c'étaient des rumeurs… Rien de plus, fit-il en soupirant. Il n'y avait pas lieu de croire qu'elles reflétaient la vérité.

— Ces rumeurs, mentionnent-elles Milan à tout hasard ?

Il m'observa attentivement.

— Pas que je sache. Certains survivants vivraient en Angleterre, d'autres en France, d'autres encore se cacheraient dans des forêts et des grottes. Mais ce ne sont que des bruits qui courent. Du moins, ça l'était jusqu'à hier soir.

Je dissimulai ma déception en hochant la tête.

— À notre retour à Rome, je fouillerai le Mysterium à la recherche de toutes les informations possibles sur les cathares. S'ils décident de revenir, nous devons être prêts.

Je me levai, mais il me fit comprendre qu'il n'en avait pas fini avec moi. Il sortit une petite boîte en bois d'un tiroir de son bureau, et me la tendit.

— Ceci a été découvert dans les quartiers de ton abbesse, avant qu'on ne l'y emmène. À la lumière de ce que tu viens de me dire, je ne doute pas que son contenu t'intéressera grandement.

J'ouvris la boîte avec moult précautions et y découvris une dizaine de fioles en verre, fermées, mais dont les sceaux avaient pour la plupart été brisés : elles avaient donc servi. Lorsque j'aurais le temps de me pencher dessus, je trouverais sans aucun doute parmi elles le poison capable d'arrêter le cœur en une seconde, comme celui de la blanchisseuse. Et dans d'autres, les différentes drogues dont l'abbesse s'était servie sur moi – peut-être même l'élixir cathare. Pour Borgia, me confier cet objet était un témoignage de confiance ; toutefois, je savais aussi pertinemment qu'il escomptait me voir tirer profit de cette manne. Si l'on pouvait s'exprimer ainsi.

Préférant ne pas songer aux implications d'une telle découverte pour l'instant, j'inclinai la tête en une petite révérence et lui précisai :

— Je vous ferai savoir ce que j'ai appris.

Il acquiesça, apparemment satisfait, et me congédia. Je fis un détour par mes quartiers pour mettre la boîte à l'abri, puis allai trouver les deux hommes qui montaient la garde devant les quartiers de mère Benedette, pour « ne pas la déranger pendant ses prières ». Sans l'ombre d'un doute, d'autres condottieri étaient postés sous ses fenêtres au cas où elle déciderait de s'enfuir par là, comme j'avais moi-même brièvement envisagé de le faire.

— Sa Sainteté m'autorise à parler à la prisonnière, annonçai-je.

L'un des gardes tira le verrou de la porte et se mit de côté pour me laisser entrer. Je m'exécutai, mais avec davantage de nervosité que je ne voulais bien l'admettre. Non seulement mère Benedette m'avait dupée depuis le départ (ainsi que Borgia avait eu l'obligeance de me le rappeler), mais elle m'avait également forcée à affronter mes pires craintes, et mes souvenirs les plus cauchemardesques. J'en garderais les cicatrices pendant longtemps, je le savais.

Cependant, j'étais déterminée à lui faire face calmement. Je la trouvai assise dans un fauteuil à haut dossier, les mains croisées sur ses genoux comme à son habitude. Elle portait toujours son habit de religieuse brûlé au niveau des pieds, et même son chapelet en bois n'avait pas bougé de place, à sa taille. Au début je crus qu'elle dormait, mais elle ouvrit les yeux en sentant ma présence. Et la femme qui avait œuvré à détruire tout ce que j'avais juré de protéger me sourit comme si nous étions les meilleures amies au monde.

— Francesca. J'espérais que tu viendrais.

Je la dévisageai, et m'émerveillai d'avoir été naïve au point de croire qu'elle avait connu ma mère. Sans son voile, il devenait évident qu'elle n'était mon aînée que de quelques années.

Je m'obligeai à ne plus penser à cela, et pris place dans le fauteuil en face d'elle. D'une voix ferme (ce dont je n'étais pas peu fière), je lui demandai :

— Voudrais-tu me dire ton vrai nom ?

La question sembla l'amuser.

— Car tu t'imagines que le nom par lequel on nous appelle en ce monde a une quelconque signification ? Seul le nom de notre âme a de l'importance, et il ne peut être prononcé ici.

Je n'avais aucune intention de m'engager dans une conversation sur les croyances cathares.

— Dans ce cas, ce sera mère Benedette. Sa Sainteté est déterminée à découvrir qui t'a envoyée. Il a l'intention de te faire torturer.

— Et toi, tu as l'intention de regarder ?

Je ne mordis pas à l'hameçon, rétorquant plutôt :

— Nous pouvons continuer cette joute verbale jusqu'à ce que je décide que tout ça ne sert à rien, et que je parte. C'est ce que tu souhaites ?

Je crus qu'elle n'allait pas répondre, mais une lueur étrange se fit tout à coup jour dans ses yeux – peut-être se rendait-elle compte enfin que les choses pouvaient très mal tourner pour elle. Doucement, elle demanda :

— Pourquoi devrais-je te dire quoi que ce soit ?

Je marquai un temps d'arrêt et pris le temps de respirer calmement, car je savais parfaitement que ce que j'étais sur le point de faire allait venir s'ajouter à la longue liste de mes défaillances patentes la concernant, et achèverait peut-être de convaincre Borgia de se passer de mes services une bonne fois pour toutes.

Avant de changer d'avis, je lui fis ma proposition :

— Dis-moi la vérité, et tu auras droit à une mort plus douce.

Elle eut l'air surprise.

— Tu irais à l'encontre des désirs de ton maître ?

— En échange de la vérité, oui.

Elle hocha la tête, comme si je venais de lui confirmer une chose dont elle était convaincue depuis longtemps.

— Je ne me trompais pas sur toi. Tu es un esprit très rare.

— Pour autant, ça ne t'a pas empêchée de te servir de moi et d'essayer de me tuer. Mais passons. Qui t'a envoyée ici ?

Je m'attendais à ce qu'elle refuse de me répondre, qu'elle tente d'en tirer quelque autre avantage, peut-être même la vie sauve en échange de l'information. Mais elle n'hésita pas une seconde.

— Je ne sais pas, ce qui est plutôt regrettable si je dois finir dans la chambre de torture de Borgia. Je peux toujours inventer quelque chose pour lui faire plaisir, mais à la vérité j'ai été recrutée par un intermédiaire, qui ne m'a donné aucune indication sur celui qui l'employait. Lui-même ne le savait sans doute pas. En toute probabilité, cette affaire s'est conclue par le truchement de plusieurs personnes.

Une réponse frustrante, pour sûr, qui n'allait pas plaire à Borgia. Cependant, je savais que dans le monde des empoisonneurs, ce qu'elle décrivait était monnaie courante. Il était tout à fait plausible que ce soit aussi le cas des assassins.

— Es-tu en train de me dire que ce n'était pas un complot des cathares ? Que celui ou celle qui t'a chargée de cette mission ne savait rien de tes croyances ?

— Je suppose que oui. Nous, les descendants des survivants, apprenons dès notre naissance à vivre en ce monde sans nous faire repérer. Nous acceptons d'être entourés par le mal et nous nous en servons même, pour nous protéger.

— Tu ne veux pas plutôt dire que vous y contribuez en vous transformant en assassins ?

— On peut débattre de cela si tu veux, fit-elle. Ou bien tu peux accepter que ce que je te dis est sincère.

— Tu n'as vraiment aucune idée de qui t'a embauchée ? m'obstinai-je.

Elle me regarda droit dans les yeux, sans sourciller.

— Non.

— Mais ton intention était bien de tuer Herrera et ainsi de détruire l'alliance ?

— À ce que j'ai compris, oui. Tu devais aussi être reconnue coupable. Borgia aurait été irrémédiablement affaibli par la perte du soutien des Espagnols, et toi, qui as réussi à déjouer tant de complots contre lui, tu aurais disparu du tableau. La voie aurait été libre pour le détruire.

Je détestai l'admettre, mais ce plan aurait pu (aurait dû, même) fonctionner. Néanmoins, j'étais loin d'en avoir terminé avec elle.

— Les cadeaux que tu m'as faits, les petits pains, le psautier… Tu me droguais ?

— Oui, me confirma-t-elle, dans le but de te faire perdre la raison. Une fois ma mission remplie, je serais allée me mettre à l'abri – il faut toujours songer à ce genre de détail en amont, naturellement. Mais je suis sûre que tu comprends. Quand je t'ai rencontrée toutefois, j'ai compris que me servir de toi uniquement comme il était convenu au départ serait un terrible gâchis.

— Parce que tu croyais que je pourrais te montrer la voie ?

Elle acquiesça d'un signe de tête.

— Et j'avais vu juste, puisque tu l'as fait par la suite.

— Mais je t'ai dit…

Elle leva une main pour me faire taire.

— Il est normal que tu sois incapable de saisir pleinement ce que tu as vu.

N'étant moi-même pas certaine d'avoir tout compris, il m'aurait été difficile de la contredire. Je passai donc à la véritable raison de ma venue. Les morts ne peuvent plus demander des comptes, mais je pouvais le faire à leur place.

— C'est toi qui as tué le marmiton, la blanchisseuse, le page ?

— Oui.

— Pourquoi ? Quel était ton but en faisant cela ?

Ces victimes qui semblaient avoir été choisies à l'aveugle, autant de vies balayées sans rime ni raison, me hantaient. Mais ce n'était visiblement pas le cas de la fausse abbesse, qui eut l'air étonné.

— Voyons, je l'ai fait pour toi, Francesca. Tu l'avais compris, n'est-ce pas ?

Mon incrédulité devait être flagrante, car elle ajouta :

— Certes, il m'était utile que les gens prennent peur en voyant ces morts inexpliquées, et finissent par te soupçonner d'en être la cause. Mais j'avais un autre but, plus noble. Je voyais bien que tu vivais dans l'illusion, en croyant pouvoir (je ne sais comment) créer un monde meilleur par tes seuls actes. Et tout ça pour quoi, te racheter ? Je devais te prouver que le mal est partout. Qu'il peut frapper n'importe quand, et que tu n'y peux rien, car c'est l'essence même de l'existence ici-bas. C'était ma façon de te préparer à la voie de la lumière.

J'en eus la nausée. Je ne doutais pas un seul instant de la sincérité de ses paroles. La vie n'avait aucune valeur pour elle, étant simplement un fardeau à porter dans le monde physique.

— Je les ai libérés, persista-t-elle, comme si j'étais en mesure de comprendre. De la même manière que j'ai tenté de te libérer.

Mais j'avais survécu, et à cause de moi elle allait répondre de ses ignobles crimes.

— Tu as aussi tué le domestique d'Herrera.

— Quelqu'un devait mourir après que je t'avais donné le psautier. Je savais de quelle manière la drogue qui en était imprégné allait agir sur toi, et quand je t'ai vue quitter tes appartements…

— C'est donc toi que j'ai aperçue ? Tu m'as suivie ?

Ainsi, la mystérieuse silhouette n'était pas une incarnation de la Mort comme mon esprit enfiévré l'avait imaginé, mais une femme par trop réelle et déterminée, coûte que coûte, à tuer.

— J'avoue, me fit la fausse sainte en fronçant les sourcils, je me demande bien ce qu'il est advenu de ce couteau. Je l'ai laissé là pour qu'on le trouve.

— Mais on l'a trouvé. C'est même moi qui l'ai repéré le lendemain, quand j'ai commencé à retrouver la mémoire.

— Tu t'es rappelé ? s'exclama-t-elle, stupéfaite. Cela n'aurait pas dû être possible. Cette drogue est censée effacer tous les souvenirs. (Elle y réfléchit un instant.) À moins que tu n'aies ingéré une autre substance qui en aurait neutralisé les effets en partie.

La poudre de Sofia, peut-être ? Cela me faisait encore envie, mais après cette conversation avec la cathare, j'étais déterminée à ne plus jamais en prendre. Et si Dieu avait un tant soit peu de miséricorde pour moi, je resterais forte.

— Tu as tué Marie-Madeleine, poursuivis-je.

Elle haussa les épaules.

— Ne me dis pas que tu n'y as pas songé toi-même. Ou bien que tu n'as jamais eu envie de tuer Herrera. Nous nous ressemblons davantage que tu ne veux bien l'admettre, Francesca.

Je la dévisageai, cette meurtrière dans la fleur de l'âge qui, en dépit – ou peut-être à cause – de son fanatisme, était très bonne dans ce qu'elle faisait ; et je songeai qu'elle aurait fort bien pu avoir le dessus sur moi. Elle avait été façonnée par un acte de violence brutal, qui s'était répercuté pendant des siècles jusqu'au jour présent, et en toute probabilité allait continuer à le faire à l'avenir. Mais elle ne serait plus là pour le voir. Son temps était révolu.

Le mien ne l'était pas, et pour cela je me sentis tout à coup extraordinairement reconnaissante. J'avais beau ne pas faire partie de la normalité (en toute probabilité, ce ne serait jamais le cas), j'étais capable de voir la beauté en ce monde, et je la chérissais. Le mal existe, il est réel – mais tout comme le bien. Nous ne sommes pas seuls dans le noir.

— J'ai une dernière question. (À laquelle je connaissais déjà la réponse, mais je devais l'entendre de sa bouche.) Tu as inventé toutes ces histoires à propos de ma mère, même la façon dont elle est morte ?

Elle secoua la tête.

— Malheureusement, je n'ai pas l'âme d'une conteuse. C'est l'intermédiaire qui m'a dit quoi te raconter.

Ce n'était pas ce à quoi je pensais, mais pour autant cela ne changeait rien.

— As-tu une raison de croire qu'il y avait une part de vérité dans tout ce que tu m'as dit ?

— Aucune.

Elle avait l'air sans regret ; je n'en étais guère étonnée, mais cela faisait mal quand même. Je dus me forcer à continuer.

— Toi et moi ne nous ressemblons nullement, bien au contraire, lui assénai-je. Ta foi et la vision qui en découle sont inacceptables pour moi. Mais tu as respecté ta part de marché. Je respecterai donc la mienne.

Je tendais déjà la main vers la bourse où j'avais glissé le nécessaire pour accomplir ma lourde tâche, lorsqu'une fois de plus elle me surprit. En souriant, la femme que je connaissais sous le nom de mère Benedette s'exclama :

— Grâce à toi, je meurs en sachant que la voie permettant d'accéder à un monde meilleur existe vraiment. Je veux que tu saches que je t'en suis sincèrement reconnaissante. À présent que j'ai œuvré à sauver mon âme des griffes de Satan, je suis libre de la suivre, enfin. Nous ne nous reverrons pas ici-bas, mais sois assurée que je te chercherai dans la lumière.

Et sur ce, elle tira d'un coup sec sur la corde qui retenait les grains en bois de son chapelet. La plupart tombèrent au sol, en même temps que sa croix, mais elle réussit à en conserver quelques-uns en main.

Souriant toujours, et me regardant droit dans les yeux, elle les mit dans sa bouche et croqua à belles dents.

Quelques minutes après, l'assassin cathare n'était plus.

30

Tout effort pour sauver mère Benedette était futile, mais je fis mine de m'y atteler quand même à l'intention des gardes. Les grains de son chapelet, s'avéra-t-il, contenaient des pois rouges. Laissées intactes, ces graines peuvent passer dans le corps sans y causer de dégâts. Mais une fois l'enveloppe extérieure percée, elles libèrent une substance toxique mortelle, l'une des plus dangereuses que connaît l'homme. En toute probabilité, « l'abbesse » n'était pas tombée au sol qu'elle avait déjà succombé.

Les yeux rivés sur elle par le choc, je tentai de comprendre pourquoi elle avait attendu de me parler avant d'en finir, alors qu'elle avait le moyen de le faire depuis le départ. En toute probabilité, sa mort devait être orchestrée selon une trame précise : dans son esprit malade, elle constituait l'acte suprême pour sauver son âme. Toutefois, Herrera allait vivre ; elle avait échoué sur ce point. L'alliance espagnole serait maintenue, je ne serais pas jugée coupable des meurtres successifs (ni envoyée au bûcher à cause de ceux-ci) et Borgia resterait sur son trône.

Borgia. La réponse s'imposa à moi si brutalement que j'en poussai un cri. Elle était morte en croyant avoir gagné. Par ce dernier acte, elle avait cherché à me convaincre de la justesse de ses croyances. Et à m'imposer de suivre la voie qu'elle-même avait choisi d'emprunter. Elle pensait vraiment qu'on allait se retrouver.

L'ampleur de ma défaite me frappa de plein fouet, au point que je faillis bien m'écrouler à côté d'elle. Mais je me retins et entrepris de sortir de la pièce au pas de course, laissant derrière moi des gardes interloqués. Je me ruai vers les appartements de Borgia, le souffle court et le cœur battant.

Ouvrant à la volée la porte de sa chambre, je le surpris en train de lever une coupe à ses lèvres. Séance tenante, je lui criai : « Arrêtez ! »

Il m'observa par-dessus le bord de son verre. Sans attendre qu'il obtempère, je fonçai sur lui, m'emparai de la coupe et la jetai au sol, où elle vola en éclats. Pantelante, à peine capable de parler, je lui dis :

— Vous ne devez rien manger, ni boire. Personne, d'ailleurs. Il faut faire passer le mot, les avertir, tous…

La pièce commença à tourner. Je crus bien que j'allais m'évanouir, et ce serait peut-être bien arrivé si Borgia n'avait eu la présence d'esprit de me faire asseoir dans un fauteuil, de me pencher en avant et de me caler la tête fermement entre les genoux.

— Respire, ordonna-t-il en me retenant par le cou pour m'obliger à lui obéir.

Quand il fut vraiment certain que je n'allais pas perdre connaissance, il m'autorisa à me redresser.

— Ne bouge pas, me fit-il ensuite en allant à la porte, afin de parler brièvement à l'un de ses secrétaires. Je vis l'homme blêmir et se hâter d'aller faire ce qu'on lui demandait.

— Bien, m'informa Borgia en se rasseyant en face de moi. Je viens de déclarer une période de jeûne pour tous, afin de remercier Dieu d'avoir épargné la vie d'Herrera. Pas une bouchée de nourriture ni une goutte de liquide ne passeront les lèvres de quiconque jusqu'à nouvel ordre. À présent, j'apprécierais une explication.

— La cathare est morte.

Sans lui laisser le temps de réagir, j'ajoutai :

— Elle a ingurgité du poison qui était dissimulé dans les grains de son chapelet. Des pois rouges… mortels.

— Et ? m'encouragea-t-il.

— Elle avait ce chapelet avec elle pendant tout ce temps, depuis notre première rencontre. Ne voyez-vous donc pas ? Je l'ai fait venir dans votre maison, je l'ai emmenée aux cuisines, et partout où je vais quand je fais mes tournées. Elle a fort bien pu profiter d'un moment de distraction pour empoisonner un baril ou un sac que j'inspectais. Je l'aurais scellé sans me douter de rien. En d'autres termes, il pourrait y avoir du poison n'importe où dans ce palazzo, dissimulé à notre insu.

— As-tu une quelconque raison de croire qu'elle a vraiment fait cela ? me demanda Borgia, l'air grave.

Cela me coûtait de l'admettre, mais je fus bien obligée d'acquiescer.

— C'est ce que j'aurais fait. Le moyen, une bonne fois pour toutes, de vous détruire et de causer la ruine de l'Église, au cas où tout le reste tournerait mal.

Et cela aurait fonctionné si je n'avais deviné ses véritables intentions – moi qui avais si énergiquement protesté contre l'idée que mère Benedette et moi soyons semblables.

Borgia se laissa aller en arrière dans son fauteuil et prit un instant pour réfléchir à tout cela.

— D'accord. Nous allons envoyer des domestiques en ville pour reconstituer nos réserves autant que faire se peut. Au moins, notre cote de popularité auprès des habitants devrait s'en trouver augmentée. Quand tu te seras remise, tu inspecteras tout ce qui n'aura pas pourri entre-temps.

— Je vous trouve remarquablement calme, au vu de la situation, constatai-je. Nous savons tous deux que j'ai placé mon désir d'en savoir plus sur mon passé avant ma mission de protection envers vous.

C'était la vérité sans fard. Je ne voyais rien à gagner en éludant le problème, et du reste je n'escomptais pas une seconde qu'il me le permette.

Néanmoins, vraiment, cette nuit était pleine de surprises.

— Et pourtant me voici, bien en vie et en pleine forme, me répliqua Borgia avec un léger sourire. À ton avis, à quoi est-ce dû ?

— Au fait que je…

— Au fait que tu viens de me dire la vérité, et que tu as admis ton erreur. Au fait que tu n'as pas essayé de sauver ta peau à mes dépens. Tu aurais pu, tu sais. Seules « l'abbesse » et toi savez ce qui s'est passé entre vous. Tu aurais pu m'affirmer qu'elle était morte empoisonnée par toi.

Sa Sainteté le pape me décocha un curieux regard, et mon petit doigt me dit alors qu'il me soupçonnait d'avoir été encline à faire exactement cela. Peut-être avait-il même compté dessus pour occulter le fait que nous avions été à deux doigts de la catastrophe.

Pour autant, je me sentis obligée d'insister :

— Mais j'ai manqué à tous mes engagements envers vous. Mère Benedette ne savait pas qui était le commanditaire, et elle n'a rien pu me révéler. Nous ne sommes pas plus avancés qu'avant.

— C'est regrettable, admit Borgia. Mais dis-moi, que t'a-t-elle confié sur ta mère ?

— C'est sans importance. Ce n'était qu'un tissu de mensonges.

— Qu'elle a fabriqués de toutes pièces ?

— Non, apparemment elle s'est contentée de répéter l'histoire qu'on lui a dit de me raconter.

— Et cette histoire était… ?

Voyant qu'il n'avait pas l'intention de lâcher prise, je la lui résumai aussi succinctement que possible. Tout ce que je voulais, c'était ne plus y penser et en finir avec ma confession, mais visiblement Borgia avait une autre idée en tête. Il m'écouta avec beaucoup d'attention et lorsque j'eus fini, il s'exclama :

— Mais tout cela est vrai. C'est réellement ce qui est arrivé à ta mère et à toi.

Je le regardai d'un air ahuri.

— Mais comment pouvez-vous en être certain ?

— Tu ne penses tout de même pas que j'aurais engagé ton père sans faire une enquête approfondie sur lui auparavant, non ? Je savais ce qui s'était passé, et au bout d'un certain temps nous en avons discuté tous les deux.

Mes mains serrèrent un peu plus fort les bras du fauteuil dans lequel il m'avait fait asseoir.

— Je ne comprends pas. Qui d'autre connaissait la vérité ?

Borgia parut agréablement surpris de voir que j'avais la finesse d'esprit de poser la question.

— Qui d'autre, en effet ?

Voyant mon air toujours confus, il m'expliqua :

— Ta mère est née et a grandi à Milan. Elle est morte dans un petit village non loin de là, donc sur les terres du duc de Milan, Ludovico Sforza. Cela aurait été un jeu d'enfant pour lui de se renseigner là-dessus, et de s'en servir.

— C'est lui qui est derrière tout cela ? La famille Sforza est derrière tout ça ?

— Ironique, n'est-ce pas ? Moi qui depuis tout ce temps croyais qu'il s'agissait de della Rovere.

À l'évidence, il n'avait plus d'excuse pour faire tuer ce dernier, et ce nouveau développement semblait le peiner sincèrement. Il poussa un long soupir.

— Rien d'étonnant à ce que mon cher gendre se soit donné tant de mal pour nous froisser, et ainsi ne m'ait laissé d'autre choix que de le bannir. On l'aura averti que le moment était malvenu pour traîner dans les parages.

— Et maintenant ? m'enquis-je.

— Et maintenant, reprit-il de meilleure humeur, grâce à toi je sais qui, parmi mes soi-disant amis, est en fait mon ennemi. Cela va m'être très utile.

— Certes, mais j'ai échoué…

— Et j'ai aussi appris quelque chose que je ne soupçonnais même pas jusqu'à présent. Les cathares constituent vraiment une menace. Il nous faudra redoubler de vigilance.

Il était satisfait d'avoir remporté une bataille ; mais il paraissait encore plus impatient d'en découdre à l'avenir. Vraiment, il était homme à s'épanouir dans les luttes de pouvoir, et peu importe les conséquences néfastes sur les autres.

Je pris donc sur moi de lui préciser :

— Les cathares croient que vous ne servez pas Dieu, mais Satan. Vous éliminer et, de fait, engager la sainte Église sur la voie de la destruction serait pour eux l'acte suprême de rédemption. Quiconque accomplirait cela aurait l'assurance d'être libéré de ce monde pour toujours.

Mère Benedette était morte le sourire aux lèvres ; jamais je ne l'oublierais.

— Et toi, Francesca, que crois-tu ?

Bonne question. J'avais beau avoir sauvé Borgia et l'alliance, cela voulait également dire que la guerre si longtemps retardée était désormais inévitable. Elle arrivait aussi sûrement que le soleil se levait à présent derrière Il Papa, un cercle rouge sang qui menaçait de nous embraser tous autant que nous étions.

Et cela revenait à ce que l'abbesse avait toujours voulu. La sainte Église déchirée, en guerre avec elle-même et les monarques chrétiens parmi les plus puissants. Qui pouvait espérer survivre à un tel cataclysme ?

J'eus le loisir de méditer sur cette question pendant plusieurs jours, le temps que Sa Sainteté se déclare satisfaite des fortifications de Viterbe et que l'on se remette en route pour Rome. César chevaucha à mes côtés pendant la majeure partie du trajet. Durant ces longues heures passées ensemble au chevet d'Herrera, nous nous étions beaucoup rapprochés, sans pour autant ressentir le besoin d'en parler. Il savait quasiment tout ce qui s'était passé entre « l'abbesse » et moi, et mieux que quiconque, il connaissait mes peurs. Nous n'avions plus qu'un seul point de discorde, à présent.

— La guerre, déclara César, n'est pas mauvaise. Tragique, certes, en particulier pour ceux qui en souffrent. Mais bien menée, elle peut œuvrer pour le bien.

— La guerre, ripostai-je, est l'absence de paix, tout comme saint Augustin a dit que le mal est l'absence de bien. Dans les deux cas, c'est la faute de l'homme, et non de Dieu.

Tout en parlant, nous franchîmes la crête de la dernière colline. Au-dessous de nous, Rome scintillait au soleil. La pluie avait cessé et une légère brise soufflait dans notre direction, fleurant bon cette pestilence qui m'avait tant manqué. Le Tibre était retourné dans son lit, et le pic de l'épidémie de peste était passé. À cette distance, les marchés paraissaient bondés, les rues animées. Quelque part se trouvaient des amis chers, même ceux comme Rocco qui avait décidé de changer de vie. La mienne aussi avait changé durant mon séjour à la campagne. Je retournais à la ville en étant la même, et pourtant une d'autre. J'étais une femme qui connaissait son passé, désormais.

César poussa un cri et fit dévaler la pente à sa monture. Je le suivis, mais à une allure ralentie. Par-dessus son épaule, il me cria :

— Ne t'inquiète donc pas tant de ce qui va arriver, Francesca. Cueille le présent !

Peut-être est-ce son sourire qui m'enhardit. Ou peut-être savais-je au fond de moi qu'il avait raison. Toujours est-il que je respirai un bon coup, plantai mes éperons dans la jument alezane, et me hâtai de saisir ce moment parfait.

Chronologie

Mars 1493   La *Niña*, la caravelle de Christophe Colomb, parvient à rentrer à Lisbonne après avoir essuyé une terrible tempête dans l'Atlantique. Le grand navigateur italien annonce la découverte d'immenses territoires vierges à l'ouest.

Printemps 1493   Bien décidé à accroître encore le pouvoir et la richesse de sa famille, Rodrigo Borgia (devenu le pape Alexandre VI) s'empare de terres appartenant au royaume de Naples pour les octroyer à son fils cadet Juan, récemment nommé duc de Gandie. Ferdinand I, roi de Naples, menace de déclencher une guerre si ses droits continuent à être ainsi bafoués par la papauté. Une rumeur persistante veut que le pape ait également l'intention de conférer le titre de cardinal à son fils aîné de dix-sept ans, César, afin de jeter les bases d'une dynastie de papes Borgia qui régneraient sur la chrétienté toute entière. Ceci provoque l'inquiétude de nombre de grandes familles italiennes et de prélats de l'Église, et renforce encore l'opposition contre sa papauté. De Florence où il est basé, le frère dominicain fanatique Girolamo Savonarole prêche contre la corruption de l'Église catholique romaine et du pape Alexandre VI.

25 avril 1493	En réponse aux assauts venus notamment de Naples contre sa papauté, Alexandre VI commence officiellement à se préparer à la guerre. Le grand rival de Borgia au trône papal, le Cardinal della Rovere, se retire dans son évêché d'Ostie pour le fortifier.
4 mai 1493	Le pape signe la bulle pontificale *Inter caetera*, qui octroie à l'Espagne toutes les nouvelles terres découvertes à cent lieues à l'ouest des Açores. Il cherche par ce geste à acheter le soutien de Leurs Majestés très catholiques, la reine Isabelle et le roi Ferdinand, dans sa lutte contre ses ennemis.
Mi-mai 1493	Le Cardinal della Rovere se retire dans son fief familial de Savone. De là, il entre en négociations avec le roi de France Charles VIII, dans le but avoué de déchoir Borgia de son trône papal.
Juin 1493	L'émissaire espagnol Don Diego Lopez de Haro arrive à Rome, avec dans ses bagages davantage d'exigences encore de Leurs Majestés très catholiques en échange de leur soutien à Borgia.
12 juin 1493	Tenant sa promesse faite à la famille milanaise Sforza, grâce à qui il a obtenu la papauté l'année précédente, Rodrigo Borgia marie sa fille de treize ans, Lucrèce, à Giovanni Sforza. Cette union engendre un durcissement des positions de part et d'autre, et rend la guerre quasiment inéluctable.

Du même auteur

Francesca – Empoisonneuse à la cour des Borgia, MA éditions, Novembre 2011
Francesca – La Trahison des Borgia, MA éditions, Avril 2012

Derniers titres parus chez MA éditions

Les Héritiers de Stonehenge, Sam Christer, Juin 2011

L'Évangile des Assassins, Adam Blake, Novembre 2011

Zéro Heure à Phnom Penh, Christopher G. Moore, Février 2012

Le Refuge, Niki Valentine, Février 2012

Le Sang du Suaire, Sam Christer, Mars 2012

Coeurs-brisés.com, Emma Garcia, Mai 2012

Tahoe, L'Enlèvement, Todd Borg, Mai 2012

Paraphilia, Saffina Desforge, Juin 2012

La Cinquième Carte, James McManus, Juin 2012

Le Cri de l'ange, C.E. Lawrence, Août 2012

Vertiges Mortels, Neal Baer et Jonathan Green, Septembre 2012

La Sage-Femme de Venise, Roberta Rich, Novembre 2012

MARQUIS

Québec, Canada